Alleen ik overleefde

Carmina Salcido
en Steve Jackson
Alleen ik overleefde

Vertaald door Bob Snoijink

ARENA

Oorspronkelijke titel: *Not Lost Forever*
© Oorspronkelijke uitgave: 2009 by Carmina Salcido
Published by arrangement with HarperCollins Publishers
© Nederlandse uitgave: Arena Amsterdam, 2009
© Vertaling uit het Engels: Bob Snoijink
Omslagontwerp: Studio Jan de Boer
Foto omslag: Leo Bevilacqua
Typografie en zetwerk: CeevanWee, Amsterdam
ISBN 978-90-8990-077-7
NUR 302

Dit boek draag ik met veel warmte op aan de nagedachtenis van mijn lieve moeder Angela, die alleen maar vrijheid, liefde en geluk wilde. Ook aan mijn oma Louise, mijn zussen Sofia en Teresa en mijn lieve tantes Maria en Ruth. Jullie zitten allemaal voor altijd in mijn hart en mijn geest als deel van mijn ziel tot we weer verenigd zijn.

Carmina Salcido

WOORD VOORAF

Carmina Salcido zit voorin op de passagiersstoel van een perso-
nenauto naar buiten te staren wanneer de auto over de bochtige
snelweg tussen Sonoma en Petaluma in Californië voortijlt. De
heuvels aan weerskanten van de weg glooien als gigantische golven op een stroblonde oceaan. De laatste flarden ochtendmist
drijven over de smalle, dichtbegroeide dalen tussen de heuvels
en blijven even talmen aan de schaduwkant van de toppen als
spoken die met tegenzin een favoriete hangplek verlaten.

Het gras op de heuvels in de omgeving is kort gegraasd, zoals
in een uniform parklandschap, bewaakt door eenzame, parasol-
vormige eiken. Andere heuvels en laagten langs de snelweg zijn
ten prooi gevallen aan keurige legertjes wijnranken op afgevlak-
te percelen. Het is september 2007 en de wijnoogst in dit prachtige landschap ten noorden van de Bay Area was dit jaar vroeg. De
meeste druiven zijn geplukt – grotendeels door Mexicaanse
landarbeiders – en ondergaan nu het proces van persen, fermen-
teren en opslag in eiken vaten die er wijn van maken. Er hangen
nog een paar zware, donkerrode trossen aan de ranken, maar er
schemeren ook al herfstkleuren doorheen zoals geel, rood en
oranje.

Op de radio klinkt 'There's Nothing'. Het is een hoopvol liedje
over liefde en een van Carmina's favorieten.

There's nothing in this world
There's not another boy that could make me feel so sweet

Evenals haar moeder destijds is Carmina een opvallend aantrekkelijke jonge vrouw. Ze heeft grote, topaaskleurige ogen, een brede, innemende glimlach en een fijn wipneusje. Ze schatert veel en haar lach heeft een verrassend vol en uitbundig geluid. Tegen de achtergrond van wat ze heeft meegemaakt sinds ze nog geen drie jaar oud was is het wonder dat ze überhaupt nog kán lachen.

Het geluid rijmt niet met het dikke, witte litteken om haar keel, van vlak onder haar linkeroor tot vlak onder haar rechter. Een rond littekentje onder op haar keel geeft de plek aan waar chirurgen een tracheotomiebuisje hadden aangebracht.

Dat was ruim achttien jaar geleden. Vandaag brengt ze opnieuw een bezoek aan het decor van haar afgrijselijke verleden, een excursie naar Boyes Hot Springs, een aftandse arbeiderswijk aan de noordwestkant van Sonoma; naar het huis op Baines Avenue, waar ze de eerste drie jaar van haar leven heeft doorgebracht; vervolgens via de lommerrijke tweebaans Sonoma Highway, ook wel bekend als Highway 12, naar de wijngaarden en perserij van de Kunde Estate, naar de Dunbar Elementary School en naar wat ooit de Grand Cru-wijngaard in de buurt van Glen Ellen was.

Elke halte is een ander hoofdstuk van wat een plaatselijke krant ooit hijgerig 'Het bloedbad van Sonoma' noemde. Wanneer Carmina haar verhaal vertelt, zijn sommige herinneringen zo vers als gisteren; andere zijn vaag en droomachtig, maar evengoed werkelijk voor haar. Bepaalde gebeurtenissen, zelfs pijnlijke, herinnert ze zich hoofdschuddend alsof ze iemand anders zijn overkomen. 'Vind je dat niet ongelooflijk?' zegt ze dan. Van andere krijgt ze de tranen in de ogen en raakt haar stem verstikt.

Veel van wat Carmina weet over 14 april 1989 en wat daarna

8

gebeurde heeft ze uit oude kranten- en tijdschriftenknipsels in de bibliotheek, en documenten, brieven en foto's in zesentwintig dozen bewijsmateriaal van de Sonoma County District Attorney, het parket van de officier van justitie. Een aantal witte plekken heeft ze ingevuld met de herinneringen van andere mensen die destijds in Sonoma woonden. Een aantal van die verhalen is echt en betrouwbaar, andere zijn overdreven; sommige zijn zelfs puur uit de duim gezogen. Dat weet ze allemaal. Toch probeert ze hun herinneringen en uiteenzettingen tot een hecht verhaal te smeden.

Dat doet ze zelfs met de egoïstische excuses van haar vader, Ramón Salcido, die nog altijd op zijn executie wacht in de dodencel van de staatsgevangenis San Quentin.

In de verte ziet Carmina de afslag waarop ze heeft gewacht. Later zal de excursie verdergaan naar het kerkhof, de Calvary Catholic Cemetery in Petaluma, daarna naar het huis van de gruwelen in Cotati en uiteindelijk naar Santa Rosa, naar Mike Brown, de rechercheur van Sonoma County die het onderzoek naar de moorden had geleid. Maar nu rijdt de auto eerst over een grindweg een heuvel bij een steengroeve op.

Wanneer hij knarsend tot stilstand komt bij de ingang van de vuilnisstort van Petaluma, wordt Carmina eindelijk overweldigd. In de jaren na haar terugkeer naar Californië om achter de waarheid over haar familie te komen, heeft ze al die andere plekken al bezocht, sommige zelfs vele malen. Maar hier is ze nog niet geweest. Haar grootvader had haar er wel in het voorbijgaan op gewezen, maar kreeg het niet over zijn hart om haar erheen te brengen.

'Telkens wanneer ik langs deze plek rij,' zegt ze, 'voel ik een bijna magnetische zuigkracht die me wil laten stoppen. Je zou me kunnen blinddoeken en ik zou nog weten wanneer we erlangs reden.'

Het uitzicht is in de tussenliggende jaren weinig veranderd; alleen de seizoenen, haar leeftijd en de omstandigheden zijn anders. In april 1989 hadden de bladeren van de wijnranken langs de hoofdweg een frisgroene limoenkleur. Het wilde gras op de stort was even hoog als het bijna driejarige meisje dat ertussen op redding zat te wachten.

Heel even lijkt ze zich te bedenken. Ze aarzelt om de veiligheid van de auto te verlaten. Dan raapt Carmina met een zucht haar moed bijeen en stapt uit. Ze werpt een blik op het ravijn vlakbij, ziet het talud en wendt dan vlug het hoofd af terwijl ze even wankelt in het zonlicht.

'Dit is de laatste plek waar ik met mijn zusjes was. Hier heb ik hun gezicht voor het laatst gezien... De laatste keer dat we bij elkaar waren.'

Ondanks de strakblauwe hemel en de schoonheid van de omringende heuvels is het een verlaten en desolate locatie. 'Ik ken deze plek,' zegt ze. Ze laat het hoofd zakken en staart naar het grind aan haar voeten. Ze laat haar schouders hangen en de tranen biggelen een voor een over haar wangen en spatten op de grond. 'Dit valt niet mee,' zegt ze.

Alles komt op dat ogenblik weer terug: angst, haat, liefde, verlangen. En schuldgevoel. 'Ja, het schuldgevoel van de overlevende,' erkent ze met een snelle blik op een amper te onderscheiden schuur hoog in de groeve. 'Ik weet nog dat ik opstond en naar een schuur keek. Ik was pas drie, maar waarom kon ik me niet meer inspannen? Waarom ben ik daar niet heen gelopen om hulp te roepen?' Langzaam schudt ze haar hoofd. 'Ik weet dat ik ze waarschijnlijk niet had kunnen redden, dat ze al dood waren. Maar een ander stuk van me zegt dat ik daar gewoon maar lag te kijken hoe ze doodgingen. Ik kende de ernst van hun verwondingen niet, die weet ik nog steeds niet, of die van hun erger waren dan die van mij. En moet je mij eens zien.

Iedereen was verbijsterd dat ik nog leefde. Misschien, als...'

Dat kruis is te zwaar. Ze valt stil en moet steun zoeken tegen de auto. 'Daar moet ik al een hele poos mee leven.'

Ahead and toward the right, across sheer ridges of the mountains, separated by deep canyons and broadening down into rolling orchards and vineyards, they caught their first sight of Sonoma Valley and the wild mountains that rimmed its eastern side.

Jack London, *The Valley of the Moon*

1

Sonoma County, waar ik de eerste drie jaar van mijn leven werd grootgebracht en waar ik in 2005 terugkeerde, ligt ongeveer een uur rijden ten noorden van San Francisco. De provincie omvat ruim honderd kilometer kust van de Stille Oceaan, vlakten en een achterland dat wordt gekenmerkt door glooiende heuvels en steile bergen. Het werd lang geleden geschapen toen tektonische platen op elkaar botsten die de bergen hoog de hemel in drukten en door vulkanische activiteit die rivieren gesmolten lava in de valleien braakten. Dat geweld werd later gesust door de schoonheid van oerbossen, grazige weiden en heldere stroompjes toen de oorspronkelijke bewoners er binnen zwierven om er duizenden jaren te blijven. Hun nakomelingen vormden stammen als de Pomo, Miwok en Wintun, die er woonden toen de eerste Europeanen op het toneel verschenen.

Om te begrijpen wat ze anders niet konden verklaren, maakten die inheemse stammen gebruik van sjamanen om te communiceren met de geestenwereld, die zowel goede als kwade diergeesten herbergde; de ene soort was nuttig voor de mens, de andere wierp een donkere schaduw over zijn pad. De inboorlingen leidden een eenvoudig bestaan van de jacht en het verzamelen in de vruchtbare valleien waar het wemelde van het wild. En wanneer ze stierven, geloofden ze dat hun geest in zee sprong vanaf Point Reyes, een strook land die in de Stille Oceaan stak, en vervolgens voorbij de branding naar het westen afreisde om bij Coyote, de schepper te zijn in een hiernamaals dat ze Huis van de Doden noemden.

Tweehonderd jaar lang bleven de Europeanen in dat deel van Californië dicht bij de kust. Na de komst van padre José Altamira, een franciscaner priester, die in juli 1823 in een prachtige vallei tussen twee bergketens met een riviertje de missiepost San Francisco Solano stichtte, begon de trek landinwaarts.

San Francisco Solano was de noordelijkste van eenentwintig missieposten die verbonden waren door El Camino Real, oftewel 'De Koninklijke Weg'. Het was de eerste en enige missiepost die Mexico in Californië stichtte nadat het eerste land onafhankelijk was geworden van Spanje. De franciscaners dwongen de inboorlingen zich tot het katholicisme te bekeren, maar natuurlijk communiceerden de priesters zelf ook met de geesten, met hun heiligen en demonen die zich om goede en boze redenen met menselijke zaken bemoeiden. Alleen ging nu de geest van de mensen na hun dood naar de hemel, de hel of naar dat tussenstation dat het vagevuur heette.

De Indianen hadden de vallei Sonoma genoemd. Ik hoor dat de precieze betekenis van het woord niet bekend is. Sommigen zeggen dat het 'vele manen' betekende, anderen 'waar de maan opkomt'. Maar de naam die bleef hangen was Valley of the Moon, Vallei van de Maan.

In de jaren dertig van de negentiende eeuw stichtte Mexico een stadje bij Altamira's missiepost. Pueblo de Sonoma was een vooruitgeschoven garnizoenspost, maar in veel opzichten was het ook een typisch Mexicaanse stad met een centraal plein tegenover de missie. De soldaten waren om de Mexicanen te beschermen tegen de inboorlingen, maar die vormden nooit echt een bedreiging en in 1837 betekende een koepokkenepidemie het einde van bijna alle Pomo, Miwok en Wintun-indianen in de omgeving.

In 1846 vielen Amerikaanse kolonisten – die met toestemming van de Mexicaanse overheid in Californië woonden – het garnizoen aan en hesen de Berenvlag boven het plein. Het was de eerste daad van de zogenaamde Bear Flag Revolt die land van de Mexicanen afpikte en de republiek Californië stichtte. Vier jaar later werd Californië de eenendertigste staat van de v s en voortaan waren het de Mexicanen die als illegale immigranten de grens overstaken.

Sonoma County was een prachtige, vruchtbare vallei die mensen van talrijke rassen en culturen aantrok, van de Italiaanse steenhouwers die er in de steengroeven kwamen werken tot de rondzwervende landarbeiders die de paden volgden om de oogsten af te lopen. Eerst waren die nomaden 'landlopers' uit andere delen van de Verenigde Staten, maar uiteindelijk moesten de landeigenaren het hebben van immigranten die bereid waren het werk te doen.

Toch werden die arbeiders van over de grens niet altijd met open armen ontvangen. Eind negentiende eeuw was een periode van akelige anti-Chinese gevoelens en een aantal prominente bewoners van Sonoma Vallei spande samen om de Chinezen te verdrijven. Een groot deel van de twintigste eeuw was het tijdens het oogstseizoen een van de voornaamste taken van de sheriff de orde onder de immigranten te bewaken, plus ervoor te zorgen dat ze doorstroomden wanneer de oogst binnen was.

In 1903 werd de vallei de thuishaven van schrijver Jack London. Hij was een voorvechter van het socialisme en de vakbonden, maar door beide gedesillusioneerd verruilde hij op zijn zevenentwintigste zijn leven in de stad voor een rustig bestaan op het platteland. Hij werd verliefd op zijn ruige bossen en woeste bergketens, maar ook op de wijngaarden, boomgaarden en het weidelandschap. Hij en zijn tweede vrouw Charmian kochten zes bankroete boerenbedrijven om de bijna zeshonderd hectare grote Beauty Ranch te scheppen in Glen Ellen, een gemeenschapje op een steenworp van de Sonoma Highway die door de hele vallei liep van het plaatsje Sonoma naar de zetel van het gemeentebestuur in Santa Rosa.

In augustus 1913 publiceerde London zijn zestiende roman *The Valley of the Moon*. Het boek is een kroniek van het leven van een jong stel uit een achterstandswijk in Oakland dat besluit weg te breken van zijn arbeidersomgeving om een rustig plattelandsleven te beginnen. London had de arbeidersklasse altijd verdedigd en *The Valley of the Moon* was vol lof voor de landarbeiders van over de grens. Maar hij deelde ook de etnische vooroordelen van die tijd, en de hoofdpersoon van *The Valley of the Moon* bespot de plaatselijke buitenlanders – niet alleen de Chinezen, maar ook de Japanners, Mexicanen, Portugezen en Italianen – klagend dat ze de 'eigen mensen', de Angelsaksische Amerikanen van de oude stempel verdrongen en dwongen minderwaardig kruimelwerk in de stad aan te nemen.

Vooroordelen of niet, Jack London viel voor de Valley of the Moon. 'Ik rijd over mijn schitterende ranch,' schreef hij aan vrienden. 'Ik heb een prachtig paard tussen mijn benen. De lucht is wijnrood. De druiven op een groot aantal glooiende heuvels zijn rood met een herfstachtige gloed. Over de Sonoma Mountains sluipen flarden zeedamp. De middagzon smeult aan een slaperige hemel. Ik heb alles om me blij te stemmen dat ik leef.'

Maar zijn vreugde was van korte duur. Op 18 november 1916 wordt de voorpagina van de *Press Democrat* gedomineerd door de kop:

JACK LONDON OVERLEDEN

IN VALLEY OF THE MOON

Het officiële bericht zegt dat London stierf aan de gevolgen van een uremische vergiftiging: zijn nieren hadden het begeven, waarschijnlijk door de drank, en er zijn er die zich hebben afgevraagd of de overdosis per ongeluk was.

Londons opvattingen over immigranten waren niet ongewoon voor die tijd, en ze leken ook zijn vriendschap met de plaatselijke bevolking van Sonoma niet in de weg te staan. Naarmate de jaren verstreken bleef Sonoma County onderdak bieden aan mensen van over de hele wereld en werd het cultureel even divers als welke plek in Amerika ook.

Al eindigde niet elke immigrantendroom mooi.

Sommige mensen, vooral degenen die er al hun hele leven wonen, hebben me verteld dat er een vloek op de Sonoma Valley rust. Ze zeggen dat er iets boosaardigs huist waardoor mensen hun verstand verliezen.

In 1910, toen Londen aan *The Valley of the Moon* werkte, berichtte de *Press Democrat* over de 'meest afgrijselijke moord in de geschiedenis van Sonoma County'. Op 4 augustus werden de lezers getrakteerd op een kop van vijf centimeter hoogte:

VOLTALLIGE FAMILIE KENDALL VERMOORD

IN CAZADERO

In de onderkop stond: *Vader, moeder en zoon gedood, hun lichamen in stukken gehakt en in het fornuis verbrand.*

Een Japanse boerenknecht genaamd Henry Yamaguchi kreeg de schuld. Hij was kort daarvoor door een van Kendalls mensen van de ranch gestuurd. Maar later viel de verdenking op Yamaguchi's bazin, rancheigenares Margaret Starbuck, de vrouw van een vooraanstaande architect uit de Bay Area, F. Starbuck.

Mevrouw Starbuck had beweerd dat Yamaguchi naar haar

huis in San Francisco was gekomen om haar de moorden op te biechten, maar 'm smeerde voordat de autoriteiten gewaarschuwd konden worden. Vervolgens beweerde een anonieme getuige dat hij Yamaguchi op de trein naar Mexico had zien stappen. Maar de politie beschikte ook over verklaringen dat mevrouw Starbuck de Kendalls – die pachters waren – van de ranch wilde hebben, en dat ze hen had bedreigd nadat ze hadden geweigerd om de lease te beëindigen. Bovendien zat haar inconsequente verhaal over Yamaguchi's bekentenis vol gaten.

De Japanse gemeenschap in Sonoma County was ervan overtuigd dat Yamaguchi slachtoffer was en geen verdachte. En zij waren niet de enigen die dachten dat hij de moorden niet kon hebben begaan. Met zijn een meter zestig was hij veel kleiner dan de slachtoffers, mevrouw Kendall incluis. Het was moeilijk voor te stellen dat die kleine man twee mannen en een oude vrouw had overmeesterd en vervolgens in koelen bloede had vermoord, met een bijl in stukken had gehakt om die vervolgens aan het fornuis en de varkens te voeren. Na zijn aankomst uit Japan had hij een poosje de Oakland Polytechnic High School gevolgd en hij was een trouw lid van de Japanse methodistische kerk. Vrienden en voormalige werkgevers omschreven hem als beleefd en intelligent.

Het Kendall-bloedbad was nationaal nieuws en ontketende een massale jacht op de dader. Door het hele land werden Japanse mannen gearresteerd omdat ze wel eens de voortvluchtige landarbeider konden zijn. De autoriteiten maakten zich zorgen dat de een of andere burgerwacht de verkeerde man zou lynchen. Maar van Yamaguchi werd nooit meer iets gezien of vernomen. Sommigen dachten dat hem hetzelfde lot had getroffen als de Kendalls, maar de persoon die werd verdacht – mevrouw Kendall – hield vast aan haar verhaal. De Starbucks verkochten weldra hun boerderij en hun huis in San Francisco en vertrokken met de noorderzon.

En de familie Kendall was niet het enige slachtoffer van een slachting. In 1949 haalde weer een bloedbad waarbij een buitenlandse arbeider betrokken was de voorpagina's. Maar deze keer was er geen twijfel wie de misdaad had begaan of waarom.

Op een nacht in november van dat jaar vermoordde de Filippijn Polcerpacio 'Henry' Pio vier mensen met zijn jachtgeweer. Pio was in woede ontstoken toen zijn ex-minnares Louise met haar kersverse echtgenoot en haar zus voor de deur van zijn hut verscheen om wat spullen van haar die daar nog stonden op te halen.

In een bazelende, onsamenhangende bekentenis zei de 37-jarige Pio dat hij Louise en de rest had gewaarschuwd om weg te gaan, maar dat haar man toch probeerde binnen te komen.

'Waarschuw jou niet tegen deur duwen. Ik jou echt schiet als jij tegen deur duwt!' zei Pio geschreeuwd te hebben. 'Hij duwt tegen deur dus ik schiet hem. Daarna weet ik niet wat ik doe, misschien ik ook een paar anderen schieten.'

Pio schoot meer dan tien keer van dichtbij. Daarna liep hij naar de boerderij van de buurman, waar hij nog eens negen patronen in een andere Filippijnse hopplukker schoot. 'Die vent wilde mij vermoorden, legde Pio uit in zijn bekentenis. Een uur na de slachting werd hij zonder verzet gearresteerd terwijl hij door de buitenwijken van Santa Rosa reed met een doorgeladen jachtgeweer naast zich. Hij zei dat hij zich wilde aangeven. Pio, wiens glimlachende politiefoto de volgende dag in de krant verscheen, bekende de moorden en kreeg levenslang. Hij zat achtentwintig jaar en kwam in 1977 vrij.

Inmiddels was Polcerpacio Pio met Yamaguchi Sonoma's halfvergeten moordzuchtige geschiedenis ingegaan. Tegen de tijd dat ik ging onderzoeken wat er met mijn familie was gebeurd, waren er nog maar weinig autochtonen over die zich die eerste misdaden herinnerden, als griezelige voorbode van die andere immigrantendroom die in een nachtmerrie eindigde in de Valley of the Moon.

2

De ochtendnevel hangt laag over de heuvels wanneer de auto door het stadje Sonoma rijdt en het plein passeert waar de missiepost van padre Altamira nog altijd staat, gerestaureerd en wel en open voor het publiek. Om de oude *plaza* staan nu restaurants, cafés en boetieks voor de toeristen die naar de stad komen om de waar van enkele tientallen wijnproeverijen in de omgeving te keuren.

Sonoma is al heel lang een van de rijkste agrarische gebieden van de Verenigde Staten, en de dorpen hebben er allemaal hun eigen specialiteit. Sebastopol, aan de kust, is beroemd om zijn appels. Cloverdale in het noorden kan zich roemen om zijn sinaasappels en Petaluma is de 'eiermand van de wereld'. Een aantal plaatsen, zoals Boyes Hot Springs en zijn buurplaats Agua Caliente of 'Warm Water' werden vakantieoorden waar de rijke toeristen uit San Francisco geweekt en verwend konden worden in de plaatselijke kuuroorden. De oorspronkelijke Amerikanen geloofden dat het warme, mineraalrijke water geneeskrachtig was. Santa Rosa, 'de Stad van de Rozen', was een scheepvaartcentrum en de zetel van het gemeentebestuur, rechtbank en gevangenis incluis, maar Sonoma is altijd het ware hart van het land geweest.

De eerste wijngaarden van de omgeving werden in 1823 aangelegd door de monniken van de missiepost San Francisco Sola-

no en in 1870 was Californië al de belangrijkste wijn produceren-
de staat van Amerika. Met zijn warme, droge zomers, overvloe-
dige zonneschijn, koele nachten, natte winters en vruchtbare
aarde was het de perfecte biotoop voor de druiven Cabernet
Sauvignon, Pinot Noir, Zinfandel, Chardonnay en Merlot en in
de honderd jaar die volgden, trok Sonoma County talloze wijnboeren, van grote gevestigde huizen die al generaties in de familie waren tot modieuze wijnmakerijen van rijke nieuwkomers.
Het wijntoerisme werd een bron van plaatselijk levensbloed en
hoewel de Napa Valley zich de titel *Wine Country USA* toe-eigen-
de voor hun advertentiecampagnes, beseften de meer ontspannen wijnboeren van Sonoma dat er geld en status te verdienen
was met wijnproeverijen ter plaatse en excursies langs de wijnmakerijen.

Als grootste werkgever van de streek, nam de wijnindustrie
zowel plaatselijke krachten als immigranten in dienst om de
druiven te oogsten of de oogstmachines te bedienen of aan de
productiekant te werken. Het werk op het land betaalde niet
goed – in de jaren tachtig ongeveer acht dollar per uur – maar
dat was voldoende om arbeiders uit Mexico aan te trekken. Veel
van hen trokken naar Sonoma om zich in Boyes Springs en Agua
Caliente te vestigen, waar de laatste goedkope huurwoningen
van de Valley of the Moon stonden.

Er is een fysieke barrière tussen Sonoma en Boyes Hot
Springs, onze eerste halte vanmorgen, maar je ziet een duidelijk
verschil tussen de twee plaatsen wanneer de auto de Sonoma
Highway, of Highway 12 op rijdt en het vakantieoord plaats-
maakt voor een verzameling arbeiderswijken. De winkels langs
de hoofdweg voorzien in de behoeften van de plaatselijke Latijns-Amerikaanse bevolking, tacoshops, Mexicaanse super-
markten en rijdende burrito- en tacokraampjes. In de etalage
van het Boyes Hot Springs Food Center op de hoek van de

hoofdweg en de Mountain Road hangen reclamebiljetten in het Spaans en Engels voor bier en het verzilveren van cheques. Voor de winkels hangen groepjes mannen met strohoeden en puntige cowboylaarzen rond; veel van hen zullen de volgende morgen weer naar de velden terugkeren.

Begin jaren tachtig was een van de mensen die in de wijngaarden wekte en in Boyes Hot Springs woonde Ramón Borjorquez Salcido.

Wat mijn vader naar Sonoma County bracht was hetzelfde wat miljoenen mede-Mexicanen sinds het begin van de eeuw naar Amerika had gebracht: de kans op een beter leven dan in Mexico.

Ramón was op 6 maart 1961 geboren en opgegroeid in Los Mochis, een stoffige, door de droogte geteisterde stad in de Mexicaanse staat Sinaloa, halverwege de oostkust van de Golf van Californië. Los Mochis is maar honderdvijftig kilometer ten noorden van de beroemde badplaats Mazatlán, maar het is geen vakantieoord. Er zijn suikerrietplantages en tarweboerderijen, maar ook kunstmest en pesticidefabrieken, en er hing vaak een grijsbruine mist over de stad door de verbranding van de stoppels van de suikerriet en het afval van de industrie. Toch was Los Mochis vergeleken met zijn buren niet de ergste plek om te wonen; het had minder werkloosheid en een hogere levensstandaard dan sommige aangrenzende gebieden.

Ramóns vader Arnoldo – mijn grootvader van vaders kant – was een visser, maar hij stierf toen mijn vader zeven was. Mijn grootmoeder van vaders kant, Valentina Borjorquez, hertrouwde. Zij en haar man Francisco Seja bewoonden een eenvoudig, witgekalkt huis in een typische Mexicaanse middenklassenbuurt. Ramón, zijn vier broers en twee zussen droegen bij aan de gezinsfinanciën door het verkopen van *tamales* die hun moeder maakte. Maar mijn vader kon het niet vinden met zijn stiefvader en ging op zijn veertiende al uit huis.

Ramón was een knappe jongeman. Hij was maar een meter zeventig, maar atletisch gebouwd, met ravenzwart haar, een vlotte, innemende glimlach en aspiraties om hogerop te komen. In 1980 werkte hij bij Tele Servicio Duarte, waar zijn werkgever hem een goede en 'heel eerzame' werker vond. Hij lijkt aan de goede kant van de wet te zijn gebleven en in dat jaar trouwde hij met een knappe jonge vrouw genaamd Maria de Jesus Torres.

Maar wat mijn vader niet wist, was dat Maria al zwanger was van een andere man. Jesus Ramón Salcido werd op 21 september 1980 geboren en toen pas ontdekte Ramón María's geheim. Kort daarop verliet Ramón Maria, maar haar verraad had hem veranderd, het had een zaadje van jaloezie in zijn hersens geplant dat op een dag giftig fruit zou dragen.

Het kan zijn dat het eerste teken van mijn vaders latente geweld zich kort daarna heeft voorgedaan. Toen hij op een avond bij zijn moeder was, vroeg hij of hij even mocht bellen. De telefoon hield ze achter slot en grendel. Toen Valentina weigerde, werd hij razend en stortte hij zich op haar. Zijn oudste broer Renaldo kwam tussenbeide en sloeg hem neer. Ramón vertrok en dreigde volgens een paar getuigen terug te komen en zijn hele familie te vermoorden.

Twee weken later belde hij zijn moeder om zijn excuses te maken. Maar hij voegde eraan toe dat ze hem misschien een tijdje niet zou zien. Hij had besloten naar het noorden te gaan en de grens met de Verenigde State over te glippen, waar een mens opnieuw kon beginnen, fatsoenlijk de kost kon verdienen en iets van zichzelf kon maken. Met alles wat hij bezat glipte hij bij Jalisco grens over.

Ik vraag me wel eens af of mijn vader, als de dingen anders waren uitgepakt, zijn leven in Los Mochis had kunnen doorbrengen met werken, een gezin grootbrengen om van een ongestoorde oude dag te genieten in het zonnige klimaat van zijn Mexicaanse geboorteplaats. Of zou het kwaad waartoe hij in staat was er dan op een andere manier uitgekomen zijn?

Ramón ging naar de Valley of the Moon. Kort na aankomst ging hij in een stal werken, daarna kreeg hij een baan bij een van de wijnmakerijen aan Highway 12.

In Sonoma County bevond mijn vader zich tussen arm en rijk. Er waren welvarende buurten met huizen van miljoenen, waaronder landgoederen in de heuvels van internationale drugshandelaren die hun weelderige levensstijl dankten aan hun cocaïne en marihuana-imperia. En aan de andere kant had je plaatsen als Boyes Hot Springs, waar de drugsdealers naamloze kruimeldieven waren die in dezelfde miserabele onderkomens woonden als eerlijke, hard werkende arbeiders.

Niet alle huizen in Boyes Hot Springs waren een zooitje. Sommige bewoners deden hun uiterste best om huis en erf in goede staat te houden en klaagden over de aanwezigheid van misdadigers en percelen die in vuilnisbelten waren veranderd. Maar net zoals één rotte appel de rest van de mand kan bederven, kan één tuin vol onkruid, rommel en sloopauto's, één huis waarvan de bewoners zich ofwel niets van de buren aantrekken, of zelfs op hun eigendommen azen, de hele buurt naar zijn niveau trekken.

Mijn vader was niets bijzonders. Zijn werkgevers vonden hem een beste werker en hij was populair onder zijn collega's. Ze zagen hem dikwijls in het Boyes Hot Springs Food Center om bier en andere boodschappen in te slaan, en af en toe een pornovideo te huren. 's Avonds en in het weekeinde voetbalde hij in Larson Park.

Er bestaat geen twijfel dat mijn vader van drank en feesten hield en soms te ver ging. In 1983 werd hij gearresteerd wegens rijden onder invloed. Maar in plaats van met andere Mexicaanse immigranten te drinken, vertoonde hij zich liever in blanke arbeiderscafés zoals McNeilly's op Verano Avenue of de Valley of the Moon Saloon aan een zijweg van Highway 12. Hij mocht ook graag een lijntje snuiven met zijn drankvrienden.

In de zomer van 1983 werd hij op een feest voorgesteld aan Debra Ann Whitten. Ze was een gescheiden vrouw en hij was een illegale immigrant die ingezetene kon worden door met een Amerikaanse te trouwen. Ze trouwden op 19 oktober 1983 in de Heart of Reno Wedding Chapel in Nevada.

Binnen enkele maanden kondigde Debra aan dat ze in augustus een baby verwachtte. Maar het duurde niet lang voor Ramón haar betrapte toen ze met een andere man voosde. Hij werd razend en beschuldigde haar ervan zwanger van die andere man te zijn. Hij drukte zijn vrouw op de grond, stompte haar in haar buik, sloeg zijn handen om haar keel en dreigde haar te vermoorden.

Het was de tweede keer dat Ramón Salcido zijn dreigement niet uitvoerde. In plaats daarvan ging hij bij Debra Ann weg en hervatte hij zijn leven als zorgeloze vrijgezel in Sonoma. Ondanks twee ontrouwe echtgenotes en twee mislukte huwelijken had hij een hoge dunk van zichzelf; zijn middenklasse opvoeding en opleiding gaven hem een voorsprong op zijn collega's, van wie de meeste een leven van abjecte armoede in Mexico hadden achtergelaten en zijn superieure gevoelens maakten dat hij vrouwen glad kon ompraten. Hij had een goede baan, een goede relatie met zijn bazen en hij hoopte ooit promotie te maken om meer geld te verdienen. Misschien kon hij zich dan iets beters veroorloven dan de Ford LTD uit 1979 waarin hij reed op de dag dat hij mijn moeder, Angela Richards leerde kennen.

3

De eerste halte in Boyes Hot Springs is een verlaten voetbalveld. 'Mijn moeder mocht niet met jongens omgaan, laat staan uitgaan,' vertelt Carmina. 'Maar toen ze ouder werd en een jaar of zeventien was, kwam ze in opstand en vond ze trucjes om de regels te omzeilen. Ze glipte uit haar raam en ging naar de plek waar de Mexicanen voetbalden. Volgens de kranten heeft ze Ramón daar leren kennen, maar zelf heeft hij een ander verhaal.

Ramón Salcido zegt dat hij door Gregor Street in Boyes Hot Springs reed toen hij een tienermeisje de voortuin van een huis zag sproeien. Met Angela's lange, steile donkerblonde haar dat met strikken naar achteren gebonden zat, leek het wel alsof ze zo uit de jaren vijftig was gestapt. Hoewel ze in de tuin werkte, droeg ze een vormloze rok tot onder de knieën en een bloes met een hoge kraag, waaronder haar figuur schuilging. Toen ze opkeek, zag hij een opvallend mooie blanke jonge vrouw met grote, blauwe ogen en bleke, tere trekken.

'Volgens Ramón glimlachte ze naar hem toen ze hem zag kijken,' zegt Carmina. 'Dus toen hij aan het eind van de straat was, keerde hij en reed hij opnieuw langs het huis van mijn grootouders. Hij stopte en floot om haar aandacht te trekken. Hij zegt dat ze de kraan uitdraaide en over het hekje sprong om een babbeltje met hem te maken.'

Carmina's mond vertrekt en ze lacht melancholisch. 'Natuurlijk komt dat van Ramón, dus neem ik het met een korreltje zout.'

Of mijn moeder mijn vader nu had leren kennen op het voetbalveld of tijdens het sproeien van de tuin, ze hield hun relatie geheim voor haar ouders, anders zou die in de kiem gesmoord zijn.

Mama's ouders, Bob en Louise Richards, hoorden bij een conservatieve katholieke sekte die zich Tradition, Family and Property noemde en die keurde onbegeleide omgang met jonge vrouwen en mannen af. Zoals mijn grootouders het zagen, verschaften zij hun kinderen een oase van veiligheid in een zee van immoraliteit. Geen van beiden had die bescherming van zijn of haar ouders gevoeld toen ze opgroeiden, en die wilden ze hun eigen kinderen wel geven.

Volgens mijn grootvader Bob had zijn vader zijn gezin in de steek zien laten toen hij zestien was. Daarna was er weinig geld en geen mannelijk rolmodel. Hoewel zijn moeder hem katholiek had grootgebracht, staakte mijn grootvader zijn bezoek aan de kerk, hij bezoop zich liever.

In 1962 verhuisde hij naar noord-Californië, waar een van zijn zussen woonde en kreeg hij een baan bij Pacific Gas and Electric. Op een dag was hij op bezoek bij zijn zus toen een jonge vrouw aan de overkant moeite had haar auto achteruit van de oprit te krijgen. Hij ging een handje helpen en zo leerde hij Marian Louise Morehead kennen.

Mijn grootvader was een kleine, slanke man, bijna drie centimeter kleiner dan Louise zoals ze genoemd wilde worden. Ze waren allebei eenzaam, wilden een gezin en konden het direct goed met elkaar vinden. Grootvader was zijn levensstijl moe en Louise had een kalmerend effect op hem. Ze maakte hem duidelijk dat ze geen slecht gedrag zou dulden en dat hij moest veranderen als hij iets met haar wilde. Ook zij had een harde jeugd met veel slaag gehad zonder godsdienst of andere steun; ze wilde iets anders. Ze vond het prettig dat hij katholiek was, stond erop dat hij weer naar de kerk zou gaan en bekeerde zich met alle plezier voor hun huwelijk.

Mijn grootouders wilden een groot gezin en begonnen met een zoon, mijn oom Robert. Mijn moeder was de volgende, zij werd geboren op 15 juni 1965 toen het gezin nog in Red Bluff woonde, een houthakkersplaatsje in het noorden van Californië. Daarna kwam oom Lewis, gevolgd door oom Gerald. Het gezin verhuisde voor zeven jaar naar Davis en vervolgens in 1975 naar San Jose. Twaalf jaar na mijn moeder kregen ze nog een dochter, mijn tante Ruth Bernadette.

Op een dag werd mijn grootvader tijdens een bezoek aan de vlooienmarkt van San José benaderd door een paar jongemannen van een groepering die bekend stond als Tradition, Family and Property. TFP was in 1960 in Brazilië gesticht door een katholieke professor genaamd Plinio Corrêa de Oliveira en was vermoedelijk de meest conservatieve beweging die was ontstaan in reactie op de liberale hervormingen van het tweede Vaticaanse concilie van begin jaren zestig. De jongens vertelden mijn vader dat de naam van de beweging voortkwam uit de drie zuilen van de christelijke samenleving: traditie, familie en bezit. In de buitenwereld waren misleide zondaren die hen afdeden als een sekte, maar ze beschouwden zichzelf als de laatste hoop voor de westerse beschaving. Ze keerden zich tegen het kwaad in al zijn vormen, van de progressieve politiek tot de misleide en slappe pogingen van het Vaticaan om het katholicisme voor de massa te verdunnen. Ze bekritiseerden de pausen die hadden geweigerd de hervormingen te herroepen, zoals de ketterse neiging de eucharistie in iets anders dan het Latijn te vieren.

Tradition, Family and Property was geen grote beweging, maar was wel in talrijke landen vertegenwoordigd. TFP was een hutspot van politiek, godsdienst en anachronismen. De leden van TFP geloofden dat het mensdom beter af was onder de heerschappij van door God benoemde koningen, koninginnen en andere aristocraten. Ze versierden hun huizen met de pracht en praal van de middeleeuwse hofhoudingen, zoals heraldieke vaandels en uitstallingen van antiek wapentuig. De leden waren hartstochtelijke anticommunisten en verlangden naar een dogmatische rooms-katholieke Kerk van hun kinderjaren. In de Verenigde Staten hield de beweging zich bezig met straatpolitiek door te protesteren voor de ingang van abortusklinieken en tegen wetgeving ten gunste van homorechten, evenals georganiseerde boycots van films die ze godslasterlijk vonden.

Thuis legde TFP de verhoudingen tussen mannen en vrouwen allerlei beperkingen op. Vrouwen mochten geen broek dragen, make-up werd ontmoedigd en van jongs af aan werd meisjes bijgebracht dat de plaats van een vrouw thuis is om voor de man te zorgen, van wie werd verwacht dat hij de kost verdiende.

Ik weet niet precies hoeveel opa daarvan hoorde toen hij voor het eerst van TFP vernam, maar wat de mannen op de vlooienmarkt te zeggen hadden, beviel hem wel en toen hij oma aan zijn nieuwe vrienden voorstelde, dacht zij er net zo over. Nadat ze zich bij TFP hadden aangesloten, was een van hun eerste maatregelen hun kinderen van de openbare school halen, het contact met hun vrienden werd verbroken en ook voor een groot deel met de wereld buitenshuis. Mijn moeder en haar broers en zusje zouden voortaan thuis onderwijs krijgen.

In 1980, het jaar waarin mijn vader in Sonoma arriveerde, verhuisde de familie Richards opnieuw. Deze keer belandden ze in Boyes Hot Springs, in een kleine twee-onder-een-kapwoning met twee slaapkamers in een wijk achter de Sonoma Mission Inn. De jongens gingen naar een jongensschool van TFP, St. Louis de Monfort Academy in Herndon in Pennsylvania.

Opa kreeg werk als chauffeur voor UPS, terwijl oma met de kinderen thuisbleef in Gregor Street en er weldra nog een dochter bij kreeg, mijn tante Maria Ann. Mijn moeder deelde de tweede slaapkamer met de twee jongste zussen.

Het was alsof de familie Richards de klok wilde terugzetten. Achter hun keurig gemaaide gazon en tuin was het dan wel de jaren tachtig, maar binnen leefde men in de jaren vijftig met een snufje middeleeuwen. Mijn moeders ouderlijk huis was gevuld met altaartjes voor de Maagd Maria, votiefkaarsen, crucifixen, heiligenbeelden en beeltenissen van Jezus. Er hingen zwaarden en wapenschilden aan de muur, in de vestibule stond een compleet harnas en de voortuin werd gesierd door een beeld van de Heilige Maagd.

Mijn grootouders probeerden zo zelfstandig mogelijk te zijn; ze hadden een groentetuin voor de dagelijkse behoeften en voor het wekken en hielden bijen voor de honing. Oma kon uitstekend naaien en maakte de kleren voor het hele gezin. Alle vrouwen droegen dezelfde conservatieve jurken met elastiek in de taille tot onder de knie en hadden hun haar met strikken naar achteren gebonden. De vrouwen mochten niet alleen geen broek dragen, maar op warme dagen zagen de buren tot hun verbazing mijn moeder en haar zussen in een jurk of een badstof trui rondplassen in een opblaasbaar zwembad omdat ze geen zwemkleding mochten dragen.

Ze mochten ook niet dikwijls met buurtkinderen spelen. Ze mochten niet bij andere mensen naar binnen gaan en zeker niet logeren. Het beetje contact dat ze met andere kinderen hadden, was altijd onder het waakzame oog van oma die hen geen moment uit het gezicht verloor.

Hoe streng mijn grootouders ook voor de kinderen waren, ze hielden ongetwijfeld van hun kinderen. Het gezin maakte dikwijls samen uitstapjes en de buurt zag mijn grootouders dikwijls tevreden in de voortuin zitten kijken naar hun spelende kinderen.

Oma Louise was een hartelijke en royale buur, ze hielp als mensen ziek waren en bracht met Kerstmis etenswaren en met de hand gemaakte geschenken rond. En de kinderen waren altijd beleefd en vol respect naar ouderen.

Het was geen makkelijke buurt om je kinderen in groot te brengen, maar oma was een harde. Ze gaf een stel drugsdealers aan en hield een pedofiel die voorwaardelijk op vrije voeten was en een eindje verderop woonde in het oog. Jaren later hoorde ik dat ze 's avonds dikwijls naar San Mateo reed om bijeenkomsten van TFP bij te wonen. Vergeleken met San Mateo was Boyes Hot Springs maar kinderspel. Een vriendin vroeg haar ooit of ze niet bang was om daarheen te gaan.

Oma, die altijd duidelijk zichtbaar een crucifix droeg, schudde gewoon haar hoofd. 'Ik word beschermd door Onze Lieve Vrouwe,' zei ze, en ze knipoogde. 'En ik heb een pistool bij me, voor het geval ze hulp nodig heeft.'

Ondanks alle muren die mijn grootouders optrokken en alle regels die ze stelden, konden mijn grootouders hun dochters niet eeuwig tegen de buitenwereld beschermen. Mama's broers zaten op een kostschool aan de oostkust en haar zusjes waren te klein om haar gezelschap te houden, dus mijn moeder moest haar tienerjaren in haar eentje doorbrengen.

Tot in haar tienertijd bezorgde ze mijn grootouders weinig hoofdbrekens. Opa noemde haar zelfs 'de Engel Angela'. Ze was een lief meisje dat haar dagen doorbracht met leren met behulp van haar moeder, lesgeven aan de kleintjes en werken in de moestuin. Oma leerde haar inblikken, koken en naaien. Ze had ook een kunstzinnig kantje, ze hield ervan om dieren te tekenen en te schilderen en kon uren paarden zitten schetsen, en dan vroeg ze zich af hoe het voelde om de vrijheid te hebben om te gaan en staan waar je wilde. Maar ze had ook een stoere, ondeugende kant. Ze was opgegroeid met drie jongens, dus had ze geleerd op eigen benen te staan in een wereld van ruwe spelletjes.

Eén ding zat haar dwars. Soms leek haar geest – of iets anders – een spelletje met haar te spelen. Ze concentreerde zich bijvoorbeeld op een taak en dan zag ze opeens iets in haar ooghoek. Het was iets donkers, zoals een schaduw, alleen bewoog hij uit zichzelf. Als ze haar hoofd die kant op draaide om te kijken, was het weg en liep er een rilling over haar ruggengraat.

Ze vertelde opa over die verschijnselen, maar hij was er niet zo van onder de indruk, tot ze op een goede dag in de achtertuin stonden, toen ze allebei op hetzelfde moment iets donkers en vormloos in de periferie van hun blikveld zagen bewegen. Toen ze er tegelijkertijd naar wilden kijken – zo vertelde hij mij vele jaren later – verdween het in de struiken en leverde nader onderzoek niets op. Buiten het gezin werden zulke dingen uiteraard niet besproken.

Buurvrouw Jana Morris vond het heerlijk om zo'n welgemanierd meisje als mijn moeder op haar twee kleintjes te laten passen. De eerste keer dat ze kwam, waarschuwde Morris: 'Geen jongens.'

'Daar hoeft u zich geen zorgen om te maken,' zei mijn moeder. 'Mijn ouders verbieden dat.'

Maar naarmate haar tienerjaren vorderden, ging Angela zich meer verzetten tegen de beperkingen die haar ouders haar oplegden. Op een dag vertrouwde ze mevrouw Morris toe dat ze wilde dat ze net als haar broers kon zijn, die weg waren en op kostschool zaten. 'Die zijn normaal,' zei ze.

De enige keer dat mama zich echt vrij voelde, was wanneer ze ging wandelen, dus wandelde ze overal heen. Ze liep naar de bibliotheek en naar Sonoma, een wandeling van in totaal tien kilometer. Tijdens zulke wandelingen zag ze wat andere meisjes droegen en hun make-up. Ze zag hen met jongens lol maken. Als ik daar nu over nadenk, geloof ik dat ze heel graag dat gevoel van vrijheid zou hebben. Ik ben er zelf ook doorheen gegaan. Ik weet hoe het voelt om je niet anders te willen voelen, maar gewoon zoals alle anderen. Maar soms valt dat niet mee.

Aan het eind van de lente van 1984 leerde mijn moeder – ze was toen negentien – Ramón Salcido kennen. Ze was onschuldig en naïef. Ze had nog nooit alcohol gedronken noch gerookt. Ze had geen boezemvriendinnen, logeerde nooit bij andere tieners en had ook nooit de kans gehad over jongens te giebelen. Nooit een afspraakje, geen eindexamenbal, geen gekoesterde eerste kus.

De jonge Mexicaan in de oude Ford sprak maar weinig Engels. Zij sprak nog minder Spaans. Maar hij had een mooie glimlach en een heleboel zelfvertrouwen. Toen hij Angela vroeg om te komen kijken wanneer hij voetbalde en naderhand iets te gaan drinken, moet ze dat onweerstaanbaar hebben gevonden.

Ze kon haar ouders niet om toestemming vragen. Als opa en oma haar al wilden laten uitgaan met een jongen – wat beslist niet het geval was – was het zeker geen Mexicaanse landarbeider. Dus klom ze 's avonds uit haar slaapkamerraam om Ramón te ontmoeten.

Voor mijn moeder werd het een zomer van talrijke nieuwe dingen: haar eerste biertje op het voetbalveld waar de bordjes die alcoholgebruik in het Engels en Spaans verboden grotendeels werden genegeerd. Haar eerste jonge, volwassen vrienden. Haar eerste kus. En op die warme avonden haar eerste seks op de achterbank van een Ford LT D uit 1979.

Op een dag besloot mama dat het tijd werd haar ouders over de relatie in te lichten. Opa was ouderwets, dus zei ze tegen Ramón dat hij zijn toestemming moest vragen om met haar om te gaan.

Ramón raapte al zijn moed bij elkaar en klopte op een zonnige middag aan. Toen opa opendeed, deed mijn vader zijn best om in gebroken Engels zijn toestemming te vragen om met Angela uit te gaan.

Opa keek hem even nijdig aan, liep rood aan en riep vervolgens zijn dochter. Toen ze kwam, wendde opa zich weer tot Ramón en vroeg hij op hoge toon: 'Ken jij dit jongmens?'

'Ja, papa, alsjeblieft...' begon ze. Maar ze had haar zin nog niet afgemaakt, of opa sloeg de deur dicht voor de neus van haar vriendje. Ramón luisterde even naar de harde woorden binnen, maar de deur ging niet meer open. Hij maakte rechtsomkeert naar zijn auto.

Die avond pikte Angela een fles wodka uit de drankkast van haar vader, dronk zoveel als ze opkon, en glipte vervolgens haar raam uit. Ze keerde de volgende morgen pas terug en toen droeg ze een geheim. De natuur had voor elkaar gekregen waar Ramóns bravoure had gefaald. Angela was zwanger.

Het duurde niet lang voordat de geruchten zich door de buurt verspreidden. Angela Richards, dat keurige meisje, was zwanger en niemand kon het geloven. Maar de waarheid werd even duidelijk als haar ronde buikje.

Toen ze het uiteindelijk aan haar ouders vertelde, waren ze woest, maar ze konden maar één eerbaar ding doen. Zij en Ramón moesten trouwen.

De dag van de bruiloft kwam snel naderbij, maar Ramón had zo zijn eigen geheimen. Hij had Angela nooit verteld dat hij al twee keer eerder was getrouwd, eerst met Maria de Jesus Torres en daarna met Debra Ann Whitten. Hij vertelde haar ook niet dat Debra Ann in augustus het leven had geschonken aan een dochter, Maria Crystal. Toen hij en Angela op 28 november naar de rechtbank in Sana Rosa reden om hun officiële huwelijkstoestemming te halen, tekenden ze allebei een verklaring dat dit hun eerste huwelijk was.

Tien dagen later, op 8 december, traden mijn ouders in het huwelijk. Voor de plechtigheid ging Ramón in een geleend pak naar het Boyes Hot Springs Food Center om een sixpack bier voor de huwelijksnacht te kopen.

'Jij ziet er mooi uit,' zei winkelmanager Bryan Mann. Zoals hij later tegen verslaggevers zei, mocht hij mijn vader wel, omdat hij al jaren vaste klant bij hem was en altijd opgewekt en vriendelijk overkwam.

'*Gracias*,' antwoordde Ramón, en hij vertelde Mann dat hij ging trouwen. Hij zei dat hij een meisje zwanger had gemaakt en 'dit hoor ik te doen.'

Tien weken later, op 24 februari 1985, werd Sofia Ann Salcido geboren. Ze was een beeldschone kleuter met de donkere huid en het zwarte haar van haar Mexicaanse genen, en ze werd op slag mijn vaders oogappel.

4

De Salcido's betrokken een half vrijstaand huisje met één slaapkamer aan Baines Avenue, slechts een paar straten bij mijn
grootouders vandaan. Het was een lage blokkendoos die iets verder van de weg stond dan zijn buren. Het grootste deel van de
ruime voortuin was een onverhard parkeerterrein.

Het huis stelde weinig voor, maar aan de andere kant was de
huur van driehonderdvijftig dollar per maand de laagste van de
Valley of the Moon, zelfs in het goedkope Boyes Hot Springs. Het
jonge stel had weinig geld, maar hoopte op betere tijden. In 1986
werkte mijn vader op de St. Francis Winery bij Santa Rosa aan
Highway 12. Hij was aangenomen als 'wijngaardier', een fraaie
naam voor een ervaren landarbeider, en na de oogst als bottelier.
Zijn werkgevers mochten hem graag, maar hij hoopte uiteindelijk een andere wijngaard te vinden waar hij naar een beter betaalde functie kon promoveren.

Die behoefte aan meer inkomen werd alleen maar urgenter
toen ik op 24 april 1986 werd geboren. In tegenstelling tot mijn
zus Sofia erfde ik de lichte huid, het blonde haar en de blauwe
ogen van mijn moeders kant van de familie. Ik werd algauw mijn
moeders lieveling; Sofia was papa's meisje.

Toen ik ter wereld kwam, besloten mijn ouders dat hun dochters de slaapkamer zouden krijgen. Ze zetten hun grote tweepersoonsbed in de woonkamer tegenover de tv, die in de eethoek

stond. Een en ander leende zich niet voor privacy of gasten ontvangen en het gaf het gezin ook weinig ruimte om uit te breiden. Maar beter konden ze het in dat kleine huisje niet doen.

In de hoop dat hij zijn financiële situatie kon verbeteren ging Ramón bij Grand Cru werken, een kleine, maar gerenommeerde wijnmakerij aan een smalle grindweg achter de honderddertig jaar oude Dunbar Elementary School. In een streek van tal van bekendere wijnmakerijen, was Grand Cru een achterafbedrijf, zozeer zelfs dat de toeristen die erin slaagden de proeverij te vinden een speldje kregen met I FOUND GRAND CRU WINERY. Papa werd er als een voorbeeldig werknemer beschouwd die andere Mexicaanse arbeiders hielp en gewaardeerd werd door zijn chefs, onder wie voorman Ken Butti en assistent-wijnmaker Tracey Toovey. Toch bleef hij maar acht dollar per uur verdienen. Als het zo doorging, bleef er weinig over voor zijn droom, een nieuwe auto, laat staan een beter huis voor zijn gezin. Hij hield zijn oude LTD op de weg met behulp van zijn buurman, een plaatselijke monteur genaamd Richard Clark.

Om bij te dragen aan de gezinsinkomsten besloot mama in 1987 om naaister te worden. Net als oma naaide ze de kleren van het gezin en ze wist zeker dat ze met haar naaitalent een fatsoenlijk inkomen kon verdienen. Ze was zo vastbesloten om de zaak goed aan te pakken, dat ze contact opnam met de *Sonoma Index-Tribune* die twee keer per week verscheen, met het verzoek of ze belangstelling hadden voor haar verhaal. De krant bracht een verhaaltje met een foto van Angela waarop ze mij vasthoudt. Toen al kon je onze gelijkenis goed zien, met onze grote, expressieve ogen en glimlach en de manier waarop we naar de camera lachten.

De krantenfoto onthulde nog iets anders: mijn moeder droeg een zwangerschapsshirt. Er was weer een baby in aantocht. Met het haar naar achteren en die fris geboende blik was ze een schoolvoorbeeld van gelukzalig jong moederschap.

Maar plaatjes kunnen bedriegen. Tegen de tijd dat mijn zusje Teresa Graciella werd geboren, op 25 juni 1987, was mama het leven in die achterbuurt zat en dat werd een paar maanden later nog eens noodlottiger onderstreept toen er een paar straten verderop drie mensen werden vermoord.

Op 26 november reageerden agenten van het Sheriff's Department van Sonoma County op een tip van een hysterische vrouw die belde om te zeggen dat er een meervoudige moord was gepleegd in een huis in Boyes Hot Springs. De eerste keer dat ze belde, hing de vrouw al op voordat ze bijzonderheden had gegeven, zelfs geen locatie. Toen ze weer belde, noemde ze een adres in Pine Street, maar toen kostte het de rechercheurs nog moeite om de plaats delict te vinden.

Toen ze het van rommel vergeven huis op maar twee straten van de Sonoma Mission Inn betraden, ontdekten ze drie lijken in de achterste slaapkamer. Twee mannen en een vrouw waren vermoord: ze waren vastgebonden en met een aantal kogels door het hoofd geëxecuteerd, minstens twaalf uur daarvoor.

Van dat soort geweld op dat adres keek de sheriff van Sonoma County – verantwoordelijk voor woonkernen zonder rechtspersoonlijkheid en dus ook zonder eigen politie – niet zo op. Het huis in Pine Street was in de voorgaande anderhalf jaar twee keer het toneel van een geslaagde drugsinval geweest. Eerst weigerde de politie de namen van de verdachten in de drievoudige moordzaak vrij te geven, maar de volgende dag verstrekte de nieuwe sheriff, Dick Michaelsen, een voormalige inspecteur van politie uit Santa Rosa, die het jaar daarvoor tot sheriff was verkozen, allerlei bijzonderheden aan de pers, tot consternatie van zijn rechercheteam, dat ze liever onder zijn pet had gehouden.

Niet alleen de politie keek niet op van de slachting, maar de buren evenmin. Veel van hen hadden al jaren pogingen in het werk gesteld de wijk op de criminelen te heroveren, geklaagd over het komen en gaan op de gekste uren op bepaalde adressen en pogingen in het werk gesteld de politie zover te krijgen iets te doen aan de gierende banden en straatgevechten. Ze waren de bierflessen op de stoeprand waar hun kinderen speelden zat, en de dronkenlappen die op alle uren van de dag uit bepaalde louche cafés wankelden, waaronder de kroeg waar het jaar daarvoor een Mexicaanse arbeider tijdens een drugstransactie was doodgeschoten.

Buren vertelden de *Press Democrat* dat het huis waar de moorden hadden plaatsgevonden vol stond met gestolen spullen die er waren gebracht om te ruilen tegen drugs, en dat het dikwijls het tafereel was van heftige ruzies en feesten die de hele nacht doorgingen. 'We hebben de politie keer op keer gebeld,' zei een buurtbewoner. 'De aanpak was zo slap dat je zou zeggen dat elke drugsdealer er moest komen om zaken te doen.' De buren waren geschokt dat er geen verdachten waren opgepakt voor de moorden in Pine Street en ze waren bang dat ze opnieuw zouden toeslaan.

De volgende dag hield Michaelsen een tweede persconferentie om de namen van de slachtoffers vrij te geven, twee mannen en een vrouw, nadat een plaatselijke moeder de vrouw als haar dochter had geïdentificeerd. Maar de nieuwe sheriff had een blunder gemaakt, want de volgende dag belde het zogenaamde moordslachtoffer naar het bureau om te zeggen dat ze niet dood was. 'Die moeder heeft niet goed genoeg gekeken. Blijkbaar was het geen hechte familie,' snauwde de sheriff tegen de *Press Democrat*.

Voor mijn moeder was de slachting in Pine Street de druppel die de emmer deed overlopen. Papa mocht dan hunkeren naar een nieuwe auto, maar mama wilde als de donder uit Boyes Hot Springs weg.

Op haar tweeëntwintigste was Angela moeder van drie kleine kinderen en niet meer dat naïeve tienermeisje dat 's nachts haar slaapkamerraam uit glipte om zich te bevrijden van haar strenge, religieuze ouders. Ze had de leerstellingen van TFP nooit helemaal van de hand gewezen en was nog steeds katholiek, zij het geen praktiserende. Maar ze indoctrineerde haar dochters niet zoals dat bij haar was gebeurd. Er waren geen religieuze beeltenissen in ons huis en strenge regels evenmin. Angela was kleren gaan dragen die haar slanke figuur goed deden uitkomen, waaronder broeken, minirokjes en badpakken die haar vader choqueerden. Ze had ook 'wereldse' vriendinnen bij wie ze haar hart kon uitstorten, zoals Barb Bradley die met haar vriendje naast ons woonde. Barb beschouwde mijn moeder als een onschuldige vrouw die de wereld niet begreep, vooral niet de wereld van de mannen.

Barb had geen hekel aan Ramón, althans niet echt. Het was duidelijk dat hij van onze moeder hield en dat was al heel wat. Soms maakte hij een wat bezitterige indruk, maar Barb schreef dat toe aan zijn Latijns-Amerikaanse machismo, beschermend, maar niet op een lelijke manier.

In de begintijd van hun huwelijk leek mama tevreden om papa zijn dingen te laten doen terwijl zij thuisbleef om voor de kinderen te zorgen. Ze was altijd bij ons en nam ons af en toe mee naar Barb om in haar badkuip te spelen, een luxe die ons gezin ontbrak. Soms klaagde mama tegen Barb dat ze wilde dat Ramón niet zo vaak uitging, vooral niet zonder haar. Verder wilde ze niet in Boyes Hot Springs blijven wonen, maar al met al leek ze vrij tevreden.

Maar Barb had wel het gevoel dat er moeilijkheden onder de oppervlakte broeiden, althans aan de kant van mijn vader. Ze wist dat hij van feesten hield, dat hij dikwijls de hele nacht wegbleef en dat hij cocaïne gebruikte. In Barbs ogen waren zijn excuses voor zijn afwezigheid nogal slap, maar Angela geloofde hem.

Als Ramón ervoor in de stemming was, nam hij Angela wel eens mee naar zijn favoriete cafés. Daar bekeken andere mannen het jonge stel met afgunst. Veel vonden Ramón het krankzinnig jaloerse type dat haar niet uit het oog verloor. Maar John McNeilly, eigenaar van McNeilly's, vertelde later aan journalisten dat mijn vader overkwam als een trotse, attente echtgenoot die het heerlijk vond om met zijn mooie vrouw te pronken. Mama was aantrekkelijk en nog hartelijk en goed gebekt ook, alleen veel stiller dan haar zorgeloze man.

McNeilly herinnert zich dat Ramón haar inderdaad constant aanraakte alsof hij iedereen wilde laten zien dat ze van hem was. Maar wat dan nog, als de man haar geen twee seconden alleen kon laten, behalve heel even wanneer ze naar het toilet moest.

Op een keer sloot papa stomdronken een weddenschap af met een andere cafébezoeker dat mama een striptease zou uitvoeren op de bar. Mama wilde het niet, maar Ramón stond erop. 'Doen! We hebben het geld hard nodig!'

Dus deed ze het.

5

De auto rijdt langzaam over Baines Avenue wanneer Carmina wijst op het groen afgewerkte huis waar zij in april 1989 woonde. Tegenwoordig is de buurt weinig veranderd: een verzameling keurig onderhouden percelen met hier en daar een vervallen herinnering aan betere tijden.

Maar sinds haar vroegste jeugd zijn er wel een paar dingen aan het huis veranderd. Voor ramen en deuren zijn tralies bevestigd zodat het huis er een beetje uitziet als een gevangenis in een derdewereldland. Nu staat er een hoge schutting om het perceel met een ijzeren hek voor de oprit. In de tuin geen driewielers of fietsjes met zijwieltjes, alleen een kapotte auto en andere troep. Bij de ingang van de tuin zit een jongeman met een zonnebril in een oude, opgelapte Ford Mustang te kijken wanneer Carmina langzaam voorbij rijdt. Een poosje horen ze een stampende rapbeat uit de kanariegele auto komen, dan rijdt de chauffeur van de oprit de andere kant op.

Zo trof Carmina haar vroegere huis aan toen ze na vijftien jaar voor het eerst naar Sonoma terugkeerde. 'Toen ik met opa in Sonoma terugkeerde, was het 26 april, een paar dagen na mijn negentiende verjaardag. Ik was er niet teruggeweest sinds mijn vader... Sinds Ramón me meenam... toen ik bijna drie was. Opa zei niet waar we naar toe gingen, maar ik wist het. Ik wees hem de weg. "Linksaf en daarna rechtsaf." Hij trapte op de rem. Hij was verbijsterd. "Hoe kon je dat nog weten?" vroeg hij. Maar ik wist het nog... net zoals ik me alles nog herinner wat er die bewuste dag is gebeurd.'

Het huilen van de baby Teresa maakte mij en Sofia wakker. Het was diep in de nacht en we waren alleen, niet alleen in de gedeelde slaapkamer, maar thuis. Onze ouders waren weg, naar een café of weer bij vrienden langs.

Het was niet voor het eerst dat we alleen thuis waren gelaten en het zou ook niet de laatste keer zijn. In 1988 wilde mama steeds meer deel uitmaken van papa's uitgaansleven. Ze had haar repressieve jeugd verruild voor het leven van een jonge, arme moeder en wilde een beetje van het leven genieten.

Op zulke avonden vervulde Sofia van vier, de oudste van ons drieën, de rol van moeder. Als Teresa wakker werd en een schone luier nodig had, verwisselde Sofia die en suste ze haar weer in slaap voordat ze zelf weer in bed kroop. Soms schreeuwde ik in mijn slaap en dan werd Sofia wakker om me te troosten, en vaak mocht ik bij haar in bed kruipen tot ik weer in slaap viel. Ze had echt het karakter van een moedertje.

Door de donkere huid die ze van papa had geërfd kon Sofia niet minder op mij en Teresa lijken. Zij had net als ik mama's blonde haar en blauwe ogen. Emotioneel was Sofia ook anders, vooral anders dan ik. Misschien gedroeg ze zich ouder dan haar leeftijd omdat ze al zo vroeg zoveel verantwoordelijkheid op haar schouders kreeg. Ze was kalm en gereserveerd en leek de wereld door haar donkerbruine ogen te bekijken alsof ze alles al eens had meegemaakt en van niets meer opkeek. Sommige mensen zeiden dat ze een 'oude ziel' was. Teresa en ik hadden geen betere grote zus kunnen hebben.

Ik was aan de andere kant een duveltje. Mijn opa weet nog dat ik lichamelijk sterk was voor mijn formaat. Omstreeks de tijd dat ik twee werd, wilde ik zien wat er op de eettafel lag, dus reikte ik omhoog, greep de rand van het tafelblad vast en hees ik mezelf als een alpinist aan mijn armen op. Hij zegt ook dat ik een sterke wil had. Soms wilde ik met alle geweld bij mijn ouders in bed slapen. Papa was daar niet blij mee, maar als hij me naar mijn eigen bed wilde terugbrengen, maakte ik zo'n stampij dat mijn moeder lachte: 'Laat haar maar blijven.' Mijn bijnaam was Mina, maar hoe koppiger ik werd, des te vaker zei mijn moeder 'Meana', van *mean*, gemeen. 'Hou eens op gemeen te zijn tegen je zusjes.'

Ik was mijn moeders lieveling en ik was vastbesloten alle concurrentie van mijn zusjes af te slaan. Sofia was verlegen en Teresa te jong om te wedijveren, maar ik was er dol op het middelpunt van de aandacht te zijn, vooral als er een camera in de buurt was. Iemand hoefde maar een lens in mijn richting te wijzen of mijn gezicht lichtte op en ik poseerde. Polaroidcamera's waren mijn favoriet, omdat ik het resultaat bijna meteen na de flits kon zien.

Ik kon heel lastig zijn, ik was het soort kind dat je zo uit het oog verliest en vond altijd nieuwe manieren om mijn moeder een paniekaanval te bezorgen. Ik vond het heerlijk om in mijn eentje op verkenning te gaan en was niet bang om nieuwe dingen te proberen, zoals de benzine die ik een keer in de schuur vond toen mijn ouders even niet keken. Toen mijn moeder me vond, belde ze het ziekenhuis, maar gelukkig smaakte de benzine vreselijk, dus had ik niet genoeg binnen gekregen om mijn leven in gevaar te brengen.

Toen ik ouder werd, kreeg ik steeds meer opmerkingen hoezeer ik op mijn moeder leek. Jaren later liet opa me een foto van mama zien toen ze een jaar of drie was. Op die leeftijd leken we bijna als twee druppels water op elkaar.

De verhouding met mijn vader was wisselend. Sofia mocht

dan zijn uiterlijk hebben geërfd, maar ik had zijn persoonlijkheid en temperament. Ik was de dochter met wie hij hoogstwaarschijnlijk avonturen kon beleven, zoals tussen zijn armen op een motorfiets rijden.

Naarmate ik ouder werd, leken mijn ouders steeds minder vaak thuis te zijn, vooral 's avonds. Als Sofia wakker werd en zag dat ze weg waren, deed ze wat nodig was. Maar op een avond stond ze op, zei ze dat we moesten wachten en ging het huis uit. Ze liep naar Connie Breazeale, een buurvrouw die wel eens op ons paste. 'Ik werd wakker en toen waren mijn mama en papa niet thuis,' legde Sofia uit toen Connie opendeed.

Die wist niet goed wat ze moest doen. Evenals een paar andere buren wist ze dat mijn ouders de kinderen dikwijls aan hun lot overlieten. Ze vroeg zich af of ze de kinderbescherming moest waarschuwen, maar wist dat mama daardoor in de problemen zou komen, dus belde ze niet.

'Ga maar naar huis, liefje,' zei Connie tegen Sofia. 'Doe de voordeur op slot en ga maar weer naar bed. Mama en papa komen vast weer gauw thuis.'

Wij meisjes brachten veel tijd door bij onze grootouders en dat vonden we heerlijk. Oma was dol op ons. In leeftijd stonden we eigenlijk dichter bij tantes Ruth en Maria dan onze moeder en ze vonden het leuk om met ons te spelen. Ze mochten niet vaak met de buurtkinderen spelen, dus Sofia, Teresa en ik waren voor hen levende poppen die ze konden aankleden en regisseren, net zoals de porseleinen poppen in hun verzameling. Wij waren hun speeltjes, maar dat vonden we helemaal niet erg.

Nog een reden dat we het leuk vonden bij oma en opa was, dat we wisten dat we er fatsoenlijk te eten zouden krijgen. Mama was een onverschillige kok, vooral nu ze altijd bezig leek met andere dingen. Toen ik een keer wilde eten, gooide mama me een pakje pasta toe, die ik vervolgens ongekookt opat. Oma daarentegen had altijd iets lekkers en voedzaams te eten.

Verjaardagen waren altijd groot feest bij oma en opa. Grootvader zorgde ervoor dat onze feestjes iets gedenkwaardigs waren, met ponyritjes, grote taarten en een heleboel cadeautjes.

Zoals ieder koppig meisje vond ik dat alle feesten ter ere van mij moesten zijn. Ik vond het feestje voor mijn tweede verjaardag in april 1988 geweldig, maar ik was minder opgetogen toen we in juni Teresa's eerste verjaardag vierden. Toen ik besefte dat het feest en de cadeautjes voor haar waren, kreeg ik een driftaanval. Ik probeerde zelfs een van de cadeautjes van mijn zusje te pikken en schreeuwde moord en brand toen ik werd betrapt. 'Jij bent al jarig geweest,' zei opa. 'Nu is de beurt aan Teresa.' Voor een kind van twee is dat geen argument.

Helaas voor ons verhuisden onze grootouders naar Cotati, een halfuur rijden van Boyes Hot Springs. Nu woonden ze niet langer een paar straten verderop en voor mama viel het niet mee ons af te zetten zodat ze konden oppassen, dus zagen we hen niet meer zo dikwijls.

Voor opa was het enige voordeel dat hij niet meer met zijn schoonzoon hoefde om te gaan. Hij mocht Ramón niet zo, hij vond hem een verwaande kwast en had het al helemaal niet op de manier waarop hij Angela behandelde. Wanneer mijn vader mijn moeder de hele nacht alleen liet, vermoedde mijn opa dat hij met andere vrouwen sliep. En al schepte Ramón graag op over zijn mooie vrouw, hij behandelde haar dikwijls met minachting. Op een regenachtige ochtend, toen mama zwanger was van Teresa en mijn grootouders nog een paar straten verderop woonden, wilde papa's auto niet starten. Mama belde opa om te vragen of Ramón zijn auto mocht lenen om naar zijn werk te gaan. Ja, hoor, zei opa, in de verwachting zijn schoonzoon even later voor de deur te zien staan. Maar even later was het mama

49

die doorweekt van de regen voor de deur stond. Mijn vader had haar gestuurd om de auto op te halen.

Dan was er de dag waarop mama van Teresa beviel. Toen de weeën begonnen, was papa nergens te bekennen, hij verscheen ook niet in het ziekenhuis. Toen ze werd ontslagen, moest ze Ramón in een café gaan zoeken om hem eens flink de waarheid te zeggen.

Maar dat was nog niet het ergste. Op een avond nadat mijn grootouders al naar Cotati waren verhuisd, kregen mijn ouders ruzie en trok Ramón een mes. Mama pakte de kinderen en vluchtte naar haar ouders' huis. Ze was bang en onzeker over wat ze aan haar huwelijk moest doen.

Als goed katholiek zei opa dat er van een echtscheiding geen sprake kon zijn, behalve in extreme gevallen. Misschien kon er nog iets anders gebeuren, zei hij. Maar het was al laat en opa moest de volgende morgen vroeg op om naar zijn werk te gaan. 'Laten we er nog een nachtje over slapen,' zei hij. 'We bespreken het morgen wel, wanneer ik weer thuis ben.' Maar toen hij de volgende dag thuiskwam, was mama al met haar drie dochters naar Boyes Hot Springs teruggegaan.

6

De auto keert en rijdt weer naar het huis aan Baines Avenue en stopt ervoor nu de bewaker in zijn Mustang verdwenen is.

'Ik weet niet wat ik verwachtte toen ik hier voor het eerst terug was,' zegt Carmina. 'Ik wist dat ik bij iets was wat met mijn verleden te maken had. Het was emotioneel om te beseffen waar ik me bevond en wat er zich daar had afgespeeld, maar het valt niet mee om die emotie te beschrijven.'

Terwijl de auto terugrijdt naar de hoofdweg, probeert Carmina zich haar leven voor wat zij 'de tragedie' noemt te herinneren. 'Ik heb een paar herinneringen, maar ze zijn nogal verward en een sommige zijn vaag.' Er zijn erbij die iets hebben van onscherpe kiekjes die sinds haar kleutertijd voor haar geestesoog langs waaien, weer andere zijn gewekt door gesprekken met getuigen, of door de verslagen die ze heeft gelezen sinds ze weer terug is in Sonoma. Het beeld van voor op Ramóns motorfiets is één zo'n herinnering. 'Mijn zusjes waren bang voor het lawaai en holden weg wanneer hij startte,' weet ze nog. 'Maar ik vond die motor prachtig. Ik vond hem opwindend.'

Maar de afgelopen jaren heeft ze meer over haar vaders spelletjes op de weg gehoord, hoe hij met zijn auto door de straat reed met haar op zijn schoot en haar handen op het stuur. Als er een andere auto passeerde, dook hij weg zodat het leek alsof zijn dochter helemaal alleen stuurde. Dat verhaal heeft ze van Ramón zelf.

Maar het merendeel van haar vroegste herinneringen is van haarzelf. Ze spelen zich voor haar geestesoog af als oude home-video's, met ontbrekende scènes en plotselinge overgangen, een tikje onscherp en verkleurd door de tijd, maar nog altijd vrij duidelijk. Zo was er een gezinsuitje naar Bodega Bay aan de kust van de Stille Oceaan, waar haar vader een tentje van handdoeken en strandstoelen maakte om hen tegen de zon te beschermen. Ze kan zich de zee nog herinneren, dat ze niet bang was voor de golven zoals Sofia, en er halsoverkop in holde, zodat ze tegen de grond werd geslagen en mee werd gesleurd door de branding. Ze kan zich niet herinneren of ze bang was toen ze rond wentelde, alleen dat haar moeder bang op het strand stond en haar vader door de golven dook om haar te redden.

Maar ze herinnert zich ook dat haar vader dronken thuiskwam en tegen Angela schreeuwde. 'Ik heb honger, waar blijft het eten?!' Ze weet nog dat haar ouders tegen elkaar schreeuwden en dat Ramón Angela aan de haren trok. 'Dat was angstaanjagend,' vertelt ze. 'Wij probeerden gewoon een heel eind uit de buurt te zijn, we gingen naar onze kamer spelen en deden alsof we niets hoorden.'

Toen kwam kerstavond 1988. Nadat de meisjes naar bed waren gebracht, waren hun ouders naar de nachtmis in de plaatselijke katholieke kerk gegaan. Maar Teresa's gehuil wekte haar zusjes en ze eindigden met zijn allen in de woonkamer, waar ze de kerstboom zagen.

'De Kerstman was gekomen. Er lagen allemaal cadeaus onder de boom. We gingen zitten en scheurden alles open. We zaten nog te midden van al die troep met ons nieuwe speelgoed te spelen toen mijn ouders thuiskwamen. Ramón was woedend. Hij explodeerde en schreeuwde allerlei lelijks in het Engels en Spaans. Wij holden naar mama, die zei dat hij moest kalmeren. 'Moet je toch zien hoe lief ze zijn. Daar kunnen we toch niet boos op zijn?' Toen hij eindelijk wat was bedaard, maakten we foto's en daarna pakten we alle cadeaus weer in. Dat is een van mijn laatste goede herinneringen.'

Het hoogtepunt van dat kerstfeest was een feest waar we met zijn allen naar toe gingen, bij assistent-wijnmaker van Grand Cru Tracey Toovey en zijn vrouw Catherine.

Volgens vrienden was Toovey een aardige, populaire vent. Het verhaal ging dat hij op een dag, toen hij nog een tiener was, een glas wijn dronk met zijn beste vriend Ken Krohn en uitriep: 'Eén van ons moet leren hoe je dit moet maken.' En op dat moment was zijn loopbaan beklonken.

Toovey stond bekend om zijn maffe kapsels en borstelige snor, maar hij was een gezinsmens die was toegewijd aan zijn vrouw en beste maatje Catherine en hun twee kinderen, de vierjarige Kerissa en haar broertje, baby Kiernan. Verder leek hij niet veel nodig te hebben om gelukkig te zijn. Hij reed bijvoorbeeld al twintig jaar in dezelfde oude Volkswagen Karmann Ghia.

Na de kerst was mama weer rusteloos geworden. Ze had iets nodig om haar weer te laten sprankelen. Dat vond ze op een dag toen ze rondliep door het winkelcentrum van Santa Rosa en werd benaderd door een jonge vrouw die haar een folder van de Covers Modeling School gaf. 'Je zou perfect zijn,' verzekerde de jonge vrouw haar.

Angela nam de folder mee naar huis. Een vriendin van haar had gezegd dat haar dochter misschien naar de modellenschool wilde en vond dat mama daar ook eens aan moest denken. Toen ze opgroeide was mama geleerd dat ijdelheid zonde is en ze had zichzelf nooit mooi gevonden, althans niet voordat ze op haar wandelingen belangstelling van mannen ging trekken. Toch was ze heel mooi, zozeer zelfs dat mijn obsessief jaloerse vader haar in een kamer vol mannen geen moment alleen liet.

Maar nu dacht mijn moeder dat ze misschien wel model kon worden. Modellen verdienden toch een hoop geld? Maar in de folder stond dat de cursus van tien weken 510 dollar kostte; hoe kon ze dat betalen? Toen ze die dag thuiskwam, lag er een aanvraagformulier van een Visa-card in de bus. Dat beschouwde ze als een voorteken, zei ze later tegen haar vriendin Barb Bradley. 'Ik vulde het in en zei tegen Ramón dat ik die creditcard kon gebruiken om naar de modellenschool te kunnen.'

Mama had gezegd dat Ramón het ermee eens was, maar daar had ze zo haar vraagtekens bij. Ze wist dat Ramón niet wilde dat Angela ging werken en het idee dat andere mannen naar haar keken beviel hem van geen kant. Maar aan de andere kant werd mama thuis steeds uitgesprokener. Ze maakte papa duidelijk dat ze vond dat hij te dikwijls uitging. Natuurlijk leidde dat tot luidruchtige ruzies en dreigementen, maar ze gaf geen krimp.

Angela vertrouwde Barb toe dat ze zich zwanger had laten maken om aan haar ouderlijk huis te kunnen ontsnappen. In die tijd had trouwen haar een mooie uitweg geleken. Maar nu voelde ze zich gevangen, er moest iets veranderen, al zou dat geld kosten.

Zodra Visa haar aanvraag had goedgekeurd en haar een pasje had gestuurd, ging mama naar de Covers Modeling School voor een gesprek met eigenares Patricia Rile, een kleine, energieke vrouw die een aantal afgestudeerden van haar opleiding ook vertegenwoordigde voor advertentiewerk in de Bay Area. Rile vond dat mama potentieel had. Ze was knap en zag er fris en gezond uit. Een tikje klein voor de catwalk, maar met een beetje hulp kon ze misschien wat werk krijgen voor ondernemers die 'de jongemoeder-look' zochten. Maar ze wilde niemand om de tuin leiden. Het was zwaar om carrière te maken als model en op haar vierentwintigste maakte mijn moeder een late start. Ze was ook een beetje te bedeesd en bescheiden, maar daar was iets aan te doen.

En mama kon heel lief lachen, niet al te hard, maar oprecht en spontaan. Als ze haar best deed, waren er reële mogelijkheden.

Angela zou hoe dan ook hebben doorgezet. Ze betaalde de cursus met haar nieuwe Visa-card – waar net voldoende krediet op zat voor de cursus – en zei tegen Rile dat ze dolgraag het modellenvak onder de knie zou krijgen.

Mama nam de sessies van drie uur serieuzer dan de meeste medeleerlingen en was een en al aandacht wanneer Rile en de andere docenten leerden hoe ze zich moest bewegen, make-up aanbrengen, lopen, voor de camera poseren en zich te kleden voor succes. Het duurde niet lang of ze onderging een transformatie. Ze liet een jongenskopje knippen, droeg meer make-up en maakte haar garderobe modieuzer. Vonden de klanten van McNeilly's en de Valley of the Moon Saloon haar vroeger al knap, nu konden ze hun ogen niet van haar afhouden. Ramón wist niet goed hoe hij met de veranderingen moest omgaan, hij deed zijn uiterste best om met zijn beeldschone 'modelvrouw' te pronken, maar wierp nijdige en jaloerse blikken op mannen die een tikje te lang keken.

Angela sprong er voor de camera pas echt uit. Er komt meer voor kijken dan een knap gezicht om het te maken als fotomodel voor de gedrukte media. Er is ook een bepaalde instelling nodig en het vermogen dat in een foto te projecteren. Wanneer mama voor de camera stapte, was de metamorfose onthutsend. Ze veranderde van een bijna pijnlijk verlegen meisje in een levendig, fascinerend model wier ogen op afroep vurig konden branden of zacht en vriendelijk worden.

Hoewel ze bescheiden bleef, nam haar zelfvertrouwen toe. Rile vond dat haar kansen om het als fotomodel te gaan maken met de dag groter werden.

Mama vertelde niet veel over haar privéleven en Rile vroeg er niet naar. Meestal reed ze zelf naar de modellenschool, maar papa ging twee keer mee om beleefd glimlachend toe te kijken bij de les. Rile vond hem een aardige, aantrekkelijke jongeman. Hij zei niet veel en wat hij zei was met een zwaar accent. Maar het was Rile wel duidelijk dat hij zijn vrouw aanbad.

Toch waren er dingen aan de relatie die Rile merkwaardig vond. Toen Angela een keer de sleutels in de auto die voor de school stond had laten zitten, belde ze haar ouders en niet Ramón.

En toen mama twee keer een afspraak had gemaakt met Michael Beehler, een plaatselijke fotograaf, zegde ze die op het laatste moment af. De tweede keer zei ze dat ze de fotosessie niet kon betalen omdat haar man het geld wilde gebruiken voor een reisje naar Mexico.

Mam schoof haar modellenwerk op de lange baan toen papa in februari 1989 besloot met ons allen een bezoek aan zijn geboorteplaats Los Mochis te brengen. Het was voor het eerst dat hij met vrouw en kinderen naar zijn vaderland ging en hij wilde graag met ons pronken. Een groot deel van zijn bezoek gaf hij hoog op over het goede leven in Sonoma. Ik herinner me niet veel van de reis, maar ik weet dat we werden verwend door een enorme menigte tantes, ooms, neven en nichten en grootouders.

Maar wat Sofia betreft, was het opwindendste van de reis dat papa had beloofd ons op de terugweg mee naar Disneyland te nemen om haar vierde verjaardag te vieren. Ze kon amper wachten om Mexico weer te verlaten. Maar het liep op niets uit. Sofia zei later tegen onze oppas dat we niet naar Disneyland waren geweest, want 'papa kon het niet vinden'.

Toen opa dat verhaal hoorde, kreeg hij nog meer een hekel aan zijn schoonzoon. Hij maakte zich ook steeds meer zorgen over het gedrag van mijn vader. Op Oudejaarsavond had hij zijn zoon van het vliegveld gehaald en betrapte hij Ramón op een poging tot inbraak in zijn huis. Hij was net op tijd thuis om mijn vader uit het raam te zien hangen.

'Wat doe je hier?' vroeg opa fronsend, blij dat hij zijn zoon bij zich had.

Ramón, die duidelijk dronken was, haalde zijn schouders op. 'Ik moet je jachtgeweer lenen.'

'Mijn jachtgeweer? Waarvoor?'

'Om het nieuwe jaar te vieren,' antwoordde mijn vader met een gebaar alsof hij een geweer in de lucht afvuurde.

'Nou, je krijgt het niet!'

Ramóns gezicht vertrok tot een masker van woede. Hij beende naar zijn auto, stak zijn hand door het open raampje naar binnen, haalde een groot mes tevoorschijn en bleef even staan alsof hij overwoog wat hij zou doen. Daarna schreeuwde hij een dreigement, stapte in en reed weg.

Opa wist dat papa mijn moeder al met een mes had bedreigd en nu was hij bang dat Ramón op een kwaaie dag echt zou doordraaien en iemand zou verwonden. Maar voorlopig zette hij zijn zorgen opzij en organiseerde hij een geweldig verjaardagsfeest voor Sofia om haar te helpen de teleurstelling te vergeten dat ze niet naar het Magische Koninkrijk was geweest. Het werd een groot succes en iedereen had veel plezier, behalve ik. Ik kon alweer niet begrijpen waarom niet elke verjaardag de mijne was.

'Kom, Carmina,' zei opa, 'vandaag is Sofia jarig. Jouw verjaardag is in april.'

Na de reis keerde mama terug naar haar modellenopleiding en was ze meer dan ooit vastbesloten daar een loopbaan van te maken. Ze zei tegen Rile en haar vriendinnen dat ze het geld echt hard nodig had.

Barb Bradley vermoedde dat mama's wanhoop te maken had

met meer dan alleen geldgebrek of haar verlangen om uit Boyes Hot Springs te kunnen vertrekken. Barb werkte voor een instelling zonder winstoogmerk die invaliden aan werk hielp en ze had contact met het netwerk van sociale diensten. Ze vertelde Angela dat er opvangtehuizen waren voor vrouwen die aan een gewelddadige relatie wilden ontsnappen. Maar ze waarschuwde haar wel dat ze moest weten hoe ze aan de kost moest komen als ze van plan was bij Ramón weg te gaan. 'De bijstand is één grote valkuil.'

Het viel ook Rile op dat mama maar bleef zeggen dat ze met of zonder haar man een loopbaan als model nastreefde. Tijdens een van de laatste lessen haalde papa haar op. Mama keerde zich demonstratief om naar Rile en zei met luide stem: 'Ik zal alles in het werk stellen om model te worden.'

Als papa begreep wat er gezegd werd en de consequenties ervan, liet hij dat niet merken. Hij stond gewoon met een glimlach te wachten tot zijn vrouw klaar was om mee te gaan.

De modellenopleiding werd bekroond door een modeshow van de leerlingen die gesponsord werd door een boetiek met designerkleding die van Rile was. Voor de vrouwen was het een gelegenheid om ervaring op de catwalk op te doen voor publiek en Riles kleren te tonen. Het was een grootse toestand in het Flamingo Hotel en Rile verwachtte een grote opkomst. Op een video van die dag zag mama er knap uit in een wit gestipt topje tot haar middenrif, een witte broek en een wit jasje. Op een zeker moment hoor je haar vrij en spontaan op de achtergrond lachen.

7

Eén persoon die zich zorgen maakte om ons gezin was onze buurman Richard Clark. Hij mocht Ramón en Angela graag, maar het klonk alsof het er erg slecht aan toe ging tussen de echtelieden, en hij was bezorgd om ons, de kinderen. Mijn ouders lieten ons vaak alleen thuis en ook Clark overwoog de sociale dienst te bellen, misschien kon er iemand komen om de zaak te sussen. Maar hij was bang dat de kinderbescherming de kinderen weg zou halen, dus dat deed hij liever niet.

Het leven bij ons thuis werd echt steeds slechter. Al was ik nog geen drie, ik wist dat het niet goed zat. Mama en papa maakten constant ruzie, meestal verbaal, maar het werd ook lichamelijk.

Richard verklaarde later tegenover de politie dat vooral Ramón gebukt leek te gaan onder een heleboel spanning en de indruk wekte door te draaien. Toen ze op een avond samen aan hun auto's sleutelden, kreeg Ramón een inzinking en barstte hij in huilen uit. Hij vertelde dat hij Angela van verhoudingen met andere mannen verdacht.

Clark zei dat hij daar geen enkel teken van had gezien. Overdag was Angela bijna altijd thuis om voor de kinderen te zorgen en hij had nog nooit een andere man zien langskomen. De enige man die overdag wel eens kwam, was mijn vader zelf, die soms wel drie keer per dag in een busje van Grand Cru langs reed.

Ramón gaf toe dat hij Angela in de gaten hield. Hij zei dat hij zelfs door zijn baas was berispt omdat zijn werk onder zijn huwelijksproblemen leed.

Volgens Clark snoof Ramón steeds meer cocaïne en schepte hij op dat hij een pistool had. Hij zei tegen Clark dat hij ook niet bang was om het te gebruiken, en beweerde dat hij op een avond tijdens een meningsverschil op mensen had geschoten. Clark kon niet zeggen in hoeverre dat opschepperij was en hoeveel daarvan waar was. Maar hij wist wel dat Ramón geldzorgen had. Angela wilde geld voor haar modellenloopbaan en Ramón vertrouwde hem toe dat zijn ex achter hem aan zat voor een kinderbijdrage.

Op een avond waren mijn zusjes en ik op onze slaapkamer toen papa dronken en boos het huis in kwam stommelen. Hij en mijn moeder kregen ruzie en in een oogwenk stonden ze tegen elkaar te schreeuwen.

'Ik knal je kop d'raf!' schreeuwde mijn vader.

'Het leven met jou is leven in een gevangenis!' gilde mijn moeder.

Sofia en ik slopen uit onze kamer om te zien wat er aan de hand was. We stonden aan het begin van de gang en zagen papa mijn moeder bij haar haar grijpen en een klap in het gezicht geven.

Dat werd me te veel. Ik was nooit bang geweest, dus stormde ik tussen mijn ouders en probeerde hen uit elkaar te duwen. Daarna draaide ik me om en begon ik mijn vader net zo lang te slaan tot hij me een klap terug gaf, die hard genoeg aankwam om me naar achteren te laten tollen.

Mama stortte zich op vader, maar hij sloeg haar neer. 'Eruit!' gilde ze. En tot ieders opluchting ging hij weg.

Mijn vader had niet gelogen toen hij Clark over zijn financiële problemen vertelde. Op 11 maart vaardigde de rechter in Fresno het bevel uit dat hij de staat de bijstand van ruwweg 5800 dollar moest terugbetalen, die Debra Ann Whitten en hun dochter Mary Crystal hadden ontvangen. De rechter beval hem ook Debra Ann 511 dollar per maand te betalen als kinderbijdrage. En alsof dat nog niet genoeg was, was papa in gebreke gebleven bij de termijnen van een lening van 6500 dollar en moest hij snel beginnen maandelijks 112 dollar af te lossen.

Tot dat moment had hij zijn andere huwelijk voor mijn moeder verzwegen gehouden. Maar nu justitie achter hem aan zat, moest het natuurlijk uitkomen.

En dat gebeurde op 11 april toen de manschappen van de sheriff aanklopten om Ramón het gerechtelijk bevel te overhandigen. Mijn vader bekende mijn moeder dat hij getrouwd was geweest – er was geen ontkomen meer aan – maar zwoer dat het kind niet van hem was. Hij zei tegen Angela dat ze Debra Ann Whitten moest bellen om haar te vragen of ze tegenover de rechter wilde verklaren dat Maria Crystal niet van hem was. Mijn moeder belde en smeekte Debra alsof het haar idee was, maar Debra zei later tegen verslaggevers dat ze Ramón op de achtergrond hoorde zeggen wat mijn moeder moest vragen.

Debra Ann verzekerde Angela dat ze geen moeilijkheden wilde veroorzaken. De officier van justitie was degene die achter het geld aan zat. Maar ze hoorde Ramón woedend worden toen hij haar reactie vernam.

Kort daarop belde mijn moeder Nevada voor een kopie van Ramóns andere trouwakte en echtscheidingsvonnis. Toen kwam ze erachter dat Ramón nog altijd wettelijk getrouwd was; ze hadden nooit de moeite genomen van elkaar te scheiden. Mijn moeder leefde met een bigamist.

Toen ze van de eerste schrik was bekomen, begon Angel[a] zien dat Ramóns hachelijke situatie weer een teken wa[s] haar leven een wending moest geven. Zoals haar vader a[l] gezegd, erkende de Kerk geen echtscheiding, maar evenmin een huwelijk met een man die al getrouwd is. 'Misschien kan ik het huwelijk nu laten ontbinden,' vertrouwde ze Connie Breazeale toe.

Mijn vader beweerde later dat mijn moeder hem omstreeks die tijd vertelde dat Sofia niet van hem was, maar niet wist wie de vader wel was. Op de avond dat ze na een paar glazen wodka uit haar raam was geklommen na de bewuste ruzie met haar vader, beweerde ze dat ze was aangesproken en aangerand door een andere Mexicaan.

Ja, had ze gezegd, twee mensen kunnen geheimen hebben. Hij was getrouwd geweest en vader van een dochter geweest en had het haar nooit verteld. Zij was aangerand en had hem in de waan gebracht dat het kind van hem was.

Was dat zo? Ik zal het nooit weten. Maar uit de zaden van de geheimhouding bloeide een ramp.

De ruzie die Richard Clark in de namiddag van 13 april hoorde, eindigde ermee dat mijn vader het huis uit stormde.

Mama liet hem gaan. Ze had belangrijkere zaken aan haar hoofd. De volgende dag zou de fotosessie met Michael Beehler er eindelijk van komen. Pat Rile had voorgesteld dat ze een van haar dochters zou meenemen voor een paar foto's van die frisse, gezonde jonge moederlook waarvoor volgens Rile modellenbureaus in San Francisco belangstelling konden hebben. Dus besloot mama mij mee te nemen, het kind dat het meest op haar leek.

Toen Angela belde om haar afspraak met Beehler te bevestigen, reageerde die sceptisch. 'Hoe zit het met Ramón?' vroeg hij. Hij zat er niet op te wachten om weg te moeten duiken voor de kogels van een jaloerse echtgenoot.

'Maak je geen zorgen, die kan ik wel aan,' zei Angela.

Na de ruzie ging Ramón naar de Valley of the Moon Saloon om bier te drinken en te broeien. Hij was boos over wat Angela hem over Sofia had verteld, over het idee dat hij voor de derde keer met een 'ontrouwe' vrouw was getrouwd. Hoe meer hij dronk en sudderde in zijn soep van jaloezie, des te meer hij ervan overtuigd raakte dat oma geweten moest hebben dat haar dochter zwanger was van het kind van een ander. Hij was erin geluisd.

De eigenares van het café zag hem fronsen alsof hij vanbinnen ruzie maakte. 'Jij bent stil vandaag,' zei ze.

'Ik ben gewoon moe,' antwoordde hij. Hij was op zoek naar een opkikker en zei tegen zijn vrienden dat hij een lijntje wit wilde scoren, maar desnoods genoegen zou nemen met speed. Hij ging om een uur of halfacht de kroeg uit en zei dat de biertjes maar op de rekening moesten.

Ramón ging vervolgens naar McNeilly's, waar hij naast een andere vaste klant ging zitten, Mark Ondrasek. Omdat hij geld nodig had om coke te kopen, zei hij tegen Ondrasek dat hij een stel dure flessen Grand Cru in de auto had liggen die hij hem voor een schijntje zou verkopen, namelijk vijf dollar per fles. Ondrasek kocht er vier en gaf Ramón een cheque voor twintig dollar. Later gaf hij Ramón nog een cheque van veertig dollar voor nog eens acht flessen. Maar dat leverde Ramón nog niet voldoende financiën en bovendien lustte hijzelf ook wel iets te drinken. De barkeeper wilde zijn cheques niet aannemen, maar omdat papa vaste klant was, wilde hij hem wel vijf dollar lenen.

Op de een of andere manier toverde Ramón nog meer geld tevoorschijn en bestelde hij een paar 'Separators' – cognac, Khalua en room – omdat hij 'iets zoets' wilde. Hij scoorde ook wat cocaïne. Hij bood een vrouw die bij McNeilly's zat te drinken een snuifje aan, maar ze sloeg het af. Zijn vriend Michael John Coratti wilde best mee naar Ramóns auto om een lijntje te snuiven. Ramón vertelde dat hij een feestje had in de Sonoma Mission

Inn 'met een paar meisjes' en hij nodigde hem uit mee te gaan.

Toen de cocaïne later op de avond op was, sliep Mario Mata, die mijn vader al vijf jaar kende, in zijn eigen slaapkamer toen hij wakker werd en mijn vader zwaaiend met een mes op de rand van zijn bed trof. 'Je moet voorzichtiger zijn,' waarschuwde Ramón. 'Ik had je zo kunnen vermoorden.'

Mijn vader wilde weten of hij geld had om cocaïne te kopen. Mata zei dat hij platzak was, maar wel met Ramón mee wilde als hij op zoek ging naar geld voor drugs.

Even voor drie uur 's nachts troffen de twee Coratti bij de Sonoma Mission Inn. Papa zei tegen de anderen dat ze even moest wachten, dan zou hij naar binnen gaan om zijn 'reservering' te controleren. Hij liep naar de balie en vroeg receptioniste Lela Brooks of ze een boeking had voor werknemers van Grand Cru op naam van Salcido.

Brooks zei dat ze niets onder die naam had. Ramón zei dat hij een kamer wilde.

Toen de receptioniste opzij keek zag ze dat de beveiligingsbeambte haar aandacht probeerde te trekken. Hij had Ramón met twee andere mannen op de parkeerplaats gezien en wist dat de chique clientèle van de Inn niet zat te wachten op een dronken braspartij van die lui.

Brooks opperde dat Ramón misschien een reservering had voor de Sonoma Valley Inn in het centrum van Sonoma. Ze belde het motel, maar daar hadden ze ook geen boeking. Verslagen ging papa terug naar het parkeerterrein om zijn vrienden te vertellen dat het feestje niet doorging. Het drietal ging uit elkaar.

Wat mijn vader gedurende de uren die volgden heeft uitgespookt zou een mysterie blijven. Maar omstreeks halfzes die ochtend kwam hij weer thuis.

Volgens de officiële versie van de gebeurtenissen die volgden, sliepen wij in de slaapkamer achter toen mijn vader thuiskwam, maar was mijn moeder verdwenen. Gekleed in een sweater, een broek en een honkbalpetje was ze vroeg van huis gegaan om door de frisse ochtendlucht naar een geldautomaat bij de Wells Fargo Bank in West Napa Street in Sonoma te lopen. Een vrouw die haar daar in het halfduister zag, hield haar door haar kleren eerst voor een man. De vrouw verklaarde later tegenover de politie dat ze vond dat mama er belabberd uitzag, dat ze zich merkwaardig gedroeg en wel een minuut of tien bezig was om de transactie voor elkaar te krijgen. Daarna draaide ze zich om en keek naar haar.

Bankafschriften tonen aan dat mama op 14 april even na halfzes tweehonderd dollar van de familierekening opnam. Het was het laatste geld dat mijn ouders op de rekening hadden. Of ze het had opgenomen om de fotograaf in de loop van de dag te kunnen betalen, of als onderdeel van een ontsnappingsplan zou in de jaren die volgden een kwestie van speculatie worden. Ik geloof liever dat ze het opnam omdat ze ons bij onze vader wilde weghalen, maar niemand kan het met zekerheid zeggen.

Op een zeker moment postte Angela die ochtend ook een brief aan het gemeentearchief van Washoe County in Nevada met een cheque van drie dollar en het eenvoudige verzoek om een kopie van de trouwakte van Ramón Salcido en Debra Ann Whitten. Dat was alle bewijs die ze nodig had om haar huwelijk ongeldig te laten verklaren.

Maar op het moment dat zij de brief postte, zat haar man thuis te briesen van woede. Later vertelde hij de autoriteiten dat hij zo woedend was dat Angela hem met de kinderen alleen had gelaten dat hij wel iemand kon vermoorden. Maar zo herinner ik het me niet.

Wat ik me herinner, is dat mama ons na de ruzie van de avond tevoren terugbracht naar onze kamer en instopte. Ondanks de angst waren we algauw diep in slaap.

Het volgende dat ik me herinner is dat ik wakker werd en mijn vader door de kamer hoorde lopen. Het was bijna donker in huis, maar ik zag dat hij Teresa uit haar ledikantje haalde en meenam. Daarna kwam hij terug om mij uit bed te tillen.

'Waar gaan we naartoe, papa?' vroeg ik. Maar hij legde alleen maar mijn hoofd op zijn schouder.

Het was donker, maar toen we langs het bed van mijn ouders liepen, zag ik mama daar liggen slapen. Ik kan me haar gezicht nog herinneren. Ik riep haar en toen legde mijn vader zijn hand over mijn mond.

Teresa was wakker en lag op de achterbank te huilen toen papa me in de auto zette. Daarna ging hij terug om Sofia te halen. Hij zette haar bij ons op de achterbank, daarna ging hij achter het stuur zitten en reden we weg.

'Waar gaan we naartoe, papa?' vroeg ik weer, maar hij gaf geen antwoord. Hij leek niet boos. Hij leek eerder afwezig.

8

Die ochtend pakte brigadierrechercheur Mike Brown zijn exemplaar van de *Press Democrat*. Hij las altijd de krant voor hij naar zijn werk op de Sonoma County Sheriff's Department ging, waar hij aan het hoofd stond van de Violent Crimes Investigation Unit, de afdeling Ernstige Delicten.

Een bericht waarop zijn aandacht viel had te maken met de zogenaamde 'Trailside Killer', de 53-jarige zedenmisdadiger en seriemoordenaar David Carpenter, die in mei 1981 was gearresteerd en uiteindelijk werd beschuldigd van negen moorden in executiestijl, waarvan de meeste zich hadden afgespeeld in de buurt van wandelpaden in het Golden Gate-park van San Francisco. Carpenter werd schuldig bevonden en tot de gaskamer veroordeeld wegens twee van de moorden. Sindsdien is hij nogmaals ter dood veroordeeld wegens andere moorden. Maar tot nu toe is het hem gelukt aan de beul te ontsnappen. Er zijn al sinds 1967 geen executies meer uitgevoerd, zelfs niet nadat het moratorium op de doodstraf in 1976 werd opgeheven door Amerikaanse hooggerechtshof. En het zag er niet naar uit dat er spoedig executies zouden zijn.

Als jongeman was Mike geen voorstander van de doodstraf geweest, maar nadat hij bij de sheriff was gaan werken en gezien had tot wat voor slachtingen sommige moordenaars in staat waren, kwam hij tot de conclusie dat sommige mensen de doodstraf wel verdienden.

Mike was ook hoofd van de technische recherche en zette zijn rechercheurs op zaken variërend van mishandeling met een dodelijk wapen tot verkrachting en moord. Zijn vader had hem bijgebracht dat het er niet toe deed hoeveel hij met zijn werk verdiende of hoeveel mensen er voor hem werkten. Wat er wel toe deed, vertelde hij me later, was dat hij een baan moest zien te vinden 'waarmee hij een verschil kon maken'. Als iemand die was grootgebracht met een duidelijk besef van goed en kwaad – ook iets wat hij had geërfd van zijn vader en van zijn oom Morris Lucy, hulpsheriff van Los Angeles County – had hij die gevonden bij de politie.

Toen Mike de krant van die ochtend uithad, kuste hij zijn vrouw Arlyn, verliet hij zijn huis in een rustige, goed onderhouden wijk van Santa Rosa en ging hij naar het bureau.

Mike had nog nooit gehoord van de Kendall-moorden van 1910 of het bloedbad van Polcerpacio Pio in 1949. Maar sindsdien had het corps andere sensationele misdrijven meegemaakt, van een executie door een beruchte huurmoordenaar van de maffia die bekendstond als Joe 'the Animal' Barboza in de jaren zestig tot de moord met een shotgun door een bekend type uit de buurt genaamd Ernest 'Kentucky' Pendergrass, die de kranten wekenlang beheerste. De meeste geweldsdelicten kregen niet zoveel publiciteit, maar er waren talrijke gevallen van verkrachting, mishandeling, beschietingen en moorden in Sonoma County om de Violent Crimes Unit aan het werk te houden. In het arrondissement werden jaarlijks zo'n twaalf tot vijftien moorden gepleegd, waarvan het merendeel in de omgeving van Russian River, waar veel drugs werden gebruikt en de criminaliteit hoogtij vierde.

De drievoudige moord in 1987 in Boyes Hot Springs die mijn moeder zo de stuipen op het lijf had gejaagd, was een van de misdrijven geweest waarvan de verdachte onbekend was gebleven. De zaak was zelfs in april 1989 nog niet opgelost. Maar voor de meeste mensen stond het wel vast dat hij met drugs te maken had en dat de moordenaar zijn slachtoffers kende, waardoor de buren weinig risico liepen.

De zaak had Mike Brown wat hoofdbrekens gekost nadat sheriff Michaelsen hem na middernacht had gebeld om te vragen of ze de dode vrouw al hadden geïdentificeerd.

'We weten het nog niet zeker,' antwoordde Brown. 'Morgen wel.'

Dat was niet goed genoeg, vond Michaelsen. Hij moest zo gauw mogelijk een persbericht laten uitgaan. Voor Mike sloeg dat nergens op. De kranten van de volgende dag waren al naar de drukker en tot de volgende morgen zou er nog geen tv-journaal zijn.

Maar Michaelsen, die het jaar daarvoor was verkozen, bleek nogal publiciteitsbelust. Tijdens zijn verkiezingscampagne had hij de steun van de politie van Santa Rosa, waar hij patrouille-agent was geweest, maar hij was nooit rechercheur geweest en wist niet goed hoe zo iemand werkte. Hij miste ook de tegenzin van een rechercheur om over een lopende zaak te praten, vooral tegen de pers.

De sheriff was ter ore gekomen dat de dode vrouw de dochter van een van de slachtoffers was en hij gaf Mike opdracht contact op te nemen met haar enige ouder, haar moeder, om haar naar het mortuarium te brengen en te zien of zij het lijk kon identificeren.

Mike protesteerde. De arme vrouw hoefde die beproeving niet te ondergaan, vooral niet in het holst van de nacht.

'Dit is een bevel,' snauwde Michaelsen. 'Breng die vrouw daarheen en ik wil er niets meer over horen.'

Mike had geen keus. Met tegenzin nam hij contact op met Melissa's moeder en bracht haar naar het mortuarium. De lijkschouwer had nog niet eens de tijd gekregen om het slachtoffer schoon te maken en voor te bereiden en zijn gezicht zat onder het bloed van de schotwond. Maar de vrouw wierp één blik op het lichaam op de stalen snijtafel en gilde dat het haar dochter was. Mike bracht de sheriff op de hoogte en die vertelde de pers dat de dode vrouw door haar moeder was geïdentificeerd.

De volgende morgen zat Mike achter zijn bureau toen hij werd gebeld door de receptie. 'Er is hier een vrouw die beweert dat ze niet dood is.'

De moeilijkste misdrijven waren voor Mike die tegen kinderen. Wat hem dwarszat, was het feit dat de slachtoffers niet eens de kans op een leven hadden gekregen, maar ook dat ze nooit schuldig waren aan de omstandigheden die tot hun dood hadden geleid. Het was niet hun schuld dat ze in een slechte omgeving waren opgegroeid, dat hun ouders drugsdealers waren, of dat de een of andere zieke volwassene het op hen begrepen had. Mike was zelf vader, dus de dood van kinderen kwam extra hard aan.

Een zo'n zaak had een enorm effect op hem. In juni 1980, toen hij nog maar net op de Violent Crimes Investigation Unit werkte, kreeg hij een zaak toegewezen van een vijftienjarig meisje dat haar ouderlijk huis in brand had gestoken, waardoor haar stiefmoeder en tienjarige broertje om het leven kwamen. Hij sloeg de lijkschouwer gade toen die met zijn onderzoek van de vrouw bezig was en wierp een blik op de jongen, die nog in pyjama was. Voor zijn geestesoog kreeg de jongen opeens het gezicht van zijn eigen zoon Tim.

Het visioen schokte hem diep en hij moest de ruimte verlaten. *Je bent hier niet om over die mensen te huilen*, hield hij zich voor. *Je denkt met je hart, niet met je hoofd en daarmee moet je voor gerechtigheid zorgen.* Hij werd wat rustiger en stelde zich een masker voor zijn gezicht voor zodat hij als een onpartijdige buiten-staander te werk kon gaan. Hij mocht zijn emoties geen rol laten spelen, anders kon hij niet goed zien.

Mike vertelde me later dat hij dat masker in de loop van de ja-ren dikwijls had opgezet, en hij bottelde zijn emoties op om zijn werk te kunnen doen, om gerechtigheid te brengen aan mensen die niemand anders hadden om het voor hen op te nemen.

Toen Mike Brown die ochtend in april naar zijn werk reed, dre-ven er en paar wolken aan de hemel. Maar de zon was op en verwacht werd dat het bijna twintig graden zou worden. Aange-komen op het bureau van de sheriff, verzamelde hij de rappor-ten die zijn rechercheurs de avond tevoren hadden geschreven, om ze na te lezen en zijn rechercheurs instructies te geven. Meestal was het een rustig deel van de dag, voordat het prakti-sche werk op gang kwam. Maar het duurde niet lang voordat de hel losbarstte.

Het begon vrij eenvoudig om acht uur 's morgens toen de meldkamer hem belde om een mogelijke moord te melden in wijnmakerij de Grand Cru aan een zijweg van Dunbar Road. Er was al een patrouillewagen onderweg.

Er werkten doorgaans vijf rechercheurs onder Mike op de vci, maar die ochtend waren er maar drie beschikbaar. Eén was met pensioen en was nog niet vervangen, de ander, een van zijn beste en meest ervaren mensen, rechercheur Randy Biehler, lag met griep thuis. Meestal werkten zijn rechercheurs aan diverse zaken tegelijk, maar als een van hen een moord kreeg toegewe-zen, liet hij alles daarvoor schieten. Die ochtend had rechercheur Dave Edmonds dienst, het jongste en minst ervaren lid van Ern-stige Delicten.

Mike gaf Edmonds opdracht om naar Grand Cru te gaan en stuurde rechercheur Doherty, die al een paar jaar voor de groep werkte, met hem mee. Even later, toen Mike zich klaarmaakte om zich bij Edmonds op de Grand Cru te voegen, belde de meldkamer opnieuw om te zeggen dat er een schietpartij was geweest op de wijnmakerij Kunde Estate. 'Er is een man gewond.'

Mike dacht even na. Kunde was in Kenswood, maar een klein eindje voor Grand Cru aan Highway 12. Dat wilde zeggen dat er een goede kans was dat de twee misdrijven verband hielden. Mike besloot zelf de schietpartij op Kunde te onderzoeken voordat hij naar Grand Cru doorging. Hij en Dave Sederholm, een ervaren rechercheur, gingen er samen heen.

Hij had geen idee wat die dag voor hem in petto had, of hoeveel jaar later de zaak hem nog steeds de tranen in de ogen kon brengen.

9

Even ten noorden van de wijnmakerij Kunde Family Estate volgen een reeks ronde heuvels, gedrapeerd met concentrische cirkels wijnranken. Een stenen boogpoort aan de voet van de dichtstbijzijnde heuvels voert naar de beroemde *caves* van de wijngaard, uitgegraven in de rode vulkanische aarde, waar 5500 vaten wijn liggen opgeslagen. De caves zijn een geliefkoosde halte voor de toeristen die het proeflokaal in het grote gebouw op vijfentwintig meter van het huis bezoeken.

De wijngaarden waren al vier generaties in de familie Kunde, te beginnen met Louis Kunde, een Duitse immigrant die zich in 1904 in de Sonoma Valley vestigde. Het landgoed was uitgedijd tot duizend hectare en strekte zich uit langs ruim drie kilometer van de hoofdweg met heuvels van wel driehonderd meter. Behalve wijnmakers waren de Kundes ook veeboeren en het landgoed diende tevens als hoofdkwartier van Grand Cru.

Eerder die ochtend had Ken Butti, de voorman van Grand Cru, op de veranda van het huisje op Kunde Estate gezeten, waar hij en zijn vrouw woonden. Butti keek er niet zo van op om mijn vader te zien toen die aan kwam rijden in een oude Ford LTD om een paar meter voor de veranda tot stilstand te komen. Hij was tenslotte een werknemer van Grand Cru.

Maar hij was ook niet zo blij om hem te zien. Ooit was Ramón een modelarbeider geweest, maar zijn werk was achteruitgegaan, vooral de afgelopen maand sinds hij was getroffen door het dwangbevel om alimentatie te betalen voor het kind van zijn ex. Hij meldde zich dikwijls ziek en als hij wel naar zijn werk kwam – meestal te laat – zag hij eruit alsof hij de hele nacht feest had gevierd en had hij donkere wallen onder zijn bloeddoorlopen ogen.

Butti wist alleen dat het huwelijk tussen mijn ouders bergafwaarts ging. Ramón had hem verteld dat Angela hem bedroog. Butti had gezegd dat hij zijn leven op de rails moest krijgen anders zou het hem zijn baan kosten, maar het ultimatum leek weinig effect te hebben en kort daarvoor had hij de directie van Grand Cru te kennen gegeven dat hij niet meer wilde dat Ramón voor hem werkte. Maar mijn vader wist dat nog niet, dus had Butti geen idee waarom hij die ochtend voor zijn deur verscheen.

'Hallo, hoe is het?' vroeg Ramón, alsof ze elkaar ergens bij toeval waren tegengekomen.

Butti knikte hem toe. Er klopte iets niet. 'Wat is er, Ramón?'

Papa draaide zich om en keek naar de passagiersstoel. Hij mompelde iets wat Butti niet verstond en daarna bukte hij zich. Toen hij weer ging zitten, stak hij een hand uit het raampje.

Het eerste wat Butti zag, was dat Ramóns onderarmen onder het bloed zaten. Daarna zag hij dat er een pistool op hem wees. Het vuurde. Eén, twee, drie schoten. Een daarvan trof hem in de rechterschouder. Verbijsterd viel Butti op zijn zij met zijn rug naar Ramón toe en verwachtte nog meer kogels, maar in plaats daarvan reed de auto weg.

Butti's vrouw Teri stond binnen aan het keukenraam en had mijn vader zien aankomen. Ze hoorde een paar droge knallen, maar dacht dat de twee mannen maar wat stoeiden. Toen Ramóns auto vertrok, reed hij langzaam langs haar open raam.

Toen ze opkeek, zag ze het pistool op haar gericht. Terwijl ze papa in de ogen keek, die wijd open op haar gericht waren, hoorde ze een klik, maar er volgde geen knal, geen kogel. Het pistool was geblokkeerd.

Even over halfnegen sloeg rechercheur Sederholm de oprijlaan van Kunde op en snelde hij over de lange, licht stijgende weg naar de hoeve. Hij en Mike Brown arriveerden op het moment dat Butti in de ambulance werd geschoven.

'Weet je wie er op je heeft geschoten?' vroeg Mike.

'Ramón Salcido.'

Had hij enig idee waarom Ramón Salcido dat had gedaan?

Niet echt. Hij vertelde Mike over Ramóns slechte huwelijk en financiële problemen, en hoe beide zijn prestaties ondermijnden, maar hij kon geen enkele reden bedenken waarom Ramón op hem wilde schieten.

Toen de ambulance wegreed, liep Mike naar zijn auto om de meldkamer van Santa Rosa te waarschuwen. 'Kijk of we iets over Ramón Salcido hebben.'

Een paar minuten later werd hij teruggebeld. Een Mexicaan genaamd Ramón Salcido, 28, een meter zeventig lang, 82 kilo, was in 1983 aangehouden wegens rijden onder invloed. Op zijn arrestatiepapieren stond het adres Baines Avenue 201 in Boyes Hot Springs.

Mike vroeg zich af wat er aan de hand was. Hij had een dode op de ene wijnmakerij en een gewonde op de andere. Het tweede slachtoffer zei dat Ramón Salcido financiële moeilijkheden en huwelijksproblemen had.

Later vertelde Mike Brown me dat hij opeens wist waar hij moest zijn, namelijk in Boyes Hot Springs. 'Hebben we nog patrouillewagens beschikbaar in de Valley?' vroeg hij de meldkamer.

'Er zijn er maar twee die dienst hebben en die zijn allebei al op de plaatsen delict,' was het antwoord.

'Begin maar patrouilles te bellen die geen dienst hebben en geef hun opdracht te reageren op de Valley,' zei Brown.

Hij dacht even na. Het zou een poosje duren voor de eenheden die geen dienst hadden onderweg waren en iets zei hem dat hij niet zoveel tijd had. Hij moest zelf naar Baines Avenue.

10

Ze moeten dezelfde weg zijn gegaan, Ramón en zijn drie meisjes. Ten zuiden van Sonoma langs de slingerende hoofdweg naar de vuilnisbelt van Petaluma. De heuvels aan weerskanten van de weg rijzen en dalen helemaal tot aan de horizon en die bewuste ochtend zouden die gehuld zijn geweest in de grijze schemer van voor zonsopgang.

Terwijl haar vader reed, was Carmina zich af en toe bewust van een tegenligger. Om de zoveel tijd vroeg ze haar vader waar ze naartoe gingen. 'Op het laatst zei hij dat ik mijn kop moest houden en gaan zitten,' weet ze nog. 'Toen werden we doodsbang. Er was iets heel erg mis.

Het leek wel of we een hele poos doorreden. Daarna zag ik dat we een onverharde weg op waren gereden en stopten... Er was iets veranderd. Om de een of andere reden leek de lucht wel dikker en alles was doodstil. Er was geen enkele geluid... 'We waren gewoon lammeren die naar de slachtbank werden geleid.'

Buiten was de zon bijna op, dus was het licht dofgrijs. In de auto waren de schaduwen donkerder, alles was in zwart-wit, ook hun vaders gezicht toen die zich naar hen omdraaide.

'Ik weet nog dat ik naar Sofia keek. Zij hield de slapende baby Teresa vast. Daarna zei hij: 'Carmina, kom eens hier.' Hij klonk niet meer als papa. Ik weet niet hoe ik het moet zeggen, maar het was zijn stem niet. Ik was bang, maar ik wist niet wat ik anders moest doen. Ik maakte aanstalten op te staan, maar Sofia zei nee. Ze duwde me op de grond achter zijn stoel en gebaarde dat ik daar moest blijven.'

Ramón eiste dat Sofia hem Teresa zou geven. 'Maar dat wilde ze niet. Misschien had ze het mes gezien. Ze hield Teresa stevig vast, maar hij boog zich over de stoelleuning en haalde de baby uit haar armen. Ze was niet sterk genoeg.'

Carmina wordt stil en haalt om de paar seconden haar neus op wanneer de auto de grindweg naar de stort op rijdt, waar de nachtmerrie begon.

Rechercheurs Brown en Ballinger arriveerden bij het huis op Baines Avenue en parkeerden om de hoek, ze wisten dat de straat maar één blok lang was en wilden niet het risico lopen dat mijn vader hen zou zien als hij thuis was.

Ze stapten uit, maakten hun kofferbak open om er een kogelvrij vest uit te halen en trokken dat zonder een woord te zeggen aan. Daarna trokken ze hun jasje weer aan, speldden hun legitimatie op hun revers, controleerden hun wapen en liepen naar het huis.

Mike Brown wist zeker dat ze Ramón Salcido te pakken zouden krijgen. Hij hoopte alleen dat het nog niet te laat was voor wie er nog meer in huis waren geweest.

Ze hadden geen idee wat hun boven het hoofd hing. Ze konden niet eens een plan bespreken tot ze dicht bij het huis waren. Ze wisten dat de verdachte gewapend was; dat hij koelbloedig en efficiënt een moord had gepleegd en een poging tot moord had gedaan, en dat hij al had bewezen iemand recht in de ogen te kunnen kijken om hem zonder waarschuwing of provocatie neer te schieten. Het was niet te voorspellen wat hij tegenover twee gewapende rechercheurs zou doen.

Ze glipten vlug door de tuin van de buren en gluurden om een hoekje. Het zag er niet best uit. Er was weinig dekking tussen de straat en de voorzijde van het huis. Alleen maar een grote, open voortuin. Bij de voordeur zag Mike Brown twee kinderfietsjes met zijwieltjes – waarvan er een op zijn kant lag – en een driewieler. *Kinderen in huis*, dacht hij. *Dat maakt het ingewikkelder.*

Meestal, als er maar twee agenten waren, ging er een naar de voordeur en de ander naar de achterdeur om de vluchtwegen te beperken en een verdachte van twee kanten te kunnen benaderen. Maar de weg naar de achterzijde werd versperd door braamstruiken. Ze moesten het huis van voren benaderen, wat link was vanwege de open ruimte die ze eerst moesten oversteken.

Net toen ze in actie wilden komen, kwam er een vrouw uit een buurhuis naar buiten om te vragen wat ze daar deden. 'Politie! Ga weer naar binnen!' beval Brown. Toen de vrouw zich terugtrok, holden de rechercheurs naar de voordeur met de pistolen op schouderhoogte op het huis gericht. Ze bleven een meter of drie uit elkaar, zodat een eventuele schutter de een of de ander moest kiezen.

Toen Brown naderbij kwam, zag hij een felrode veeg op de witte voordeur. *Bloed.*

Bij het huis aangekomen, stelde Ballinger zich naast de deur op. Brown hurkte onder het grote voorraam. Hij veerde heel even op om een blik naar binnen te werpen en liet zich weer zakken. In die fractie van een seconde zag hij binnen bloedspatten op de muur tegenover het raam.

Ballinger duwde de voordeur langzaam open en wierp even een blik naar binnen. Daarna dekte Brown hem vanaf het voorraam toen hij door de voordeur naar binnen ging en zich in de huiskamer bevond waar het bed van mijn ouders stond. Even later was Brown hem gevolgd om de tv-kamer te inspecteren terwijl Ballinger hem dekte tegen een eventuele belager uit de gang.

Meubilair lag ondersteboven. De tv stond aan en het scherm

was overdekt met bloed, net als de muur erachter. Nog meer bloedspetters en vegen zaten er op de muur van de gang. En daar, in een plas stollend bloed, lag het lijk van een jonge vrouw.

Het was mijn moeder Angela Salcido.

De twee rechercheurs controleerden vlug de rest van het huis en dekten elkaar beurtelings. Ze kwamen bij onze slaapkamer met zijn twee bedjes en ledikantje. Maar de moordenaar was in geen velden of wegen te bekennen en wij evenmin.

Mijn zusjes en ik waren weg.

De rechercheurs keerden terug naar mijn moeder in de gang en probeerden te reconstrueren wat er was gebeurd. Te oordelen naar de toestand van de kamer had Angela zich als een duivelin verzet. Haar gezicht zat onder de blauwe plekken alsof ze geslagen was en ze was meermalen beschoten tot een laatste kogel in het achterhoofd een eind aan haar leven maakte.

Brown keek om zich heen in de keuken en zag een adresboek op de strijkplank open liggen. Op een van de pagina's had de moordenaar een vingerafdruk in bloed achtergelaten. De vingerafdruk stond naast het telefoonnummer van mijn grootmoeder, Valentina Borjorquez Seja Armendariz in Los Mochis in Mexico. Op de telefoon zaten nog meer handafdrukken. Blijkbaar had mijn vader lang genoeg gewacht om naar huis te bellen.

Brown en Ballinger gingen naar de aangebouwde garage. Toen ze die hadden gecontroleerd, gingen ze weer naar buiten, waar Dave Sederholm en twee geüniformeerde agenten zich weldra in politieauto's bij hen voegden. Mike gaf Sederholm het toezicht op deze plaats delict en ging naar voren, waar hij Randi Rossmann, de politieverslaggeefster van de *Press Democrat* trof.

Rossmann wist maar al te goed dat ze van Mike Brown geen speculaties over de plaats delict of de toestand van de lijken hoefde te verwachten, maar hij vertelde haar zoveel als hij kon.

Ze hadden twee moorden en één poging tot. Er was nog geen verdachte aangehouden, geen doodsoorzaak. De naasten waren nog niet gewaarschuwd, dus daar kon hij ook geen commentaar op geven. Daarna ging Brown weer aan het werk. De zaak was nog te vers om tijd te verdoen met praten. Hij moest Ramón Salcido en de drie kleine meisjes zien te vinden, volgens de buren in hetzelfde blok.

Rossmann begreep het. Ze was zesentwintig en inmiddels een klein jaar politieverslaggeefster voor de *Press Democrat*. Als de eerste vrouw in die functie had ze haar respect op een harde manier moeten verdienen. Ze verried nooit een bron en gaf geen voorkeursbehandeling. Ze stelde lastige vragen en liet zich niet met een kluitje in het riet sturen. Maar ze had ook begrip voor de lastige rol van politiemensen, dat ze een riskant maar psychisch ook verraderlijk beroep hadden, vooral rechercheurs van Ernstige Delicten.

Rossmann had die ochtend vrijgenomen van haar werk om samen met haar verloofde tegels voor hun nieuwe huis uit te zoeken. Toen haar politiescanner plotseling een en al activiteit was, wist ze dat er iets groots aan de hand was. 'Ik moet ervandoor,' zei ze tegen haar verloofde, en ze ging naar Baines Avenue 201 in Boyes Hot Springs. Ze arriveerde vlak nadat Brown en Ballinger door de voordeur naar binnen waren gegaan.

Rossmann was zich bewust van de omvang van de zaak en bleef langer dan een uur op de plaats delict. Ze interviewde buren en probeerde van de politie te weten te komen wat ze kon. Het duurde niet lang voordat er nog meer verslaggevers kwamen, tezamen met tv-ploegen uit San Francisco, en opeens was het nodig de concurrentie één stap voor te blijven.

Om een uur of halfelf bespeurde Rossmann hectische activiteit onder de aanwezige politiemensen. Nadat Mike Brown met zijn rechercheurs had overlegd, liep hij naar zijn auto. Iets zei haar dat het van kwaad tot erger werd. Ze stapte in haar auto om de brigadier te volgen.

11

Even voor zeven uur die ochtend werd de dertienjarige Vern Inman met een schok uit zijn slaap gewekt door het gillen van een vrouw. Hij bleef een poosje stil liggen en besefte dat het gegil uit het huis van mijn grootouders aan de overkant van Lakewood Avenue in Cotati kwam.

'Nee! Nee!' krijste de vrouw. Inman sprong op om uit zijn raam te kijken, maar het gegil was gestopt. Zeker een familieruzie, dacht hij.

De tiener kleedde zich aan en ging naar school. Dus was hij een paar uur later niet thuis om te zien hoe er twee patrouillewagens van de politie van Cotati voor het huis aan de overkant stopten.

Een minuut of wat daarvoor hadden de agenten een oproep van de meldkamer van de sheriff van Sonoma gekregen over de moorden van die ochtend in Kenwood en Boyes Hot Springs en de schietpartij op Grand Cru. Het bureau van de sheriff had gevraagd of de drie agenten, twee mannen en een vrouw, naar het adres op Lakewood Avenue konden gaan om te zien of alles in orde was. Het was de bedoeling om na te gaan of iedereen in orde was en te waarschuwen dat Ramón vrij rondliep en gevaarlijk was.

Een van de agenten klopte aan, er deed niemand open, maar de deur was niet op slot en stond op een kier. Een van de agenten bleef buiten om de tuin in de gaten te houden en de twee andere gingen behoedzaam met getrokken pistool naar binnen.

De huiskamer die ze betraden hing en stond vol met schilderijen en beelden van heiligen, crucifixen en beeltenissen van Jezus. Maar de rest van het huis was een tafereel uit de hel.

Toen ze beide slachtoffers benaderden, was het duidelijk dat ze niet meer naar levenstekenen hoefden te zoeken, dus nadat ze zich ervan hadden vergewist dat de moordenaar zich niet ergens in huis had verstopt, trokken de agenten van Cotati zich haastig terug. Ze belden het bureau van Sonoma om assistentie te vragen. Volgens mij was de politie van Cotati opgelucht de zaak aan een ander te kunnen overlaten.

Mike Brown arriveerde ongeveer een halfuur later in de woning in Cotati, na eerst langs Grand Cru te zijn geweest om de plaats delict door te nemen met rechercheurs Edmonds en Doherty.

Net binnen het open hek van Grand Cru had Brown het lijk van een jongeman in een kersenrood sweatshirt van de Grand Cru languit in een oude Karmann Ghia zien liggen. Zijn voeten en benen lagen nog in de auto, maar zijn bovenlichaam was op het grind gezakt. Edmonds vertelde hem dat collega's van Grand Cru het slachtoffer geïdentificeerd hadden als Tracey Toovey, de populaire assistent-wijnmaker. Niemand kon een reden bedenken waarom mijn vader hem had vermoord. Toovey was niet eens Ramóns chef.

Brown lichtte de andere twee rechercheurs in over de situatie op Kunde en in Boyes Hot Springs, alsook over de melding die hij net uit Cotati had ontvangen. Daarna stapte hij weer in zijn auto en scheurde hij met flitsend zwaailicht en gillende sirene naar de woning van mijn grootouders. Aangekomen bij het huis op Lakewood Avenue bleek het al te zijn afgezet met politielint. Er had zich een oploopje verzameld en politiemensen waren bezig de buren vragen te stellen. Toen Brown hoorde dat er binnen drie slachtoffers lagen, vroeg hij zich af of het mijn zusjes en ik waren.

Toen Mike naar binnen ging, zette hij het neutrale 'masker' op dat hem meestal in zulke situaties beschermde. Maar niets van wat de politie van Cotati hem had verteld kon hem hebben voorbereid op wat hij aantrof. Tegen de muur van een gang lag het lijk van een vrouw van middelbare leeftijd in een grote plas bloed. Het was mijn grootmoeder Louise. Haar keel was afgesneden en het had er veel van weg dat ze geslagen was. Meubilair lag ondersteboven en de religieuze schilderijen aan de wand hingen scheef. Gezien de bloedsporen op de grond en de muren en de verdedigingswonden op handen en armen was het duidelijk dat mijn grootmoeder zich had verdedigd, maar was overweldigd door haar belager.

Brown zag algauw de reden waarom ze zich zo manhaftig had verzet. Helemaal aan het eind van de gang lag het lijk van mijn achtjarige tante Maria in de deuropening van de grote slaapkamer. Haar keel was met zoveel kracht doorgesneden dat ze bijna was onthoofd, maar dat was nog niet genoeg geweest voor de moordenaar.

Te oordelen naar de bloedsporen op de grond van de gang, zag Mike dat Maria naar de plek was gesleept waar ze lag. Daarna had de moordenaar haar benen wijd gelegd en haar dijen opgetrokken. Haar nachtpon was omhoog gehesen en haar onderbroekje hing op één enkel, zodat haar geslacht te zien was.

De positie van het lichaampje met de voeten naar haar ouders' bed, trof Mike Brown als een blijk van zo'n enorme haat, dat het moeilijk te peilen was wat die had veroorzaakt. Door de hoeveelheid bloed die onder haar lag, was het duidelijk dat ze nog leefde toen de moordenaar dat deed. Maria's hart was blijven kloppen tot al haar bloed was weggestroomd.

Hoe gruwelijk en vernederend Maria's dood ook was geweest,

het was de aanblik van mijn tante Ruth die Mike Brown nog jaren zou achtervolgen. Hij vond haar in de keuken met haar gezicht in haar eigen bloed. Ook haar keel was tot op het bot doorgesneden. Haar nachtjapon was tot boven haar middel opgehesen. Haar onderbroekje lag doorweekt van het bloed in een prop bij haar voeten. Daarna had de moordenaar, te oordelen naar het patroon dat in het stollende bloed was gemaakt, haar benen als de poten van een schaar open en dicht gedaan en tenslotte had hij ze wijd laten liggen. Ook had hij bloederige handafdrukken op haar billen achtergelaten toen hij ze uit elkaar trok.

Jaren later vroeg ik rechercheur Brown hoe hij zo'n afgrijselijk tafereel aankon. 'Door me op mijn werk te concentreren,' zei hij, maar het was duidelijk dat de beelden hem nog altijd achtervolgden.

Inmiddels waren er vier plaatsen delict, vijf doden en een slachtoffer met een kogel in zijn schouder.

Het bureau van de sheriff wilde zijn schouders onder de zaak zetten, maar Brown kwam rechercheurs tekort. Hij vond het vreselijk, maar hij moest Randy Biehler, die met griep thuis lag, bellen om de vragen of hij naar Cotati kon komen. De arme drommel klonk halfdood, maar hij zei tegen Mike dat hij eraan kwam. Daarna liet Mike de meldkamer het Californische ministerie van Justitie bellen om te zien of het technische specialisten kon missen. Dat werd meteen geregeld.

Nu kon Mike alleen maar wachten. En zich afvragen waar mijn vader was. En wat hij met mijn zusjes en mij had gedaan.

Terwijl de menigte bij het politiekordon steeds groter werd, voelde men de eerste golven van paniek die uiteindelijk heel Sonoma County zouden overspoelen. De geruchtenmolen draaide: Ramón Salcido was krankzinnig geworden. Mijn hele familie was uitgemoord. Ramón was nog op vrije voeten en zijn moordlust was niet gestild.

Dit was geen verkeerd afgelopen drugstransactie. Geen mis-gelopen inbraak met geweld. Het was een drama van onbeheerst, gewetenloos en onverklaarbaar geweld. En de vermoedelijke da-der was nergens te vinden.

Mijn grootouders' buurvrouw Colette Thomas stond vervuld van afgrijzen bij het politielint. Zij en haar twee dochters Calah en Mary hadden de familie Richards spoedig na haar verhuizing leren kennen toen oma met Ruth en Maria langs hun tuin liep. Mijn jonge tantes, die nooit verlegen waren, stelden zich voor.

Thomas zag direct dat het gezin 'een beetje anders' was. Oma vertelde haar dat ze alle kleren van de meisjes zelf naaide. Ze wa-ren vakkundig gemaakt, maar hadden veel weg van de mode van de jaren vijftig. Maar hoe dan ook, het gezin Richards maakte een gelukkige indruk. De meisjes lachten veel, het was duidelijk dat ze dweepten met hun vader en dol waren op hun moeder, met wie ze de meeste tijd doorbrachten.

Mijn grootouders waren ook niet terughoudend wanneer ze over hun uiterst vrome katholieke levensstijl praatten en Colette wist dat ze bij een soort ondergrondse katholieke beweging hoorden. Oma was heel beschermend naar de meisjes toe. Ze mochten nooit verder lopen dan een paar huizen. Ze mochten ook niet ergens naar binnen gaan – zelfs niet op verjaardags-feestjes – hoewel de meisjes Thomas welkom waren bij Ruth en Maria thuis. Op een keer waren ze met Colette en haar meisjes meegegaan naar een paardenshow op het kermisterrein van So-noma County. Oma vertelde hoe dol Angela op paardrijden was – al mocht ze alleen in een rok rijden – en over mijn moeders ga-ve om mooie dieren te tekenen.

Mama nam ons altijd mee wanneer ze bij oma op bezoek ging. Maar Colette had in de gaten dat Ramón niet zo dikwijls mee-ging. De paar keer dat ze hem had gesproken, maakte hij een stil-le en gereserveerde indruk. Mijn tantes vertelden hun dochter

Mary dat haar ouders mijn vader niet zo mochten.

Nu vroegen Colette en de andere buren zich angstig af: waar was Ramón nu? En waar was mijn grootvader?

Opa maakte zijn ronde voor UPC toen hij om een uur of twaalf werd gebeld door zijn chef, die zei dat hij naar het hoofdkwartier moest komen, er was een noodsituatie. Hij moest naar huis.

Opa kon zich niet voorstellen wat er mis kon zijn. Thuis was alles in orde. Die dag zou hij na het werk naar de oostkust vliegen voor een bezoek aan zijn zoons. De avond tevoren, toen hij pakte, had hij nog een plotselinge golf tevredenheid gehad. 'Ik krijg een heel goed gevoel,' zei hij tegen mijn oma, en hij pakte haar hand.

'Ik ook,' antwoordde ze vriendelijk.

Uitslapen was er niet bij in het huis van mijn grootouders en de meisjes waren al op toen hij die ochtend even voor zeven uur naar zijn werk ging. Ruth was verkouden, dus die gaf hem niet haar gewone afscheidskus, maar Maria wel. 'Dag papa,' glimlachte ze.

Vijf uur later kwam papa terug op het depot van UPC. Zijn collega's vielen stil toen ze hem zagen; een aantal wendde de ogen af alsof ze hem niet durfden aan te kijken.

'Wat is er?' vroeg hij aan zijn chef; de angst rees op als gal.

De man schudde zijn hoofd. 'Je moet gewoon naar huis.'

Toen opa op Lakewood Avenue arriveerde, wemelde het van de politieauto's en reportagewagens van de televisie. Het leek wel een parkeerterrein van een groot evenement. Een hele menigte hing rond bij de politieafzetting van geel lint voor zijn huis.

Toen hij aan kwam rijden, gebaarde een jonge agent hem te stoppen en zijn raampje omlaag te draaien. 'Wat is er gebeurd?' vroeg opa.

'Wie bent u?' vroeg de agent.

'Bob Richards.'

De houding van de agent veranderde. Hij verzocht opa uit te stappen en achter in zijn patrouillewagen te komen zitten.

Opa gehoorzaamde en ging met het portier open en zijn voeten op de grond zitten wachten tot de agent vertelde wat er was gebeurd. Maar de jongeman wist zich niet zo goed raad. Het enige wat opa begreep was dat iemand iets ergs had gedaan.

Toen drong het tot hem door. 'Allemaal?' vroeg hij met brekende stem.

De agent knikte. 'Allemaal.'

De jongeman was opgelucht toen er een rechercheur van Sonoma County aan kwam lopen om zich voor te stellen. Hij vroeg opa mee te gaan naar het bureau in Cotati. Daar zou hem niets kunnen overkomen en konden ze het over zijn schoonzoon Ramón Salcido hebben.

Nadat opa met de recherche had gesproken belde hij zijn zoons om te zeggen wat er was gebeurd. Hij dronk de ene kop koffie na de andere, maar dat hield hem alleen klaarwakker en verdoofd. Toen hij die ochtend naar zijn werk ging, had hij drie prachtige dochters en een vrouw. Nu waren die allemaal weg. En zijn kleindochters Sofia, Teresa en ik werden vermist.

12

Het was middernacht voordat Mike Brown zijn eerste rapporten
af had en klaar was om naar huis te gaan. De andere rechercheurs waren net vertrokken om een paar uur slaap in te halen
voordat ze weer aan het werk moesten.

Het was een lange, afschuwelijke dag geweest. Hij had het
grootste deel van de middag gependeld tussen de verschillende
plaatsen delict om zijn rechercheurs bij te praten en instructies
te geven over wat ze allemaal leerden. Geen van hen had ooit
zo'n complexe en breed uitwaaierende zaak behandeld. Mike
diende als informatiecentrum en dat was een overweldigende
taak.

Het enige waaraan hij kon denken, was dat de moordenaar
nog vrij rondliep. Ze moesten hem pakken en een waterdichte
zaak tegen hem opbouwen. Maar nog urgenter was mij en mijn
zusjes opsporen.

De pers was de hele dag op alle plaatsen delict. Eerst de
plaatselijke media, vervolgens de Bay Area TV, de radio en
krantenjournalisten, gevolgd door de nationale pers. Er was
zelfs gebeld door internationale persbureaus. Toen het nieuws
zich verspreidde, begon de politie tips te krijgen. Iemand had
ergens een Mexicaan gezien die voldeed aan mijn vaders signalement. Vervolgens meldde iemand anders hem kilometers
daarvandaan te hebben gezien. Hij was gezien in een station-

car, in een aftandse oude sportwagen of te voet langs de hoofd-weg.

Intussen moest het bureau van de sheriff rekening houden met zijn eigen gemeenschap, die zich zorgen maakte over haar eigen veiligheid. Veel mensen belden om te vragen of ze gevaar liepen. Maar de enige die hen had moeten verzekeren dat ze veilig waren, deed precies het tegenovergestelde.

Sheriff Michaelsen was die ochtend in Cotati gearriveerd. Hij had zich geïnstalleerd in het 'crisiscentrum' van de politie van Cotati, een busje uitgerust met communicatieapparatuur dat voor het huis van mijn grootouders stond. En daar had Michaelsen 'strategisch' overleg met het hoofd van de politie van Cotati, terwijl vlakbij tv-ploegen door de open deur meeluisterden.

Later vertelde Mike Brown me dat hij en zijn mensen niet van mening waren dat de gemeenschap veel risico liep omdat mijn vader het op specifieke mensen had voorzien – zijn familie en twee werkgevers – en niet rondliep om iedereen te vermoorden die hij tegenkwam. De mensen die misschien nog iets te vrezen hadden – overgebleven familieleden en werknemers van de wijnmakerij – waren ondergedoken. Er was zelfs een politie-agent geplaatst op de Dunbar Elementary School op de weg naar Grand Cru, waar bange ouders vroeg heen waren gegaan om hun kinderen op te halen. Maar de meeste mensen zouden niets te vrezen hebben, tenzij ze Ramón toevallig tegen het lijf liepen, en inmiddels, uren na de slachting, waren er tekenen dat hij het land al had verlaten.

Om de een of andere reden hield sheriff Michaelsen die dag diverse persconferenties waarop hij beweerde dat iedereen in de streek gevaar liep. Terwijl de groep Ernstige Delicten nijdig toekeek, gaf hij bijzonderheden over de moorden vrij, vooral die van Cotati die hij 'de ergste in de geschiedenis van het land' noemde. Ervaren rechercheurs houden zoveel mogelijk bijzon-

derheden geheim om hen te helpen fouten in valse tips en ver-
dachtenverklaringen te ontdekken.

De rechercheurs grepen vooral naar hun hoofd toen Michaelsen losliet dat mijn tantes Ruth en Maria seksueel gemolesteerd
waren. Het was inderdaad zo dat seksueel misbruik afgeleid kon
worden uit de wijze waarop Ramón de lijken had gemanipu-
leerd, maar de technische recherche had niet vastgesteld of ze
ook echt verkracht waren. Het was een onnodige inbreuk op de
privacy van mijn tantes, vooral omdat niemand wist of mijn vader uiteindelijk daadwerkelijk van dat misdrijf zou worden beschuldigd.

Mike Brown en zijn rechercheurs konden weinig tegen het gedrag van de sheriff beginnen, maar dat wilde niet zeggen dat ze
zijn voorliefde voor de schijnwerpers moesten voeden. Voorlopig gaf Brown zijn mensen opdracht Michaelsen of andere supe-
rieuren geen bijzonderheden over de zaak meer te geven. 'Als je
ze ziet aankomen,' zei hij, 'ga dan ergens anders heen. Zoek iets
wat je hoognodig direct moet doen. Ons doel is Salcido oppakken en hem in de dodencel te krijgen. En ik laat niets gebeuren
dat dit doel in gevaar kan brengen.'

'Als ze erachter komen dat je dat hebt gezegd, zijn de rapen
gaar,' waarschuwde een van de rechercheurs.

'Dat is van later zorg,' antwoordde hij.

Toen de rechercheurs de gebeurtenissen van de dag op een rij
zetten, kwamen ze erachter dat ze de plaatsen delict in omge-
keerde volgorde hadden bezocht. Het was duidelijk dat mijn vader eerst in Cotati had toegeslagen.

Ze wisten dat opa even voor zeven uur naar zijn werk was gegaan en dat Vern Inman een paar minuten later het gegil in diens
huis hoorde. Dus was Ramón vlak na opa's vertrek aan de voordeur verschenen. Misschien had hij zelfs in zijn auto zitten

wachten tot opa weg was. Daarna had hij niet geaarzeld om zijn slachtoffers aan te vallen. Hij had ook een paar minuten uitgetrokken om mijn grootouders huis te plunderen; zijn bloederige vingerafdrukken zaten overal.

De rechercheurs wisten ook dat er om veertien over zeven vanuit het huis in Cotati naar ons nummer in Boyes Hot Springs was gebeld en Ramóns bloederige handafdrukken op de telefoon zaten, dus toen had hij de moorden al gepleegd en de tijd genomen om de lijken van mijn tantes zo neer te leggen als ze werden aangetroffen, en daarna had hij besloten naar huis te bellen. Waarom belde hij vanuit Cotati naar huis? Het leek onwaarschijnlijk dat hij Angela had verteld wat hij had gedaan, omdat mijn moeder niet was gevlucht noch de politie had gebeld. Misschien wilde hij zich ervan vergewissen dat ze thuis zou zijn wanneer hij kwam.

De rechercheurs wisten niet zeker wat mijn vader daarna deed. Je kon Boyes Hot Springs op twee manieren bereiken. De ene was noordwaarts via Highway 101 naar Santa Rosa en vervolgens naar het oosten via Highway 12, langs Kenwood naar ons huis op Baines Avenue. De andere route liep vanuit Cotati in oostelijke richting, langs Petaluma aan Lakeville Highway naar Stage Coach Road, om Sonoma heen en vervolgens naar Boyes Hot Springs. Beide routes kostten ongeveer een halfuur rijden.

Onze buurman Richard Clark in Boyes Hot Springs vertelde rechercheur Dave Sederholm dat hij die ochtend om een uur of acht een vrouw had horen gillen, gevolgd door een aantal pistoolschoten. Een buurvrouw, een Latino die geen Engels sprak, verklaarde via een tolk dat ook zij rond die tijd gegil had gehoord, gevolgd door een aantal pistoolschoten, toen weer gegil en uiteindelijk stilte.

Aangenomen dat Ramón direct na zijn telefoontje van 07.14 uur was vertrokken, had hij omstreeks kwart voor acht in Boyes

Hot Springs kunnen zijn, waar hij mama kennelijk direct had aangevallen, te oordelen naar de verklaringen van de buren.

Mijn moeder had gevochten. Ze had geprobeerd weg te komen, maar mijn vader sloeg haar met een stomp voorwerp in het gezicht en tegen haar hoofd en schoot een paar keer op haar, tot een kogel in het achterhoofd een eind aan haar leven maakte.

Lang kon het niet geduurd hebben, vertelde Mike Brown me later. Voor mijn moeder zou het allemaal in een paar afgrijselijke minuten afgelopen zijn geweest.

Toen de politie het nummer draaide dat mijn vader in het met bloed bevlekte adresboek in Cotati had opgezocht, bleek de vrouw die opnam zijn moeder Valentina Borjorquez Seja Armendariz. Mijn grootmoeder bevestigde dat haar zoon haar die ochtend had gebeld. Ze zei dat hij huilde. 'Mama, dit is de laatste keer dat je mijn stem hoort,' zei hij. Hij bekende dat hij mijn moeder had vermoord, maar beweerde dat hij zijn kinderen bij een vriend had ondergebracht.

Als dat zo was, had het er veel van weg dat mijn vader naar Grand Cru moest zijn gereden om te wachten tot Tracey Toovey even voor acht uur op zijn werk kwam. Toen die uit zijn auto stapte, schoot papa hem een paar keer in zijn gezicht, waarna hij in zijn Ford sprong om naar het landgoed Kunde te snellen. Maar die hypothese zou alleen kloppen als hij genoeg tijd had om voor acht uur, het moment waarop de meldkamer van de sheriff voor het eerst werd gebeld over de schietpartij op de wijnmakerij te zijn. Dat botste met de meldingen van de buren aan Baines Avenue, maar Mike wist dat getuigen vaak onbetrouwbaar zijn in het schatten van tijdstippen, dus hun melding was niet per se beslissend.

Het tweede telefoontje naar de politie was om 08.18 uur binnengekomen en dat zou betekenen dat mijn vader ruim voldoende tijd had om Toovey te vermoorden en naar Kunde te rijden om Butti neer te schieten. Die tijdslijn klopte niet met een melding van de chauffeur van een schoolbus, die beweerde mijn vader omstreeks halfnegen te hebben gezien toen hij hem op Highway 12 met hoge snelheid voorbijreed in een vrij oude Ford.

Maar die ene getuigenis was niet genoeg om de zaak te beklinken. Het was heel goed mogelijk dat papa vanuit Cotati eerst naar Grand Cru was gereden en vervolgens de halve kilometer naar Kunde terug was gereden. Dat zou betekenen dat mijn vader naar Boyes Hot Springs was gereden om mijn moeder te vermoorden op het moment dat Mike en zijn team op de eerste twee telefoontjes reageerden. Of hij had Angela vermoord en was vervolgens naar de wijnmakerijen gereden om Toovey aan te vallen, Butti neer te schieten en was daarna naar ons huis in Boyes Hot Springs gereden om zich te wassen en zijn moeder in Mexico te bellen. Als dat zo was, hadden Brown en Ballinger hem op een haar na gemist toen ze bij ons huis aankwamen.

Dat was de moeilijkheid met zo'n ingewikkelde zaak: er was een flinke bewijslast, maar een groot deel was tegenstrijdig of niet beslissend, of onderworpen aan meer dan een interpretatie. Butti zei bijvoorbeeld dat hij bloed op mijn vaders onderarmen had gezien. Was dat van de moorden in Cotati, of was het mijn moeders bloed? Het was onmogelijk vast te stellen.

Al die dingen zouden van belang zijn tijdens de rechtszaak. Maar nu wilde Mike alleen maar mij en mijn zusjes vinden voordat ons iets kon overkomen en de meervoudige moordenaar die mijn moeder om het leven had gebracht pakken.

De rechercheurs hadden wel een vermoeden waar mijn vader heen was gegaan nadat hij uit Sonoma County was vertrokken. Om 09.34 uur had iemand geprobeerd honderdveertig dollar op te nemen van onze familierekening bij een geldautomaat van Wells Fargo in San Rafael, veertig minuten rijden naar het zuiden op Highway 101. Dat was mislukt wegens onvoldoende saldo; de rekening was die ochtend in alle vroegte leeggehaald. In dat stadium wisten de rechercheurs nog niet wat ze moesten denken van die eerste transactie, de opname van tweehonderd dollar uit een geldautomaat van Wells Fargo in Sonoma om 05.39 uur. Wie had dat geld opgenomen, Ramón of Angela?

Dat bracht Harvey Head, een rechercheur financiële zaken, op een idee. Hij belde Wells Fargo om te vragen mijn vaders pasje geldig te houden zodat hij geld kon opnemen, ondanks het feit dat zijn rekening leeg was. Op die manier kon de politie zijn gangen volgen. Het idee had bijna onmiddellijk succes. Nog diezelfde dag gebruikte mijn vader zijn pasje om bruine lange broeken en een licht sporthemd te kopen in een warenhuis in Ross. Kort daarop verzilverde hij de twee cheques – een van veertig en een van twintig dollar – die hij de avond tevoren van Mark Ondrasek had gekregen.

Iets wat zowel de recherche als het grote publiek zorgen baarde was mijn vaders motief. Wat dat aanging bestonden er een aantal theorieën.

Zowel een paar buren als Ramóns kroegvrienden die de politie na het horen van het nieuws hadden gebeld, wezen erop dat papa een jaloers, bezitterig type was. Hij hield er niet van als andere mannen naar zijn vrouw keken. Zowel onze buurman Richard Clark als Ken Butti zei dat Ramón mijn moeder ervan verdacht dat ze hem bedroog.

Clark vertelde Sederholm dat hij mijn moeder en vader de avond tevoren ruzie had horen maken. Hij hoorde mama schreeuwen dat papa haar nooit uit liet gaan en hij zei zelfs dat Ramón had gedreigd 'haar kop van haar romp' te schieten. Dat zou verklaren waarom hij mijn moeder had aangevallen. Maar waarom had mijn vader Toovey vermoord? De assistent-wijnmaker was een toegewijde vader die zelden zonder zijn vrouw en kinderen was, behalve wanneer hij werkte. Mijn vader had problemen op zijn werk gehad, maar daar had Toovey niets mee te maken. En het verklaarde al helemaal niet waarom hij mijn grootouders en hun andere kinderen had aangevallen.

Mike en zijn rechercheurs waren er algauw achter dat mijn vader de avond voor de moorden had gedronken en coke had gesnoven. En een bediende van de Sonoma Mission Inn vertelde dat hem een kamer was geweigerd omdat hij had gedronken. Maar zijn drugsgebruik was geen verklaring voor de uitgebreide slachting. Dit was geen spontane vlaag van waanzin onder invloed van drugs, noch een aanval van onbeheerste, moordzuchtige razernij. Ook al was mijn vader onder invloed geweest – of tot een krankzinnige aanval van razernij geprovoceerd – toen hij oma en mijn tantes in Cotati aanviel, dan nog had hij ruim voldoende tijd om tot bezinning te komen voor hij zijn andere slachtoffers bereikte. Hij had niet geaarzeld om de moorden te plegen, maar zo gejaagd of in de war was hij niet, anders had hij het huis van mijn grootouders niet doorzocht en geen telefoontjes gepleegd.

Het gesprek van de recherche met Ken Butti veronderstelde een ander motief, namelijk dat papa opeens was doorgedraaid door alle financiële druk. Het gerechtelijk dossier onthulde de ellende die mijn vader over zichzelf had afgeroepen door zijn achterstallige alimentatie en leningtermijnen. Maar het blijft moeilijk voor te stellen dat Ramón zijn bloedbad aanrichtte op basis van een schuld van 5800 dollar en wat alimentatie, want geen van de slachtoffers had daar iets mee te maken.

Maar die theorie won wel terrein nadat de politie van San Rafael een tip had gekregen dat onze Ford LTD was gezien op het parkeerterrein van een winkelcentrum in San Rafael. Nadat de plaatselijke politie had bevestigd dat het inderdaad mijn vaders

97

auto was, gingen de rechercheurs van Sonoma erheen om het voertuig in de gaten te houden voor het geval hij terug zou komen. Toen hij na een paar uur niet kwam opdagen, werd de auto teruggesleept naar Santa Rosa voor onderzoek door de technische recherche.

Onder de passagiersstoel ontdekten de rechercheurs een geladen 22mm-pistool en een groot vismes dat onder het bloed zat. Ze vonden ook mijn vaders sofikaart op de voorbank en een met de hand geschreven briefje in het Spaans op het dashboard. *God, vergeef mij, maar die wet heeft me ertoe gebracht*, stond erop. *Wij hadden een beter leven kunnen hebben, ik en mijn kinderen, maar het was ons niet gegund.* Het briefje leek te verwijzen naar de wet op de alimentatie als mijn vaders motief – of minstens zijn excuus – voor de slachting.

De voorbank van de auto was doorweekt van het bloed. Het leek wel meer dan mijn vader had kunnen meenemen van de inmiddels bekende slachtoffers. In de auto lag ook een met bloed doorweekte broek met drie foto's in de achterzak.

De eerste foto was van mama. Achterop had ze geschreven: *Voor mijn Ramón. Ik hou van je. Angela.*

Mijn vader had zelf iets achter op de tweede en derde foto geschreven, blijkbaar op de vooravond van de moorden. Een was van hem en mijn moeder. Om de een of andere reden had hij achterop geschreven: *Ik hoop dat ze Arturo en Richard arresteren omdat ze cocaïne verkopen.*

De laatste foto was van ons, zijn drie dochters. Achterop had hij geschreven dat hij veel van ons hield en: *We zullen weer samen zijn in Gods andere wereld.*

Toen Mike Brown die laatste foto zag, zonk hem de moed in de schoenen. Onze buurman Richard Clark had tegen Dave Sederholm gezegd dat hij die nacht een paar keer de kofferbak van een auto op onze oprit had horen dichtslaan. 'Ik was bang dat hij zijn meisjes iets had aangedaan en ze in de kofferbak had gestopt,' zei Clark. Nu vroeg Mike zich af of de man misschien gelijk had.

Toch was geen van de rechercheurs en van de tientallen andere politiemensen die inmiddels aan de zaak werkten bereid om de zoektocht te staken. Tenslotte had mijn vader tegen zijn moeder gezegd dat hij ons bij een vriend had ondergebracht. Misschien was dat waar.

Of misschien had hij ze nog bij zich. De buschauffeur die had gemeld dat hij mijn vader had gezien, beweerde dat wij op de achterbank zaten. Ken Butti noch zijn vrouw Teri kon zich herinneren kinderen in de auto te hebben gezien, maar het kon zijn dat we omlaag gedoken waren, uit het zicht.

De rechercheurs hielden zich voor dat er nog een kans was dat het bloed op de voorbank van Ramón zelf was. Oma had zich duidelijk verzet; misschien had ze hem verwond. Maar nu wisten ze dat Ramón de bus had genomen van San Rafael naar San Francisco. Met alle publiciteit over de zaak leek het niet waarschijnlijk dat een alleenstaande man ongemerkt met drie kinderen op de bus kon stappen.

Net toen Mike Brown die avond naar huis wilde gaan, kwam sheriff Michaelsen binnen. De rechercheurs mochten dan afgemat zijn, maar de sheriff straalde. Hij vroeg Mike of hij hem op de tv had gezien. 'Ik kom zelfs op de buis in Japan,' kondigde hij aan.

Mike zweeg. De rechercheurs van Ernstige Delicten hadden de sheriff de hele dag zien optreden en waren over hun nek gegaan. Ze beseften dat het ambt van sheriff meer met politiek te maken dan met politiewerk. Maar zelfs Michaelsen had beter moeten weten dan de pers alle bijzonderheden over de plaatsen delict te geven. In plaats van de gemeenschap te kalmeren, had hij het publiek op de zenuwen gewerkt en de tragedie van mijn familie uitgebuit om aandacht te krijgen. Mike stond op en liep het kantoor uit. Die kinderen zijn niet gestorven om jou een kans op een foto in de krant te geven, dacht hij.

Mike Brown vertelde me later dat hij onderweg naar huis tot God bad om mij en mijn zusjes te behoeden. Hij was een zeer spiritueel mens en geloofde in een meedogende God en de kracht van gebed. 'Alstublieft, God, bewaar hen,' smeekte hij weer toen hij in bed kroop.

13

Het uitzicht op de vuilnisstort van Petaluma was in de loop der jaren weinig veranderd. In april 1989 zouden de blaadjes van de wijnranken langs de hoofdweg de frisgroene kleur van limoen hebben gehad. Het wilde gras op de stort, nu bruin en dor, was toen groen en al zo hoog als een meisje van drie.

En het was een loodgrijze vroege ochtend – geen zonnige middag – toen Carmina's vader zijn portier opende met in één hand Teresa en een groot slagersmes in de andere.

'Ik kon alles zien,' zegt Carmina. Ze wist de tranen uit haar ogen wanneer ze naar de plek kijkt waar haar vader de auto moest hebben geparkeerd. 'Ik zat op de vloer en keek naar buiten tussen de stoel en de auto. Hij strekte een been uit en drukte Teresa vast. Ik zag hoe hij haar keel doorsneed.'

Ze zwijgt even. 'Ze verzette zich niet eens.'

Haar vader stond op en liep een eindje bij de auto vandaan. 'Hij gooide haar van het talud en toen kwam hij terug,' herinnert ze zich. 'Sofia probeerde het portier aan haar kant open te maken, maar er zat een kinderslot op, of zoiets. Ze kreeg het niet open.'

Carmina laat haar schouders hangen. 'Sofia... het moedertje. Als we alleen thuis waren, verwisselde zij Teresa's luiers, zij kwam uit bed om mij m'n flesje te geven. Ze probeerde me tot het eind toe te beschermen.'

De bewuste ochtend stond Ramón bij de auto en riep hij Carmina weer. Hij klonk niet boos, alleen anders, koud. Ze maakte aanstalten op te staan, maar Sofia hield haar weer tegen en boog zich naar voren, zodat hun vader haar kon pakken in plaats van Carmina.

'Er klonk geen enkel geluid, helemaal niets,' toen hij Carmina's oudste zusje op zijn knie legde en haar met kracht de keel doorsneed. Het bloed stroomde omlaag op zijn broek en op de passagiersstoel, op de vloer en op de grond. Geen geluid, geen enkel geluid behalve het knarsen van het grind toen hij Sofia naar het talud bracht en haar naast Teresa gooide.

Ramón liep terug naar de auto en riep Carmina voor de laatste keer.

De volgende morgen wijdde de *Press Democrat* bijna de hele voorpagina aan de zaak. De kop vatte het verhaal samen zoals het op dat moment bekend was.

VIJF DODEN BIJ AMOK

IN SONOMA COUNTY

ARBEIDER WIJNMAKERIJ GEZOCHT

Onder de kop stond een portret van mijn moeder, een van haar modellenfoto's en een politiefoto van mijn vader van zijn arrestatie in 1983 wegens rijden onder invloed. Op de voorpagina stond ook een foto van het afgedekte lichaam van mijn moeder – met daaronder de verkeerd gespelde naam 'Angelia' Salcido – toen ze uit ons huis werd gedragen. Het zou een paar dagen duren voordat de krant de naam juist spelde. Een kadertje op de binnenpagina meldde: *Vermoedelijk vastgehouden door de vader zijn z'n dochters Sophia* [sic] *(4); Carmina (3) en Teresa (2).*

De opening van Randi Rossmann, Bony Saludes en James

Reid begon met de meest brandende vraag: wat er met ons, Ramóns drie dochters was gebeurd.

Vrijdag groeide de angst voor de veiligheid van de drie kleine meisjes uit Boyes Hot Springs, wier krankzinnige vader hen meenam tijdens een dolgedraaide moordpartij, de ergste in de geschiedenis van Sonoma County.

Na vijf mensen te hebben gedood – onder wie zijn vrouw, haar moeder en twee zusjes – is Ramón Bjorges [sic] Salcido, een wijnarbeider, blijkbaar met zijn drie kinderen uit Sonoma Valley gevlucht, volgens sheriff Dick Michaelsen van Sonoma County.

Het verhaal stond bol van de bijzonderheden, van papa's problemen met de alimentatie voor zijn kinderen, zijn huwelijk en zijn werk, tot de ontdekking van zijn auto in San Rafael. Maar een groot deel van het verhaal was gekleurd door sheriff Michaelsens hysterische verklaringen op zijn persconferenties. De sheriff onthulde dat de slachtoffers zo gruwelijk waren geslagen en gestoken dat 'het niet meevalt om de precieze aard van de gebruikte wapens vast te stellen'. Mijn tantes waren 'ernstig toegetakeld', zei hij, met een scherp 'onbekend voorwerp'. Ze waren ook 'seksueel misbruikt en van achteren verkracht... en een van de kinderen was zo goed als onthoofd.'

Terwijl zijn eigen rechercheurs met kromme tenen zaten, bleef Michaelsen angst zaaien. 'Hij is vast van plan vandaag een heleboel mensen te vermoorden,' had hij de verzamelde pers gewaarschuwd. 'Zijn spoor van geweld is echt gruwelijk.' Nadat hij de bewijslast had overzien en met een plaatselijke psycholoog had gesproken, kondigde hij aan dat mijn vader een 'volslagen krankzinnig, ontspoord individu' was, en dat 'uitgaande van de traumatische verwondingen die hij die jonge kinderen had toegebracht gevreesd moet worden dat zijn eigen kinderen in groot gevaar verkeren. In dit stadium heeft hij letterlijk geen enkel gevoel voor die kinderen.'

Bony Saludes, een door de wol geverfde verslaggever van de *Press Democrat*, droeg die dag ook een voorpaginaverhaal bij. Onder de kop VERDACHTE BERUCHT JALOERS JEGENS ZIJN VROUW beschreef hij zijn interview met Richard Clark, die zijn vriend Ramón 'extreem jaloers jegens zijn knappe vrouw' noemde. Volgens Clark had mijn vader een pistool, 'en hij dreigde iedere man die aandacht aan haar besteedde te vermoorden.'

'Hij spoort niet,' zei Clark tegen Saludes. 'Hij is ervan overtuigd dat zijn vrouw er minnaars op nahoudt. Hij heeft al gedreigd haar kop van haar romp te knallen. Hij zei dat hij iedereen zou vermoorden die met zijn vrouw rotzooide.'

Ramóns voormalige werkgevers in de St. Francis Winery schetsten een ander beeld. Die gaven hoog over hem op en overwogen hem weer terug te nemen na zijn vertrek. Ze vonden wel dat zijn ego er mocht zijn en dat hij tegenover zijn Mexicaanse collega's graag mocht pochen dat hij van een welgestelde familie in Mexico kwam.

Een van de managers van St. Francis zei dat ze mijn vader zelfs had geholpen met het invullen van zijn naturalisatieaanvraag. 'Maar ik weet niet of hij ooit Amerikaans staatsburger is geworden.'

Roy Curtis, een van de buren van mijn grootouders in Cotati, zei tegen de verslaggever dat hij ons gezin dikwijls op bezoek had zien komen. Mijn vader ging altijd keurig gekleed en leek best aardig, maar Curtis merkte wel tegen Saludes op dat hij 'iets van raciale spanning tussen hem en zijn schoonvader' bespeurde.

In een ander artikel op een binnenpagina, onder de kop RUSTIGE BUURT OPGESCHRIKT DOOR WREDE MOORDEN vertelde Michaelsen tegen Saludes dat 'hele hele huis onder het bloed' zat. Volgens hem geloofden zijn rechercheurs dat de aanval was begonnen zodra mijn oma de voordeur had geopend.

Oma's buurvrouw Colette Thomas werd samen met haar elfjarige dochter Calah geïnterviewd. Ze noemde mijn jeugdige tantes 'twee engeltjes met een stralenkrans' en Calah zei dat het wel leek 'alsof hun moeder niet wilde dat ze in de echte wereld kwamen'. Haar twaalfjarige vriendin Jennifer Shultz beaamde dat. 'Hun moeder was overdreven beschermend, ze mochten nooit ver van huis.'

Veel buren vonden dat Lakewood Avenue nooit meer hetzelfde zou zijn. 'Ze hebben onze wijk helemaal verknald,' zei Leonard Mathys, een buurtbewoner. 'Het is heel angstig om te beseffen dat het in je eigen straat is gebeurd. Dit is een buitengewoon rustige, vreedzame buurt. Dat bewijst dat er overal van alles kan gebeuren.'

De krant bracht ook een achtergrondverhaal over mijn moeder, 'het beeldschone slachtoffer dat een loopbaan als model ambieerde'. Barb Bradley werd geciteerd toen ze de geruchten dat Ramón krankzinnig jaloers was van tafel veegde. Ze zei dat hij regelmatig de lessen en modeshows bijwoonde en dat hij trots was op de ambitie van zijn vrouw.

'Ze waren een heel gelukkig stel,' zei Barb. 'Hij hield van zijn vrouw. Hij hield van zijn kinderen en zij hield ook van hem en de kinderen. Ik heb nooit iets gezien van geweld of zo.' Ze erkende dat mijn vader de laatste tijd veel coke had gesnoven, maar voegde eraan toe dat mama haar nog de avond voor het drama had verteld dat hij al een week niet had gebruikt, 'althans voor zover zij wist'. Volgens haar gebruikte mijn moeder niet.

Een anonieme klant van de Valley of the Moon Saloon zei dat hij niet begreep waarom Angela bij haar man bleef. 'Ze was zonder meer beeldschoon,' zei hij. 'Ze moet vreselijk veel van hem hebben gehouden, omdat ze iedere man in deze vallei had kunnen krijgen.'

Met Michaelsen aan de noodklok zaaide de berichtgeving paniek door het hele land. Zoals Pat Rile mij vele jaren later zelf vertelde, was ze in haar boetiek toen ze het nieuws hoorde. Het duurde niet lang voordat de pers haar had gevonden en opeens kreeg ze telefoontjes van verslaggevers die vroegen naar mama's 'modellenloopbaan' en of zij iets van de jaloerse kant van mijn vader had gemerkt. Het leek wel alsof ze niet luisterden toen Pat zei dat Angela niet echt een loopbaan had gehad, dat ze alleen de opleiding had gevolgd. Hoe meer Rile werd gebeld, des te meer ze zich zorgen maakte dat Ramón haar misschien als de vijand beschouwde, als degene die het hoofd van zijn vrouw op hol had gebracht met dromen van een carrière als model. Ze sloot de winkel en dook onder.

Zij was niet de enige die bang was dat Ramón opnieuw zou toeslaan. De families Toovey en Butti kregen politiebewaking. Scholen in het district Cotati en de Dunbar School sloten hun deuren. De kinderen van Dunbar waren getraumatiseerd door een politiehelikopter die op de dag van de slachting heen en weer vloog over de school; de kinderen en een aantal onderwijzers waren ervan overtuigd dat de helikopter de moordenaar vlakbij op de hielen zat.

Grand Cru ging dicht. Het personeel dook onder en een aantal hield een pistool bij de hand; hun buurt kreeg iets van een gewapend kampement.

En overal vroegen mensen zich af wat er met mij en mijn zusjes was gebeurd.

Na een slapeloze nacht stond Mike Brown op 15 april voor zonsopgang op om naar San Francisco te gaan. Ook Ramón was naar de Bay Area gegaan, maar dat was niet de reden dat Brown erheen reed.

Sonoma County had geen centraal mortuarium. Meestal werden plaatselijke rouwkamers gebruikt voor lijkschouwing, maar geen enkele was bereid vijf autopsies op één dag op zich te nemen. Dus belde de lijkschouwer van Sonoma County dr. Boyd Stephens, de bekende anatoom-patholoog van San Francisco en die verklaarde zich bereid om de autopsies uit te voeren.

Stephens onderzocht de slachtoffers stuk voor stuk en nam zijn bevindingen gelijktijdig op de band op. Mijn moeder was ernstig mishandeld en vertoonde hoofdwonden van herhaalde klappen, waarschijnlijk van de kolf van een pistool. Gedurende die klappen had ze getracht zich rechtop uit de voeten te maken. Ook was ze twee keer in de schouder en één keer in het hoofd geschoten.

Tracey Toovey was drie keer in het hoofd geschoten en één keer in zijn schouder. Mijn oma Louise Richards had een harde oplawaai met een stomp voorwerp tegen haar achterhoofd gekregen, hard genoeg voor een schedelbasisfractuur. Daarna was haar keel tien keer doorgesneden.

Mijn tantes Ruth en Maria vertoonden defensieve wonden op hun handen, kennelijk door pogingen om zich tegen hun belager te verweren. De snijwonden in hun nek waren zo diep dat alle belangrijke lichaamsdelen – spieren, luchtpijp, slagaders en andere aderen – tot op de ruggengraat waren doorgesneden.

Als de positie van de lichamen en mijn vaders bloederige handafdrukken op de billen van Ruth niet voldoende bewijs waren van het seksueel abnormale gedrag van de moordenaar, leverde Stephens onderzoek een stukje bewijs op dat het bevestigde. Een van Ruth' lange, donkere haren was een eind in haar anus geschoven. Er was maar één manier waarop die op deze plek kon zijn gekomen en die was dat haar belager die haar – per ongeluk of met opzet – op die plaats had gekregen.

Ondanks de ernst van de wonden aan de keel, merkte Stephens op, zouden mijn tantes niet op slag dood zijn geweest. Ze zouden wel vrij snel het bewustzijn hebben verloren, maar hadden nog een paar minuten geleefd voordat ze de stierven.

Terwijl de lijkschouwer zijn werk deed, viel het Mike Brown niet mee om zijn masker van onbewogenheid op zijn plek te houden. Alleen al het aantal slachtoffers – van wie vier verwante vrouwen, een moeder en haar drie dochters – was vreselijk. Maar de afgrijselijke overkill was dat ook. Mijn moeder en Tracey Toovey waren meer dan één keer in het hoofd geschoten; de anderen was de keel afgesneden en werden misbruikt terwijl ze nog leefden. Het was pure, gewetenloze beestachtigheid.

Zeven uur nadat de autopsies waren begonnen, stak Mike de Golden Gaten Bridge naar Marin County over om naar huis terug te gaan toen de politieradio opeens een chaos van communicatie uit Sonoma oppikte. De ontvangst was slecht en hij ving maar om de zoveel woorden iets op, maar het was voldoende voor een *Code Three*. Er was nog een plaats delict, deze keer op de vuilnisbelt van Petaluma.

14

Een vriendelijk briesje ruist door het droge, dorre gras boven aan het talud van de Petaluma-belt, ondanks het mooie weer een grauwe, verlaten plek.

Op deze plek liep Ramón terug naar de auto om Carmina te halen. Ze deed geen poging antwoord te geven toen hij haar naam riep. Ze had van een halve meter gezien hoe hij haar zusjes had vermoord, dus wist ze wat haar boven het hoofd hing.

'Hij stak zijn hand naar binnen en deed mijn portier van het slot. Daarna deed hij dat open en sleurde me uit de auto. Hij ging op de bestuurdersstoel zitten, legde me op schoot en greep het mes.'

Carmina staart naar de lucht en slaakt een diepe zucht. 'Ik smeekte hem: "Alsjeblieft, pappie, stop!" Ik verzette me en volgens mij was hij een beetje verrast. Hij greep mijn haar en trok mijn hoofd naar achteren, zodat mijn hals vrijkwam. Maar ik stak mijn handen uit om het lemmet weg te duwen.'

Ze steek haar rechter ringvinger omhoog. Er loopt een wit litteken omheen. 'Die was er bijna af. Hij moest mijn haar loslaten en mijn armen pakken en die omlaag trekken. Ik weet nog dat ik hem aankeek; zijn gezicht stond verwrongen en boos, alsof hij kwaad op me was omdat ik lastig was. Ik zei: "Alsjeblieft, papa, niet snijden. Ik doe alles wat je wilt."'

Ramón aarzelde. Niet vanuit een restje menselijkheid, denkt

ze, maar vanuit een andere, obscuurdere impuls: hij herinnerde zich hoe lekker hij het vond om haar te betasten. 'Maar toen keerde de woede weer terug en sneed hij in mijn keel.'

Onwillekeurig gaat Carmina's hand naar het witte litteken rond haar hals. 'Ik herinner me nog een scherpe sensatie, maar het deed niet echt pijn. Misschien had ik een black-out, want het volgende dat ik me herinner, was dat ik van het talud werd gegooid en vervolgens huilend op mijn buik rolde. Ik probeerde naar boven te klimmen, maar Ramón draaide zich om en schopte me tegen mijn hoofd. Daarna werd alles zwart.'

Toen ze weer bij kennis kwam, was het warm en zonnig, net zoals het nu is. Ze bevond zich in een zee van hoog groen gras, helemaal alleen.

'Ik lag daar maar versuft, maar toen ik weer wat op krachten kwam, ging ik rechtop zitten om Sofia te roepen – hij had me heel dicht bij haar gegooid – maar ze gaf geen antwoord. Ik schudde haar door elkaar, maar ze wilde niet wakker worden. Ik keek om me heen en zag baby Teresa. Ze was geslacht. Het was een bloedstollend moment.'

Carmina was nog geen drie. Ze kon amper bevatten wat er was gebeurd. 'Maar ik wist wel dat er iets heel erg mis was. Ik moest me van hen verwijderen, dus kroop ik ruim een meter bij hen vandaan. Daarna rolde ik me op als een foetus en ging weer slapen.'

Wanneer de herinnering naar boven komt, doet Carmina de bewegingen na van een kind dat zich opkrult op de grond. Haar ogen gaan dicht en weer met een ruk open, alsof ze opnieuw ziet wat ze achttien jaar geleden heeft beleefd. 'Ik werd wakker omdat de zon op me neer brandde. Ik had zo'n dorst... Ik weet nog dat ik overeind kwam en uitkeek over het gras. We hadden die route dikwijls gereden naar oma's huis en volgens mij moet ik de heuvels in de richting van Cotati herkend hebben, want ik zei: 'Oma, ik heb dorst.'

Er glijdt een blik van opperste verbazing over Carmina's gezicht. 'Dat heb ik me dikwijls afgevraagd. Waarom riep ik mijn oma en niet mijn mama? Misschien omdat ik wist dat ik niet ver van haar huis was. Of... of misschien omdat oma Louise daar bij me was. Ze was toen al dood en had altijd voor me gezorgd als mama er niet was.'

Het meisje bracht de rest van de middag van 14 april onrustig slapend door. Haar wakende ogenblikken hechten zich in haar geheugen als flitsen van een stomme film die zwart wordt tussen de scènes. Ze weet nog dat ze een schuurtje op de heuvel boven haar zag en het geluid hoorde van mannen die daarboven aan het werk waren. Maar ze kon niets doen, behalve in een grasveld op redding zitten wachten.

Op een zeker ogenblik stond Carmina op. Ze kon amper boven het gras uitkijken, maar ze probeerde de kant van Cotati op te lopen. 'Maar ik werd duizelig en viel. Ik weet nog dat ik naar mijn pyjama staarde, naar mijn nachtjapon. Volgens mij stonden er beertjes op. Hij was wit geweest, maar nu zat er bloed op. Ik keek naar mijn zusjes en zag dat hun gezicht en nek onder de vliegen zaten. Ik wist gewoon dat ik bij ze uit de buurt moest blijven.'

Carmina gelooft dat ze de hele nacht heeft geslapen. 'Ik herinner me er althans niets van. Ik weet alleen nog dat ik wakker werd door het geluid van voetstappen op de weg boven me. Ik verstijfde. Ik dacht dat het papa was die terugkwam om me weer pijn te doen. Ik dacht, als ik ben zoals mijn zusjes, laat hij me wel met rust, dus deed ik mijn ogen dicht.'

De voetstappen stopten vlak boven de plek waar ik aan de voet van het talud lag. Daarna vervolgden ze hun weg. 'Ik bewoog me, zodat ik kon kijken. Hij moest zich hebben omgedraaid omdat hij mijn been zag bewegen. Daarna hoorde ik een schreeuw...'

'O, mijn god!'

Die middag had een jongen wat rondgescharreld op de belt van Petaluma omdat hij wachtte tot een vriend die in de groeve werkte naar huis mocht. Toen de man naar de rand van het talud liep en omlaag keek, zag hij drie grote poppen op de bodem liggen. Althans hij dacht dat het poppen waren, aftands, ongewenst en weggegooid bij de rest van de vuilnis. Hij maakte aanstalten weg te lopen, maar iets aan die poppen deed hem over zijn schouder kijken.

Op dat moment bewoog ik mijn been.

'O, mijn god,' hoorde ik hem schreeuwen en hij holde de weg op naar de groeve.

De jongeman, Mike Mikesell zocht de baas van de groeve Tim Smith om te vertellen wat hij had gezien. Tim holde naar de weg langs het talud en keek omlaag, waar hij drie kleine meisjes in het gras zag liggen. Twee van ons waren dood, dat zag hij in één oogopslag. Maar ik zat rechtop in het gras.

Tim gaf Mike opdracht terug te hollen om 911 te bellen om twee dode kinderen te melden en eentje die een ambulance nodig had.

Tim krabbelde van het talud om mij te halen. Toen hij de wond zag, een rechte lijn van aangekoekt bloed van vlak onder mijn rechteroor tot vlak onder mijn linker, stokte de adem hem in de keel. Ik kneep mijn ogen dicht. Toen ik de voetstappen hoorde terugkeren, hield ik ze zo stijf mogelijk dicht. Ik was als de dood. Daarna tilde Tim me op en droeg me het talud op.

Bovenaan keek ik om. Het was de laatste keer dat ik mijn zusjes zag.

Tim zette me op een stuk karton. Daarna ging hij naast me zitten en sloeg een arm om me heen. 'Waar is je mammie?' vroeg hij. Ik probeerde antwoord te geven maar kon alleen maar wat gorgelen. 'Het is al goed,' zei hij. 'Stil maar, stil maar.' Hij wilde niet dat mijn wond weer ging bloeden. Dus zaten we stilletjes naast elkaar op hulp te wachten.

Ik herinner me nog dat Tim probeerde me te troosten. Ook dat de helikopter arriveerde. Het licht en het lawaai maakten me panisch. Toen ze me op de brancard legden om me in te laden, zette ik het op een gillen en schopte en sloeg ik zo wild om me heen, dat ze de helikopter terug moesten sturen en op een gewone ambulance moesten wachten.

Liggend op een brancard, omringd door mensen die me met naalden prikten, barstte ik in huilen uit. Ik wilde niet meer dat ze me pijn deden.

Onderweg naar het ziekenhuis vroeg het ambulancepersoneel wat er was gebeurd. 'Papa heeft me gesneden,' zei ik. 'Doe me alsjeblieft geen pijn.'

Net als bijna de hele bevolking van de gemeenschap, was dokter Linda Beatie van afgrijzen vervuld door de moorden en had ze zich zorgen gemaakt om mijn zusjes en mij.

Er heerste alom angst in Sonoma en Michaelsens persconferenties hadden niet geholpen. Maar niet iedereen dacht dat hij onmiddellijk gevaar liep. Linda Beatie voelde zich veilig in het vriendelijke plaatsje Petaluma. Ze was niet bang dat Ramón Salcido door de straten van haar woonwijk zou lopen. In haar kleine twintig jaar als anesthesist in het Petaluma Valley Hospital had dokter Beatie geboft; omdat het geen traumaziekenhuis was, zag ze geen slachtoffers van ernstige verkeersongelukken; ook was er in de omgeving geen sprake van noemenswaardige geweldsmisdrijven, ze had zelfs nog nooit een schotwond gezien.

Dokter Beatie maakte aanstalten een patiënt op een operatie voor te bereiden toen haar supervisor belde om te zeggen dat die ingreep moest wachten. Een van de Salcido-kinderen was levend in de buurt gevonden en was met een wond aan de keel onderweg naar het ziekenhuis. De anesthesist haastte zich naar de Eerstehulp en arriveerde net toen ik werd binnengereden.

Twee beelden van dat moment zouden de arts nog jaren bijblijven. Een was de blonde ambulancezuster die het brancardwagentje duwde; het was voor het eerst dat Linda Beatie een ambulancezúster zag en ze vond dat die vrouw eruitzag als een engel.

Het tweede beeld was van mij, zittend op het karretje toen ze me naar binnen brachten. Op het eerste gezicht leek ik haar niet al te ernstig gewond. Ik was helder, er was niet te veel bloed, gewoon een klein meisje dat kalm bleef zitten terwijl iedereen om haar heen in paniek was.

Maar toen dokter Beatie mijn toestand wat beter bekeek, begon ze te beven van angst. Toen mijn keel werd doorgesneden, had het mes mijn halsslagaders gemist, maar mijn trachea, of luchtpijp was volledig doorkliefd. Ik had gestikt moeten zijn. De enige reden dat ik nog leefde, beseften de artsen later, was dat mijn hoofd naar voren was gezakt, zodat mijn luchtwegen lang genoeg intact waren gebleven om het bloed te laten stollen en de snede te verzegelen. Anders had ik geen adem gekregen en was ik net als mijn zusjes doodgegaan.

Maar dat wilde niet zeggen dat ik dit alsnog zou overleven. Dokter Beatie vreesde zelfs in toenemende mate dat haar ingreep mijn dood zou worden.

Onder normale omstandigheden zou ze me op de operatie hebben voorbereid door me een kalmerend middel te geven en een buisje door mijn mond in mijn keel en langs de stembanden in mijn trachea te schuiven. Maar die was in tweeën. Het zou niet alleen lastig worden het buisje van het ene eind naar het andere te krijgen, maar mijn hoofd zo draaien om het voor elkaar te krijgen, zou de doorgesneden stukken misschien lostrekken. Als dat gebeurde, zou ik er in enkele ogenblikken geweest zijn.

Op dat moment werden de situatie en de mogelijke consequenties als ze faalde dokter Beatie te machtig. Petaluma had
maar drie anesthesisten en die werkten in wisseldienst. Er was
geen standby, er was niemand die ze kon raadplegen of die zelfs
maar steun kon bieden tijdens de ingreep.

Ze verliet de Eerstehulp en ging naar een zijkamertje. Ze legde
haar hoofd tegen een röntgenapparaat en bad tot God om haar
kracht te geven terug te gaan om mij te helpen. En ze huilde tranen met tuiten, tot ze door twee ervaren zusters die haar van de
Eerstehulp waren gevolgd weer op de been werd geholpen.

'Ik kan dit niet,' huilde Beatie. 'Het wordt haar dood.'

'Nee, nee, je kunt het best,' verzekerde een van de zusters.

'Wij kunnen het,' zei de ander.

De arts keek hen aan, zei een schietgebedje en ging weer terug
naar de Eerstehulp, waar de chirurg Dennis McLeod aanstalten
maakte om me naar de o.k. te rijden. Bij de voorbereidingen
kwam een van de zusters naar voren om een polaroidfoto van de
wond te maken voor het gerechtelijk dossier.

Toen ik de camera op me gericht zag, deed ik wat ik altijd voor
een foto deed: ik glimlachte. Toen de foto uit het toestel schoof,
stak ik mijn hand uit.

Eerst wilde de zuster me de foto geven, maar ze bedacht zich
toen op de afdeling ieders adem stokte. De zuster besefte wat ze
bijna had gedaan – een jong kind een foto van haar eigen doorgesneden keel laten zien – en ze wendde zich mompelend af.

Toen ik naar de o.k. werd gereden, ging dokter Beatie op zoek
naar alle maten buisjes die ze kon vinden. Dokter McLeod had al
vastgesteld dat mijn andere verwondingen niet levensbedrei-
gend waren; mijn overleving hing geheel af van de vraag of dokter Beatie mijn luchtweg vrij kon houden. Daarna was het gewoon een kwestie van het hechten van de wonden.

Beatie's angst bleek ongegrond, grotendeels dankzij het

scherpe lemmet waarmee mijn keel was doorgesneden. Toen MacLeod voorzichtig mijn hoofd wat naar achteren kantelde om de wond te bekijken, zagen ze beide uiteinden van mijn trachea. Beatie hoefde geen poging te doen het buisje door mijn mond en langs mijn stembanden naar mijn luchtpijp te voeren. Door mijn hoofd schuin naar achteren te kantelen, hadden ze net voldoende ruimte om het uiteinde van de buis in mijn trachea omhoog te duwen en het andere omlaag naar mijn longen.

Met die ene snelle handeling was ik gered.

Toen Linda Beatie naar huis reed zag de wereld er anders uit. Nu was ze wel bang. Toen ze thuiskwam, wilde ze praten over de verschrikking die ze had gezien, maar haar gezin was al onderweg naar de voordeur voor een honkbalwedstrijd van school. 'Dat klinkt vreselijk, mam,' zeiden ze en vervolgens lieten ze haar alleen met haar angst.

Beatie liep door haar huis om alle lichten aan te doen. Stel dat Ramón Salcido in de achtertuin op de loer lag? Voor dokter Beatie was het kwaad vleesgeworden, net zo tastbaar als een polaroidopname van de afgesneden keel van een kind.

Hoewel ik het toen niet besefte, kreeg ik die avond één bezoeker.

Toen rechercheur Mike Brown de Eerstehulp in Petaluma Valley betrad, hoorde hij van een lokale politieagent dat ik bij aankomst in het ziekenhuis bij kennis was geweest en praatte. Met een snijdend gebaar langs mijn keel had ik kalm gezegd: 'Papa heeft me gesneden.'

Brown betrad de operatiekamer om te zien hoe dokter McLeod de gapende wond verkende. Toen hij zich afwendde – zo vertelde hij me later – was hij nog vastbeslotener om mijn vader te pakken te krijgen. Maar dat zou niet gebeuren in het ziekenhuis van Petaluma Valley.

Toen Brown terugliep naar zijn auto werd het beeld van de arts die met zijn vingers mijn wond verkende op zijn netvlies gebrand. Het was de enige herinnering aan mij die hij de volgende zestien jaar niet kon verdringen.

15

De volgende dag keken mijn zusjes en ik de lezers van de *Press Democrat* aan vanaf een foto in de linkerbovenhoek van de voorpagina. We droegen onze paasjurkjes en Sofia en Teresa glimlachten, maar ik keek chagrijnig, een vergissing door de haastige keus van de fotoredactie.

Er is me verteld dat het publiek op mijn verhaal reageerde als op een reddingsboei in tijden van nood. Het was alsof de mensen ook hun eigen geest konden redden door het verhaal te volgen van dat ene kleine meisje dat de verschrikking had overleefd. Een trustfonds werd in het leven geroepen voor mij (en nog een voor de familie Toovey), en het ziekenhuis van Petaluma Valley werd overstelpt met speelgoed, bloemen, cadeaus en steunbetuigingen.

De brieven kwamen van heinde en ver. *God zegen je, kleine Carmina,* schreef Deborah Devine uit Saoedi-Arabië, waar ze met haar man en zoontje woonde. *Word alsjeblieft gauw beter, en wanneer je groot bent, moet je proberen de slechte dingen die er zijn gebeurd te vergeten. De wereld bidt voor je.*

Sommigen stuurden duizenden dollars, anderen gaven het weinige dat ze hadden. *Ik stuur doorgaans bloemen om op Moederdag op het graf van mijn zoon Dave te zetten, maar ik heb het gevoel dat het geld dit jaar beter gebruikt kan worden voor Carmina.* Zelfs de gedetineerden van de Sonoma County Jail richtten een trustfonds voor mijn welzijn op.

Veel briefschrijvers riepen om vergelding. *Ik hoop dat het monster dat zichzelf vader noemt snel wordt gepakt en de doodstraf krijgt,* schreef er een. Een andere, een meisje van dertien verklaarde: *De vader moet de gevangenis in en geëxecuteerd worden voor wat hij die kinderen heeft aangedaan.*

Andere brieven weerspiegelden de angst die door de gemeenschap en verder waarde. *Zijn we ooit nog veilig?* vroeg een vrouw zich af. *Ik heb een dochter, en het feit dat een vader zijn eigen kinderen kan ombrengen, gaat elk begrip te boven,* schreef een ander.

De angst was niet alleen beperkt tot volwassenen. Een kleuter schreef een ontroerende brief vol fouten en een donatie: *moey for the litte gril.* Aan het eind van het briefje voegde ze eraan toe: *Ik ben bang dat hij mijn broer en zus pakt.*

Veel schrijvers hoopten dat ik er lichamelijk en psychisch bovenop zou komen. *Ik hoop dat dit lieve kleine meisje wordt opgenomen in een heel gelukkig gezin met mensen die van haar houden,* schreef een vrouw uit Long Beach. *Ik hoop dat ze de komende jaren de beste therapie krijgt die er is, zodat ze in staat zal zijn een normaal en gelukkig leven te leiden.*

Tegelijkertijd worstelde de gemeenschap – vooral de mensen die mijn vader kenden – met de vraag waardoor hij was geflipt. De meeste vrienden en kroegmaatjes beschreven hem als *een flierefluiter,* maar de meningen waren verdeeld over de vraag of zijn obsessie met Angela hem het laatste duwtje had gegeven.

Wat ik zag was geen jaloezie, vertelde bareigenaar John McNeilly tegen Bony Saludes. *Ik zou eerder zeggen dat hij overdreven bezitterig was. Hij raakte haar altijd aan en liet haar geen moment alleen.*

Richard Clark zei nu dat hij een tragedie had voelen aankomen. *Ik was in zijn garage en we hadden het over zijn pistool,* vertelde hij aan Saludes. *Hij had het altijd bij zich. Hij had het over de betaling van de alimentatie en over zijn ex. Hij zei dat hij altijd zijn wapen meenam als iemand hem geld schuldig was.*

Ik probeerde hem duidelijk te maken dat hij dat niet moest doen, dat hij geen pistool moest gebruiken en toen ging hij op iets anders over.

Clark herhaalde wat hij de politie over de ruzie van mijn ouders op de vooravond van het drama had verteld. Hij speculeerde: *Als ze ergens heel ver weg een onderduikadres had gehad, was ze daar volgens mij naartoe gegaan.* En hij voegde eraan toe dat hij een keer had overwogen de ouders aan te geven omdat ze hun kinderen alleen thuis lieten.

In de Valley of the Moon Saloon kon de eigenaar nog altijd niet geloven dat de moordenaar *onze Ramón, de Ramón die wij kennen* was. Maar de barkeeper van McNeilly die papa de bewuste avond vijf dollar had geleend, zei dat hij had gehoopt dat mijn vader zichzelf *een kogel door het hoofd zou knallen.*

Op het bureau van de sheriff werd Mike Brown overspoeld met verzoeken van de media voor een interview. Telkens wanneer hij terugkwam op kantoor lag er een nieuwe stapel roze memo's op zijn bureau. Alle grote nieuwsbronnen – CNN, ABC, NBC, CBS, de *Los Angeles Times, The New York Times*, de kranten van San Francisco en de landelijke tijdschriften wilden beslag op zijn tijd leggen, evenals de buitenlandse pers. Op 16 april verscheen de sheriff in een interview met Connie Chung op het journaal, het CBS *Evening News*.

Mike zag hoe de media, vooral de grote landelijke en de buitenlandse, de meest sensationele aspecten van de zaak benadrukten. Vooral de Mexicaanse pers ging uit zijn dak. Ze hadden een kopie van de politiefoto bemachtigd, hadden zijn uitdrukking geïnterpreteerd als een 'vuile grijns' en hem de bijnaam 'de Jakhals' gegeven. De media speculeerden als een gek over papa's motief: de jaloerse man met een beeldschoon 'model' als vrouw, de geldproblemen, het drugsgebruik. De verslaggevers met wie Mike sprak, wilden hem allemaal een uitspraak ontlokken over de geestestoestand van de moordenaar, maar hij keek wel uit om niet meer te zeggen dan: 'Daar werken we nog aan.'

Brown deed zijn best om het mediacircus te negeren en zich te concentreren op het vinden van de moordenaar. Hij was het aanspreekpunt van de tientallen politiemensen, waaronder alle rechercheurs van zijn bureau, de uniformpolitie, het personeel van de lijkschouwer, de plaatselijke politiekorpsen en de ploeg technische rechercheurs van het ministerie van justitie die aan het onderzoek was toegewezen. De meesten zouden hun naam nooit in de krant lezen of op tv horen, maar ze waren allemaal professionele politiemensen die belangrijk werk deden.

Rechercheur Brown wist dat hij meer assistentie nodig had om mijn vader te vinden. Al bestond de kans dat Ramón in de Bay Area was ondergedoken, Mike was ervan overtuigd dat hij onderweg was naar het zuiden, naar Mexico. En als hij daar was, waren de rapen gaar.

De Verenigde Staten en Mexico hadden een uitleveringsverdrag, althans op papier. Maar hoewel Amerikaanse verdachten van misdrijven in de vs over de grens waren gepakt en uitgeleverd, was dat nog nooit met een Mexicaan gebeurd. Zoals ik later van Mike Brown hoorde, schrijft het Mexicaanse strafrecht voor dat Mexicanen die in hun land worden gearresteerd voor misdrijven die elders zijn gepleegd, in hun eigen land moeten worden vervolgd. Mexico kent de doodstraf niet en zijn leiders hebben meer dan eens verklaard dat ze nooit een van de hunnen aan een land zullen uitleveren dat de doodstraf wel heeft.

Als mijn vader zijn geboorteland zou bereiken, bevonden Brown en zijn mensen zich op onbekend gebied. Gelukkig wist de rechercheur tot wie ze zich moesten wenden. Een maand daarvoor had hij tijdens een cursus van de Californian Homicide Investigator's Association een gesprek opgevangen over de vervolging van Mexicanen die misdaden in de Verenigde Staten hadden gepleegd. Hij stelde zich voor aan een van de mannen, Enrique Mercado, een agent van het Californische ministerie van Justitie die ervaring met dat soort zaken had.

Mike Brown zocht Mercado's nummer op en belde hem om hulp te vragen. 'Hij kan onderweg zijn naar Los Mochis,' zei hij tegen de agent, wijzend op Ramóns telefoontje naar zijn moeder tijdens zijn aanval van moordzucht. 'Ik moet een eerlijke smeris in Mexico zien te vinden.' Hij besefte dat dit niet bepaald politiek correct klonk, maar de Mexicaanse politie was berucht om haar corruptie en dat wist Mercado best.

Die zei dat hij zou zien wat hij kon doen, maar dat er wat linke strategie voor kwam kijken. De Mexicanen beschuldigden hun leiders er dikwijls van te buigen voor de overmacht van Amerika. Naar Mexico gaan en verlangen dat ze een Mexicaans staatsburger, beschuldigd van een misdaad in de vs, zouden uitleveren, zou wel eens slecht kunnen vallen bij de Mexicaanse bevolking of haar leiders. Mike Brown en zijn team moesten op eieren lopen.

16

Terwijl de gemeenschap haar best deed om de moordpartij te begrijpen, sloeg de angst om in woede. De meeste was gericht tegen Ramón Salcido, maar door zijn verdwijning groeide de vrees dat een deel ervan op onschuldigen afgereageerd zou worden.

Bij de emotionele herdenkingsdienst voor Tracey Troovey riep dominee Rich Gantenbein, voorganger van de Anglicaanse Saint Andrew Church, de congregatie op niet alle Latijns-Amerikanen de schuld te geven van wat mijn vader had gedaan. 'Het was de daad van een ernstig gestoord persoon. Tracey zou niet om wraak roepen. Heb vertrouwen in justitie, anders verlagen we ons tot hetzelfde niveau als Ramón... Alleen God mag Ramón de rekening presenteren.'

Tot dan toe waren er nog geen incidenten tegen Mexicanen in de omgeving gemeld. Maar de plaatselijke Latijns-Amerikaanse minderheid vreesde een terugslag. Iemand grapte grimmig dat je maar beter ogen in je rug kon hebben als Mexicaan, anders zou iemand je aanzien voor Ramón en de politie bellen.

Het was allesbehalve grappig op het bureau van de sheriff, dat tientallen telefoontjes bleef krijgen van bezorgde burgers die mijn vader hadden 'gezien', alleen kwamen de waarnemingen nu uit het hele land. Een woordvoerder van de sheriff zei tegen de *Press Democrat* dat het wel leek alsof *iedere Mexicaan in een auto is aangegeven.*

Afgezien van het directe gevaar dat de een of andere burgerwacht een onschuldige neer zou schieten, maakte de Latijns-Amerikaanse gemeenschap zich zorgen dat de Amerikanen de zaak van Ramón Salcido zouden beschouwen als een bevestiging van hun beeld van Mexicaanse mannen als zuipende, onbetrouwbare drugsgebruikers die hun vrouw sloegen en heethoofdige criminelen. Dat stereotype beeld kon van invloed zijn op een baan of een huis, vond men, en op hun status in de samenleving. 'Amerikanen zullen gaan denken, waarom zouden we die mensen ons land binnenlaten als ze toch slechte dingen gaan doen?' zei een jonge Mexicaanse uit Boyes Hot Springs tegen de *Press Democrat*.

Latino activisten klaagden dat de media in de beschrijvingen van Ramón het woord *machismo* misbruikten. In de juiste context was machismo iets moois, het weerspiegelde 'mannelijke' waarden zoals integriteit, moed en trots op de eigen prestaties; het woord beschreef de goede, hard werkende man die voor zijn gezin zorgde en zijn vrouw eerde. Alleen in Amerika had het woord een slechte bijbetekenis gekregen om gewelddadige Latino's te beschrijven die opschepten, vrouwen mishandelden en overhoop lagen met justitie.

Gaye LeBaron, van oudsher columnist van de *Press Democrat* en een gewaardeerde plaatselijke historicus, schreef dat iedere Mexicaanse man in Sonoma en omliggende gemeenten zwaailichten in zijn spiegeltje kon verwachten. *Dit is een buitengewoon verschrikkelijke tijd voor de hele gemeenschap, maar voor de Latino's moet het nog erger zijn. We mogen bidden dat we hier doorheen komen zonder dat de tragedie nog eens wordt verergerd door ongelukken.*

De meeste Latino's gaven uitdrukking aan woede en weerzin jegens mijn vader en hielden hem honderd procent verantwoordelijk voor zijn daden. Maar een aantal van hen, onder wie een plaatselijke priester, was van mening dat Ramón Salcido naar de Verenigde Staten was gekomen als een goed mens die zulke gruweldaden niet had kunnen plegen, maar was gecorrumpeerd door de losse zeden en de drugscultuur van Amerika.

Zolang de moordenaar nog op vrije voeten was, was angst wat Mexicanen en Amerikanen met elkaar verbond. Buren in Boyes Hot Springs en Cotati hielden hun deuren op slot en hun kinderen binnen. Het personeel van Grand Cru en hun gezinnen waren ondergedoken. De wijngaard was tot nader order dicht, zei eigenaar Walter Dreyer tegen verslaggeefster Bonnie Cohen van de *Press Democrat.* 'We mogen de levens van ons personeel noch die van het algemene publiek in de waagschaal stellen, omdat we geen idee hebben waar Ramón Salcido is of wat hij in zijn schild voert.'

In de wijk Glen Ellen waar de familie Toovey woonde, sliepen de mensen met het licht aan. *En ze houden hun jachtgeweer bij de hand,* schreef Cohen.

Op de basisschool van Boyes Hot Springs bezochten therapeuten de klassen om kinderen te onderzoeken die de meisjes Salcido hadden gekend. Veel ouders hielden hun kinderen thuis. 'Dit is niet zomaar iets waarover de kinderen fantaseren,' zei schoolhoofd William Levinson uit Sonoma Valley. 'Ze wéten dat er mensen zijn vermoord. Hun angst is gegrond.'

Pat Rile hield haar boetiek en modellenschool gesloten. Nu de media hadden aangegeven dat Ramón woedend was vanwege Angela's loopbaan als 'model', leefde ze constant in angst dat mijn vader haar verantwoordelijk zou stellen.

En sheriff Michaelsen maakte het er niet beter op. Op de zoveelste persconferentie waarschuwde hij dat Ramón opnieuw kon toeslaan. 'Het hoeft geen familie of collega te zijn. Iedereen moet bang voor die man zijn.'

Op 18 april publiceerde de *Press Democrat* een aantal ingezonden brieven waarin werd geklaagd over de 'sensationele' berichtgeving over de moorden. Maar die domineerden nog altijd de voorpagina en de krant bleef zijn lezers op de hoogte houden van het onderzoek en de achtergrond van onze familie.

Inmiddels waren de media achter mijn moeders *beschutte opvoeding* in een huis vol katholieke crucifixen en andere beelden. Ze meldden dat haar familie zeer was toegewijd aan Onze Lieve Vrouwe van Fatima en men beweerde dat het beeld van de Maagd Maria echte tranen had geweend. Journalisten interviewden voormalige buren die uitvoerig uitweidden over de wijze waarop mijn moeder *buiten de wereld voorbij de voordeur* werd gehouden. Veel van zulk commentaar leek erop te duiden dat mijn grootouders' conservatieve levenshouding op de een of andere manier had bijgedragen aan de dood van mijn moeder, haar moeder, haar zusjes en twee van haar dochters.

De wereld om me heen was vergeven van de grimmige verdachtmakingen, maar daar wist ik niets van. Na de operatie bleef ik in het ziekenhuis. Ik *rustte uit in alle comfort en speelde met de nieuwe teddyberen,* zoals een woordvoerder meldde. Er waren zoveel nieuwe speeltjes en knuffels bij het ziekenhuis afgeleverd dat er een hele kamer was gereserveerd om ze in op te bergen. Bovendien werd de telefooncentrale van het ziekenhuis overladen met adoptieverzoeken.

17

Carmina staat zwijgend op de lichte glooiing van de Calvary Catholic Cemetery buiten Petaluma en ziet neer op de graven van haar grootmoeder en twee jonge tantes. Het afgrijzen dat had gedreigd haar op de vuilnisbelt te overweldigen had plaatsgemaakt voor een diepe rouw.

'Ze zeggen dat Ramón buiten heeft gewacht totdat opa weg was.' Haar blik wordt hard. 'Ik weet niet waarom, opa was een stuk kleiner dan hij. Ik kan alleen maar bedenken dat hij een lafaard is. Hij viel toen alleen vrouwen en kinderen aan.'

Ze schudt haar hoofd alsof ze de diepte van haar vaders verdorvenheid probeert te doorgronden. 'Toen opa weg was, ging hij naar het huis om te zeggen dat hij een krik nodig had, dus nam oma hem mee naar de garage. Toen ze zich omdraaide gaf hij haar met een autobandenlichter een klap tegen haar hoofd, zo hard dat ze het bewustzijn verloor en haar bril helemaal naar de andere kant van de garage vloog. Daarna ging hij met een mes naar binnen, waar hij Ruth aantrof.'

Carmina huivert. Ze heeft de dossiers van het openbaar ministerie gelezen over wat er daarna gebeurde, ook de gedeelten die tijdens de zitting niet ter sprake kwamen. 'Hij misbruikte Ruth en Maria voor, tijdens en nadat hij ze vermoordde.'

Ze loopt wat dichter naar de grafstenen van Angela, Sofia en Teresa. Er staat een helft van een paar marmeren boekensteunen met een paardenhoofd die van haar moeder waren geweest, en die Carmina van een neef had teruggekregen toen ze naar Sonoma terugkeerde. Ze liet er een achter en nam er een mee. Iets kleins wat haar met haar moeder verbond, tezamen met haar liefde voor paarden.

Mike Brown heeft Carmina verteld dat hij gelooft dat haar moeder de bewuste ochtend in alle vroegte naar de bank is gegaan om wat geld op te nemen en bij Ramón weg te gaan. 'Ik mag graag denken dat ze met ons drietjes weg wilde,' zegt Carmina.

Maar zeker zal ze het nooit weten. Hier liggen op een kleine twee meter diepte, begraven en voorgoed verloren, te veel antwoorden op vragen die ze graag zou willen stellen.

Carmina heft haar hoofd op en kijkt om zich heen. Het is een gewone begraafplaats zonder opsmuk met maar weinig bomen of beelden, of zelfs maar zerken. Gewoon een reeks plaquettes in een lage heuvel van gemaaid gras, hier en daar wat bloemen of een Amerikaans vlaggetje en kleine aandenkens zoals de boekensteun. 'Toen ik hier voor het eerst kwam met opa, voelde ik me zo vreedzaam dat ik wilde blijven. Hij moest mijn hand pakken en "Kom mee" zeggen.'

Boven op de heuvel staat een eenvoudig mausoleum. Haar ogen beklimmen de trap die Bob Richards en zijn zoons zes keer moesten beklimmen op de dag van de begrafenis. Ze zwijgt een hele poos en probeert haar tranen te bedwingen. 'Ik wil hier ook begraven worden,' zegt ze uiteindelijk. 'Het voelt als thuis... als een ander thuis waar we weer bij elkaar kunnen zijn.'

Opa huilde pas bij de zesde keer. Hij en zijn zoons droegen de kisten een voor een uit het mausoleum van de Calvary Cemetery de trap af en over de zachte glooiing omlaag naar het graf.

De eerste was zijn vrouw geweest, mijn grootmoeder. Daarna volgden Angela, Ruth en Maria. Vier zilvergrijze doodskisten, van de oudste tot de jongste. Daarna het witte doodskistje van onze stille Sofia, het moedertje. En nog huilde hij niet.

Tijdens die eerste vijf keer op en neer was opa gewoon verdoofd geweest. Dat was hij al sinds de jonge politieagent hem had laten begrijpen dat ze allemaal dood waren. Alle vrouwen van zijn familie behalve ik. Hij was nog niet naar het ziekenhuis gekomen om me op te zoeken; hij miste er de kracht voor. Ze moesten hem vertellen dat ik bleef opknappen en zelfs rechtop kon zitten om naar tekenfilms te kijken. Zodra dit voorbij is, ga ik naar haar toe, nam hij zich voor.

Nog dagen na de moorden was mijn grootvader in shock. Dan werd hij midden in de nacht wakker en vroeg hij zich af waar hij was. Dan herinnerde hij het zich weer en zakte hij weer in zijn verdoving. Niet wat hij droomde zat hem dwars, het was de nachtmerrie die begon als hij zijn ogen opende.

Als er al een emotie was die door de sluier drong die hij ter bescherming om zijn innerlijk trok, was het angst. Hij wist niet waarom Ramón niet had geprobeerd ook hem te vermoorden, maar geloofde wel dat zijn schoonzoon kon terugkomen om af te maken waaraan hij was begonnen. Het feit dat er twintig uniformagenten de wacht hielden tijdens de begrafenis leek te onderstrepen dat zijn angst niet ongegrond was. Hij was in elk geval dankbaar voor hun aanwezigheid. Ook als mijn vader zijn gezicht niet liet zien, hield de politie de pers op afstand; emotioneel kon hij het nog niet aan om met wie ook te praten, en hij wilde het ook niet proberen.

Nadat hij had geholpen zes kisten de heuvel af te dragen naar de graven, liep opa langs zo'n vijftig aanwezigen de heuvel naar het mausoleum weer op. Hij en zijn zoons schaarden zich om het laatste kistje en tilden het op. Hij was zo licht dat hij zich even afvroeg of er een vergissing was gemaakt, of de kist soms leeg was. Maar toen herinnerde hij zich weer dat het Teresa's kistje was. Ze was amper meer dan een baby. De rest van de dienst huilde hij. Het zou twee jaar duren voordat hij langer dan een paar uur kon stoppen met huilen.

Nadat de plechtigheden achter de rug waren, werd opa benaderd door waarnemend sheriff Gene Fahy. Die waarschuwde dat het nog niet was bevestigd, maar in Mexico was iemand aangehouden die beantwoordde aan mijn vaders signalement.

18

Carmina keert de graven de rug toe en loopt doelbewust terug naar de auto. Het is tijd om bij Mike Brown langs te gaan. Die gedachte kikkert haar op. Haar lach keert terug en ze kan haar verhaal weer oppikken waar ze gebleven is, haar verblijf in het ziekenhuis.

De weg voert langs Petaluma en vervolgens langs Cotati voordat hij Highway 101 en daarna Santa Rosa bereikt. Het is een lange dag geweest wanneer de auto voor een keurig huis in haciëndastijl in een lommerrijke buurt stopt. De mirtebomen in de voortuin staan in bloei; Carmina blijft even zitten om ze te bewonderen, dan opent ze het portier.

Haar verhaal vertellen betekende een confrontatie met de herinneringen die haar zijn nagelaten door een slecht mens die ook nog eens haar vader was. Maar nu verheugt ze zich op een afspraak met een ander soort man, degene die voor haar heeft gevochten toen het allemaal begon, die haar nooit was vergeten toen ze niet meer in de Valley of the Moon woonde en die voor haar klaarstond toen ze terugkwam en om een vriend verlegen zat.

Carmina belt aan. De deur gaat open en daar staat Mike Brown te glimlachen. Hij heet haar welkom en gaat haar voor naar de huiskamer annex bibliotheek. Het is een comfortabele ruimte, een mooie plek om je te ontspannen en een van de boeken te lezen die de schappen in beslag nemen, zoals van Jack London, Mark Twain en John Steinbeck.

Mike Brown is als hoofdinspecteur met pensioen gegaan van zijn werk op de Sonoma County Sheriff's Department en in de kamer staan maar weinig aandenkens aan zijn loopbaan, alleen twee minikastjes aan de wand met een medaille. De ene voor het oplossen van een twee jaar oude zaak van een vermiste persoon die vermoord bleek. De andere voor zijn werk aan de Salcido-zaak.

Hij heeft wel meegewerkt aan een van de boeken op de plank, The History of the Sonoma County Sheriff's Department (1850-2005). Hij schreef onder andere het hoofdstuk 'In Memoriam' ter nagedachtenis aan de collega's die het leven verloren bij de uitoefening van hun plicht.

Sinds de Salcido-moorden was daar een naam bijgekomen. Op 29 maart 1995 werkte agent Frank Trejo, een voormalige rechercheur van de narcoticabrigade die bij de Salcido-zaak had geholpen, in de nachtdienst toen hij een parkeerplaats naast een kroeg in Sebastopol op reed om poolshoogte te nemen bij een pick-up die daar in het donker stond.

De pick-up werd bestuurd door Brenda Moore, wier passagier, Robert Walter Scully, voorwaardelijk op vrije voeten was uit de Pelican Bay State Prison, waar Californië zijn ruigste klanten opborg die niet in de dodencel zaten. Scully was lid van Aryan Brotherhood, een blanke racistische bende en had een ellenlang strafblad. Die avond had hij Moore opdracht gegeven op het parkeerterrein te stoppen omdat hij het café wilde beroven.

Trejo stapte uit zijn patrouillewagen en liep naar de pick-up, toen Scully aan de passagierskant uitstapte met een afgezaagde shotgun en hem beval zijn handen in de lucht te steken en op zijn knieën te gaan zitten, daarna schoot hij hem van dichtbij in het gezicht dood.

Nu zat Scully net als Salcido in de dodencel. Maar dat was ook het geval met ruim zeshonderd andere veroordeelden, omdat de Californische staat aarzelde met executies en de veroordeelden jarenlang zinloos in beroep liet gaan zonder respect voor de onschuldige levens die ze hadden genomen.

Mike zet het boek weer op de plank, laat zich in een leunstoel zakken en begint de gebeurtenissen die op 14 april 1989, 's morgens om acht uur begonnen, te ontrafelen.

Het is geen geliefd gespreksonderwerp.

De zondag na de moorden kreeg de Sonoma County Sheriff's Department een telefoontje uit Los Mochis in Mexico. De man aan de andere kant van de lijn sprak Spaans en de telefonist die opnam verstond maar twee woorden: Ramón Salcido.

'*Uno momento,*' zei de telefonist en gaf het telefoontje door aan Frank Trejo, een rechercheur van de narcoticabrigade die Spaans sprak. De beller maakte zich bekend als de man van een van mijn vaders zussen en zei dat mijn vader bij zijn moeder was ondergedoken. De zus vond dat Ramón de familie in gevaar bracht en wilde hem weg hebben. De man informeerde ook naar de beloning.

Direct na het telefoontje vertelde Trejo Mike Brown en Ernstige Delicten wat hij had gehoord. Brown liet Trejo onmiddellijk tot nader order aan zijn team toevoegen. Daarna liet hij Trejo Enrique Mercado op het ministerie van Justitie bellen om te zeggen dat het tijd werd om 'die eerlijke smeris' in Mexico te bellen over wie ze hadden gesproken. Mercado was door zijn Mexicaanse contactpersoon verzekerd dat ze geen enkel probleem zouden hebben met de arrestatie van 'de Jakhals' als de gelegenheid zich zou voordoen. Niemand lustte een kindermoordenaar.

Sinds de moorden waren er al voorbereidingen getroffen op gemeentelijk en staatsniveau voor wat er moest gebeuren als mijn vader opgepakt zou worden. Officier van justitie Tunney had het nodige papierwerk gereed om er een halszaak van te maken en het openbaar ministerie was bereid om zonodig een uitleveringsprocedure met Mexico te beginnen.

Maar niet elk verzoek om medewerking werd gehonoreerd. Brown probeerde contact te leggen met de FBI, maar het bureau beweerde maar één agent in heel Mexico te hebben en die was niet beschikbaar. Brown vermoedde dat die tegenzin meer met de internationale politiek te maken had dan met mankracht, maar er was geen tijd voor ruzie.

De FBI mocht dan geen mensen in Mexico hebben, hij wist wel dat de U.S. Drug Enforcement Agency er agenten had zitten, omdat het land het voornaamste voorportaal was van de drugs die Amerika binnenkwamen. Hij nam contact op met de DEA, die veel meer bereid was mee te werken. De leiding bood aan op alle mogelijke manieren te helpen, zolang er maar weinig ophef werd gemaakt. De Mexicaanse overheid wist dat ze in dat land opereerden, maar het ging niet aan om dat van de daken te schreeuwen.

Het beste aanbod kwam zonder dat Brown erom hoefde te vragen. Kort na de moorden kreeg hij een telefoontje van Gilbert Moya en Arturo Zorrilla, rechercheurs van het Los Angeles Police Department Fugitive Unit. Ze hadden over de Salcido-zaak gelezen en dachten dat ze wel een steentje konden bijdragen als de verdachte zou uitwijken naar Mexico.

Moya en Zorrilla hadden veel ervaring met het terughalen van vluchtelingen uit Mexico. Ze kenden de Mexicaanse autoriteiten goed en hadden regelmatig met ze te maken. 'Wij weten wie we moeten hebben en dat kan je een hoop tijd besparen.' Bovendien kenden ze een heleboel manieren om vluchtelingen de grens 'over te schoppen', waar Amerikaanse autoriteiten hen konden opwachten.

Als de Mexicaanse justitie probeerde mijn vader voor zijn misdaden in Mexico te vervolgen, waarschuwden de agenten van de politie van LA, zouden ze het lastig krijgen. In de eerste plaats moet een verdachte die in Mexico wordt gearresteerd binnen achtenveertig uur met een aanklacht van een Mexicaanse officier van justitie worden voorgeleid, anders moest hij worden vrijgelaten. Dat was niet veel tijd vooral omdat die Mexicaanse officier eerst onbekend bewijsmateriaal van Amerikaanse functionarissen moest lezen om de juiste aanklacht samen te stellen. Mike en zijn team moesten direct voldoende materiaal en samenvattingen vertalen en alles naar een officier van justitie in Mexico zien te krijgen, tezamen met relevant fotomateriaal. Zodra Salcido was gearresteerd, begon de meter te lopen.

Mike belde de agenten in LA om te zeggen dat de arrestatie voor de deur stond. Ze boden direct hun hulp aan om met het nodige papierwerk te beginnen.

'We kunnen dit op twee manieren doen,' zeiden de rechercheurs van de politie van LA. 'Jij kunt hierheen komen of wij naar jou toe.'

'Kunnen jullie dan hierheen komen?' vroeg Mike.

Geen probleem, antwoordden ze en weldra zaten ze in het vliegtuig.

Mike en zijn team hoorden later dat mijn vader na het bloedbad op de bus van San Francisco naar Calexico aan de Mexicaanse grens was gegaan, waar hij zaterdagnacht omstreeks twee uur arriveerde. Daarna ging hij naar Los Mochis, waar hij bij zijn moeder en diverse andere familieleden logeerde.

Maandagmorgen 17 april kwamen een Mexicaanse commandante, zes Mexicaanse mariniers en DEA-agenten uit Mazatlán samen in Los Mochis om mijn vader te zoeken en arresteren. Maar de pers was hen voor geweest en toen Ramón hoorde dat er journalisten rondsnuffelden, vertrok hij om onder te duiken bij zijn grootmoeder in het naburige dorp Guasave.

Daarmee was de eerste poging van de Mexicaanse autoriteiten om hem op te pakken verijdeld. Maar mijn vaders zus wilde ook niet dat hij bij hun grootmoeder logeerde en weldra besloot de familie dat hij weg moest en met de trein naar Guadalajara moest gaan. Dat was een flinke stad in het westen van Mexico met een grote, instabiele bevolking en een heleboel criminele activiteit, waaronder drugskartels. Voor een eenzame vluchteling zou het niet moeilijk zijn daar te verdwijnen.

Maar voordat Ramón kon vertrekken, gaf zijn zus hem weer aan. De Mexicaanse mariniers en DEA-agenten voerden een raid uit op de wijk Guasave, maar hadden het verkeerde adres te pakken en lichtten een doodsbang gezin van acht personen tegenover het krot van Ramóns grootmoeder van zijn bed. In de verwarring glipte mijn vader weg bij het licht van de volle maan. Hij ging er zo haastig vandoor dat hij zijn kostbare cowboylaarzen van hagedissenleer achter moest laten. Toen de agenten tien minuten later op het juiste adres kwamen, was hun prooi gevlogen; in plaats daarvan sleepten ze zijn grootmoeder en haar schoonzoon mee.

Nu belde Ramóns zus de autoriteiten voor het laatst om hun te vertellen dat mijn vader de trein op het plaatselijke station nam. Als ze voortmaakten, konden ze hem nog pakken.

Woensdagochtend omstreeks halftwee omsingelden de agenten het station, waar ze Ramón in de wachtkamer aantroffen. Hij gaf zich zonder verzet over.

In de loop van diezelfde ochtend werd mijn vader voorgeleid aan de verzamelde pers in Mazatlán, vanwaar hij overgevlogen zou worden naar Mexico City. Glimlachend voor de camera's zei mijn vader tegen de journalisten: 'Ik ben schuldig. Ik heb die moorden in de Verenigde Staten gepleegd en ik verwacht daar te worden berecht.'

Om interne politieke redenen hadden de Mexicaanse autoriteiten de pers verteld dat Ramón Salcido in een bus had gezeten die was tegengehouden door een routinecontrole bij een wegversperring tegen drugstransporten. Toen hij zich niet kon legitimeren, was hij uit de bus gehaald, waarna hij bekende.

De Mexicaanse procureur-generaal Enrique Álvarez del Castillo kondigde aan dat mijn vader voor de autoriteiten een uitgebreide verklaring over de moorden had afgelegd. Daarin vertelde Ramón ook zijn motief voor de slachting: hij beweerde dat mijn moeder een verhouding met Tracey Toovey zou hebben gehad.

Zoals mijn vader het vertelde, was hij donderdagmiddag 13 april van zijn werk thuisgekomen en was Angela weggegaan en had ze mij en mijn zusjes aan hun lot overgelaten. Hij ging een biertje drinken en toen hij om een uur of zeven uur thuiskwam, was mama er nog steeds niet. Een uur later zou hij Tooveys auto voor het huis hebben zien stoppen, waaruit mijn moeder stapte.

Hij vertelde dat ze ruzie maakten nadat ze was binnengekomen. Daarna ging hij wat drinken. Toen zou hij besloten hebben mijn moeder te vermoorden met een 9mm-pistool dat hij met twee volle magazijnen in zijn auto had liggen. Even voor zeven uur de volgende morgen zette hij mij en mijn zusjes in de auto zodat ze niet hoefden te zien hoe hij onze moeder vermoordde. Daarna keerde hij terug naar het huis om Angela drie keer te beschieten en haar in de gang te doden. Daarna zocht hij Toovey op om hem 'twee keer in de borst' te schieten.

Daarna ging Ramón naar Cotati. Hij wilde Louise vermoorden omdat hij dacht dat zij Angela's verhouding met Toovey goedkeurde. Hij vertelde de Mexicaanse justitie dat hij het huis van mijn grootouders binnenging om mijn grootmoeder en tantes Ruth en Maria dood te schieten. Uiteindelijk zou hij naar San Rafael zijn gereden, waar hij mij, Sofia en Teresa opdracht gaf om uit te stappen. Hij zei dat hij van plan was ons te vermoorden en tot slot de hand aan zichzelf te slaan.

Castillo zei: 'Hij bekende dat hij zijn vrouw Angela Richards met een 9mm-pistool om het leven had gebracht en de hoofden of de keel van haar dochters Sofia (4), Carmina (3) en Teresa (1) had afgesneden. Met hetzelfde pistool vermoordde hij zijn schoonmoeder Louise Richards (47) en zijn schoonzusjes Ruth (12) en Maria (8) en uiteindelijk zijn vriend en collega Tracey Toovey, allemaal vanwege jaloezie.'

Een paar uur na de 'persconferentie' werd mijn vader overgevlogen naar Mexico City, waar hem weer een menigte journalisten wachtte. Ramón glimlachte opnieuw voor de camera's, maar nu leek hij afgemat. 'Ik ben naar Mexico gekomen om mijn ouders voor het laatst op te zoeken,' zei hij in antwoord op een geschreeuwde vraag. 'Volgens mij word ik aan de andere kant van de grens berecht. Momenteel heb ik niets anders meer te zeggen.'

Maar voor hij werd afgevoerd, gaf hij de pers nog een laatste commentaar. Later zou het een onderwerp van discussie worden op welke vraag hij eigenlijk antwoord gaf. Sommigen geloven dat hij iemand antwoordde die vroeg of hij nog meer te zeggen had. Maar het grootste deel van het perscorps dacht dat hij antwoord gaf op een andere vraag die tegelijkertijd werd gesteld, namelijk of hij berouw had van de moordpartij.

'Niet echt,' antwoordde hij.

Ongeveer rond het tijdstip waarop Ramón met de Mexicaanse media sprak, hield sheriff Michaelsen weer een persconferentie in Sonoma. De moordenaar was gearresteerd, zei hij en zou aan de Amerikaanse kant van de grens aan brigadier Mike Brown van de recherche worden overgedragen. Brown en zijn team waren volgens hem al met het vliegtuig onderweg om hem op te halen.

Het nieuws deed as een lopend vuurtje de ronde in Sonoma County en werd met een collectieve zucht van opluchting begroet. Mensen die in geen dagen buiten waren geweest of die hun kinderen hadden binnengehouden, deden eindelijk de deur van de grendel.

Maar toen de Mexicaanse gemeenschap in Sonoma werd gevraagd naar de reacties, dachten sommige leden dat de politie de verkeerde man te pakken had. Ze wisten hoe ze in hun vaderland te werk gingen en dit leek hun allemaal te snel en te gemakkelijk. Andere burgers zeiden tegen verslaggevers dat ze zich niet verheugden op een lang en kostbaar proces. Justitie zou te langzaam werken voor Ramón en er waren er die het systeem wilden overslaan door hem 'op te knopen'.

Dominee Rich Gantenbein die als woordvoerder van de familie Toovey optrad, zei tegen Chris Smith van de Press Democrat dat de familie blij was dat ze uiteindelijk naar huis kon. Volgens hem was Tooveys weduwe 'blij dat de heerschappij van de terreur voorbij was'.

De dominee zweeg even en voegde er vervolgens aan toe: 'Goddank kunnen we nu de kogels uit onze wapens halen.'

19

Op 19 april 1989, toen Amerika grotendeels in de ban was van het proces tegen kolonel Oliver North, bracht de Press Democrat een vijfkoloms voorpaginaverhaal onder de kop I'M GUILTY, Ik ben schuldig.

De onderkop QUIET END TO BRUTAL SLAYINGS – Rustig einde aan wrede slachting – sloeg op een bericht over de begrafenissen in Petaluma met een foto van opa en mijn ooms bij de graven. Maar de opening van de voorpagina ging over mijn vaders arrestatie.

De busladingen journalisten die eerder in Los Mochis waren dan de Mexicaanse politie, hadden een grote hoeveelheid ruwe informatie verzameld waarvan een deel klopte en een deel niet. De meeste journalisten hadden de Mexicaanse versie van de arrestatie overgenomen, de zogenaamd 'toevallige' ontdekking van mijn vader tijdens een gewone wegversperring en er was wat variatie in de berichtgeving over de reactie van mijn grootmoeder Valentina Borjorquez Seja op de beschuldigingen tegen haar zoon.

Huilend – wat te zien is op een foto in de Press Democrat – vertelde ze over het telefoontje dat ze van haar zoon in Sonoma had gekregen. Toen hij ophing, dacht ze dat ze zijn stem nooit meer zou horen. Hij had iets huiveringwekkends gezegd, ofwel Ik ga mezelf van kant maken of Ze gaan me van kant maken, ze wist niet meer welk van de twee.

Toen mijn vader in Los Mochis aankwam, zei mijn grootmoeder dat ze hem probeerde over te halen zichzelf aan te geven. Als hij onschuldig was, zou hij niets te vrezen hebben. Hij geloofde in zijn gezin. Hij hield van ze en was trots op ze. Ik geloof niet dat Ramón het gedaan kan hebben.

De journalisten verspreidden zich door de stad, op zoek naar alle hoeken van het verhaal die ze maar konden vinden. Net zoals de bevolking van Sonoma County niet kon begrijpen waarom een gewone wijnarbeider zijn familie en een collega afslachtte, waren ook de inwoners van Los Mochis verbijsterd door het onverklaarbare misdrijf. Alsof de plaatselijke politie maar al te graag wilde vaststellen dat er in mijn vaders voorafgaande leven geen signalen waren geweest, hield ze een persconferentie om te verklaren dat hij daar nog nooit moeilijkheden met hen had gehad. Men liet zelfs documentatie zien van zijn vroegere werkgevers waarin stond wat een voorbeeldige arbeider hij was geweest.

Zijn vroegere vrienden en klasgenoten van school herinnerden zich hem als een rustige man en een vrij goede atleet. Sommigen opperden dat de drugs zijn ondergang in de hand hadden gewerkt. Mijn grootmoeders echtgenoot Bitasio Seja haalde herinneringen op aan het uitstapje dat mijn gezin in februari naar Los Mochis had gemaakt. 'Hij was een goeie jongen,' zei hij tegen Saludes. 'We hadden nooit problemen met hem. Ik kan maar niet begrijpen wat er is gebeurd. Zijn moeder staat duizend angsten uit.'

Voor Ramóns arrestatie namen de meeste mensen in de stad aan dat hij niet levend zou worden opgepakt. Als de Mexicaanse politie een verdachte van moord of pedofilie ging oppakken, zo merkte een van de buren op, had die de neiging eerst te schieten en dan pas de handboeien om te doen.

In Sonoma County werd Ramóns poging om zijn razernij aan mijn moeders zogenaamde verhouding met Tracey Toovey te wijten, begroet met hernieuwde woede bij Tooveys familie en vrienden. Die vonden dat er geen betere vader en trouwere man was geweest dan Tracey. Hij en zijn vrouw Catherine waren meer dan man en vrouw, ze waren ook elkaars beste vriend. En hij bracht zijn vrije tijd door met zijn kinderen, niet met het belazeren van zijn vrouw.

Die beschuldiging van mijn vader was nog een wrede trap na. Niet alleen had hij Toovey vermoord, hij probeerde zijn misdrijf ook nog te verklaren door de naam van de wijnmaker door het slijk te halen, plus die van mama. Dominee Gantenbein had de indruk dat mijn vader zijn eigen privéhel had geschapen en nu probeerde andere mensen erin mee te slepen. Als je probeert op die bizarre aantijgingen te reageren, laat je hem ons nog verder beïnvloeden. We moeten er gewoon een streep onder zetten en 'Basta' zeggen.

Dik tweeduizend kilometer naar het zuiden zaten Mike Brown en zijn ploeg in de Amerikaanse ambassade in Mexico City te wachten om te zien of hun werk bij de opsporing van Ramón vrucht zou afwerpen. Het leek wel voor het eerst sinds een week dat ze zich konden ontspannen, maar blij met de rust waren ze niet.

Toen de agenten Moya en Zorilla van de politie van Los Angeles in Sonoma arriveerden, bracht het bureau van de sheriff hen onder in een prettig hotel in Santa Rosa, maar veel tijd om ervan te genieten kregen ze niet. Het volgende etmaal waren ze bezig documenten voor de Mexicaanse autoriteiten voor te bereiden en honderden foto's te laten ontwikkelen. Ze werkten dinsdagnacht en een groot deel van de woensdagochtend aan één stuk door. Daarna moesten ze alles naar Mexico City brengen.

Het materiaal was te belangrijk om aan een fax of een koerier toe te vertrouwen, het moest persoonlijk worden overhandigd. Maar de rechercheurs konden niet zomaar iemand met een commercieel toestel sturen, hun strakke rooster mocht zich niets in de weg laten leggen door de beperkingen van een lijndienst. Ze wisten ook niet waarheen de reis hen zou voeren. Ramón was aangehouden in de staat Sinaloa, maar was naar Mexico City overgebracht. Het was onvoorspelbaar waar hij daarna naartoe zou worden gebracht en de Amerikaanse rechercheurs moesten mobiel blijven. Ze hoopten ook dat ze mijn vader mee terug konden brengen, een enorm veiligheidsrisico omdat hij zich door de media-aandacht over de hele wereld gehaat had gemaakt en bovendien hoopte Mike Brown hem onderweg te kunnen verhoren. Een lijntoestel beveiligen en Ramón verhoren was onmogelijk.

Dus belde hij Walt Smith, een jeugdvriend die toevallig de directeur van de verkeerstoren van de Sonoma County Airport was, om te vragen of hij iemand kende die hun zijn privéjet wilde lenen. 'Ik heb er een nodig die zes passagiers kan vervoeren,' zei Mike.

Smith belde een poosje later terug met een verrassend stukje nieuws: striptekenaar Charles Schulz, de geestelijke vader van Charlie Brown, woonde in het buurt en had ons direct het gebruik van zijn privéjet aangeboden. Schulz' zoon Craig, een gediplomeerd vlieger, had ook aangeboden het toestel met een bevriende copiloot te besturen.

Ondanks al die hulp moest de groep Ernstige Delicten zich met grote haast naar het vliegveld spoeden voor de vlucht naar Mexico City. Toen Mike Brown langs zijn huis ging om een tandenborstel en een stel schone kleren in te pakken, was Arlyn niet thuis, dus schreef hij een haastig briefje en legde dat op het aanrecht. 'Ben naar Mexico, weet niet wanneer ik terugkom.'

Op het vliegveld trof Mike de ploeg rechercheurs die met hem mee zouden vliegen: Dave Edmonds, 'case agent' en rechercheur van de plaats delict op Grand Cru; Larry Doherty, die ook vertrouwd was met de moord op Toovey; Dave Sederholm, die zowel de plaatsen delict van de beschieting van Butti als op Baines Avenue had aangepakt; Frank Trejo die Spaans sprak en Arturo Zorilla van de politie van LA, die zou helpen bij de onderhandelingen met de Mexicaanse justitie. Toen ze even na 13.00 uur uit Sonoma County vertrokken, was de begrafenis in Petaluma nog in volle gang.

Onderweg bespraken Mike Brown en zijn team de strategie van aanpak. Ze mochten niet vergeten dat ze in Mexico geen jurisdictie hadden; in wezen waren ze er te gast, met de hoed in de hand. Als ze erin zouden slagen mijn vader mee terug te nemen, zou Dave Edmonds Ramón verhoren. Die had de minste ervaring met verhoren, maar als case agent zou hij verantwoordelijk zijn voor de assistentie van de officier van justitie, hij moest de zaak van binnen en van buiten kennen. En het was belangrijk dat mijn vader maar door één rechercheur zou worden verhoord, zodat zijn verdediger later niet kon aanvoeren dat zijn cliënt was overweldigd. Maar Edmonds wist dat zijn collega-rechercheurs er de hele tijd bij zouden zijn om hem te helpen. 'Wie vragen heeft, schrijft ze op en geeft ze aan Dave,' zei Mike.

Het team arriveerde omstreeks 21.00 uur plaatselijke tijd in Mexico City en propte zich in een taxi voor de rit naar de Amerikaanse ambassade. Zelfs de taxirit was een avontuur, op elke straathoek stonden politieagenten of soldaten, dat konden ze niet onderscheiden, met automatische wapens die slechts met geringe belangstelling toekeken wanneer er gevechten om hen heen uitbraken.

De rechercheurs was verteld dat iemand hen op de ambassade zou opwachten, maar nadat ze ruim een halfuur voor de ambassade hadden gewacht, besloten ze naar hun hotel te gaan, dat gelukkig daarnaast stond. Ze waren uitgeput, geen van hen had sinds 14 april meer dan een paar uur per keer geslapen. En ze rammelden van de honger. Ze hadden geen tijd gehad voor ontbijt, lunch noch avondmaaltijd, en het enige eetbare aan boord van Schulz' privéjet was, je raadt het al, een blikje pinda's.* Nadat ze hun kamer hadden betrokken, hergroepeerden de rechercheurs in het restaurant om biefstuk te bestellen; die werden grauw en onaantrekkelijk opgediend, maar de rechercheurs schrokten alles weg voordat ze zich terugtrokken voor de nacht.

De volgende morgen keerden ze terug naar de ambassade, waar ze moesten wachten en de plaatselijke berichtgeving over 'de Jakhals' konden doornemen, die op de voorpagina's stond afgebeeld, poserend met de Mexicaanse autoriteiten.

De rechercheurs keken ervan op dat mijn vader zo bereidwillig een bekentenis had afgelegd tegenover de Mexicaanse politie. Maar ze waren pas echt onthutst toen Trejo en Zorilla zijn 'bekentenissen' vertaalden. Zij wisten niet of er iets waar was van de bewuste verhouding tussen Toovey en Angela; tot dan toe hadden ze er geen aanwijzing voor gevonden. Maar veel van wat hij had verteld botste met de feiten.

Ze wisten bijvoorbeeld dat Ramón een .22mm-pistool had gebruikt en geen 9mm. En hij had Tracey Troovey in het gezicht geschoten en niet in de borst, een bijzonderheid die je moeilijk kunt vergeten als je slachtoffer nog geen meter bij je vandaan staat. Hij had ook beweerd dat hij mijn oma en mijn tantes had neergeschoten, terwijl de rechercheurs wisten dat hij ze had neergeknuppeld en afgeslacht, waarschijnlijk met een mes. En dat hij mijn zusjes (en mij bijna) op de vuilnisbelt van Petaluma

* De strip Charlie Brown heet in het Engels *Peanuts*, Pinda's, vert.

145

had vermoord, en niet veertig minuten verder naar het zuiden in San Rafael.

Wie kon vertellen waarom hij loog? Probeerde hij zijn laffe daden op de een of andere manier 'mannelijker' te maken? Klonk een 9mm-pistool mannelijker dan een klein .22? Als hij bekende vrouwen en kinderen te hebben vermoord, dacht hij dan dat het beter klonk om te zeggen dat hij ze had doodge-schoten in plaats van achternagezeten door het huis om hun de keel af te snijden met een mes? Dacht hij soms dat de moord-partij logischer was als hij beweerde dat ze een crime passionel waren met als directe aanleiding de 'ontrouw' van zijn vrouw? Dacht hij nu echt dat hij het slachtoffer kon uithangen? Het was duidelijk dat hij bereid was te liegen, zelfs bij een bekentenis. Maar voor de rechercheurs van Sonoma en de politie van LA waren de bijzonderheden van zijn kreupele Mexicaanse beken-tenis minder belangrijk. Ze waren van plan het verhaal recht-streeks uit de mond van Ramón te horen.

Na een paar uur kregen de rechercheurs uiteindelijk opdracht zich op het bureau van de procureur-generaal te vervoegen, waar zij hun vertaalde onderzoeksrapporten en samenvattingen presenteerden, en ook de foto's. Nadat het materiaal in ont-vangst was genomen, werden ze zonder pardon naar de Ameri-kaanse ambassade teruggestuurd, zonder dat de Mexicaanse autoriteiten hun één vraag hadden gesteld.

Na weer een paar uur wachten, kregen ze bericht dat ze naar het vliegveld moesten om zich op hun vertrek uit het land voor te bereiden. Er werd niets gezegd over eventuele voortzetting van hun betrokkenheid bij de zaak, of wat er met mijn vader zou ge-beuren. Het was een enorme domper, ze moesten met lege han-den terug naar de Verenigde Staten, zonder de vluchteling die ze waren komen halen, maar de rechercheurs deden wat hun was gezegd en reden naar het vliegveld, waar ze werden benaderd door een Amerikaan die een praatje aanknoopte. De man had duidelijk geen idee wie hij voor zich had, want hij stelde zich voor als agent van de FBI en begon op te scheppen over zijn rol in de arrestatie van de Jakhals. De rechercheurs uit Sonoma wisten dat wat hij beweerde niet waar was; hij streek de eer op voor werk van de groep Ernstige Delicten en wie hen in feite hadden geholpen, van de rechercheurs van de politie van LA en het ministerie van Justitie tot en met de DEA. Ze verontschuldigden zich en keerden hem halverwege een wapenfeit de rug toe.

Terug in de wachtkamer voegde zich een jonge, goed geklede Mexicaanse vrouw bij de groep. Ze hadden geen idee wie zij was en ze nam niet de moeite zich voor te stellen. 'U vertrekt over tien minuten,' zei ze. 'Alle binnenkomend en vertrekkend luchtverkeer is onderbroken tot na uw vertrek.'

De rechercheurs knikten, de teleurstelling was van hun gezicht te lezen. Ze hadden alles gedaan om mijn vader mee terug te nemen, maar het leek allemaal vergeefse moeite te zijn geweest. Totdat ze zei: 'Ramón Salcido gaat met u mee.'

Later bleek, dat toen Mike Brown en zijn ploeg de zaak tegen mijn vader voorbereidden, er achter de schermen een internationale campagne werd gevoerd om hem terug naar de Verenigde Staten te krijgen.

Vanaf het moment van mijn vaders arrestatie had de Mexicaanse regering onder druk gestaan om hem aan de Amerikaanse justitie uit te leveren. Bij het ministerie van Buitenlandse Zaken was een uitleveringsverzoek ingediend en dat had het doorgegeven aan de Mexicanen. Maar Buitenlandse Zaken was niet het enige ministerie dat ermee te maken had. De Commissie Buitenlandse Zaken van het Huis van Afgevaardigden die veel politieke en financiële invloed had in het buitenland, stemde ervoor om de Mexicaanse regering op te roepen met spoed mee te werken aan een uitleveringsprocedure. President George H. W. Bush had zelfs zijn Mexicaanse ambtsgenoot Carlos Salinas gebeld met een interventieverzoek.

In werkelijkheid wilde de Mexicaanse regering maar al te graag meewerken. Iedereen erkende dat mijn vaders daden te verschrikkelijk voor woorden waren. Maar de Mexicaanse autoriteiten zaten verlegen om een voorwendsel om hem te laten gaan, een of andere verzachtende omstandigheid die ze als bewijs konden hanteren dat ze geen knieval maakten voor de eisen van de Amerikanen, of dat ze zomaar een Mexicaans staatsburger uitleverden aan een land met de doodstraf.

Uiteindelijk leverde mijn vader de Mexicaanse autoriteiten zelf het excuus dat ze zochten. Bij zijn arrestatie verklaarde hij met nadruk dat hij een Amerikaans staatsburger was. Het enige dat de president hoefde te doen was hem tot illegale immigrant te laten uitroepen en zijn deportatie te gelasten. In werkelijkheid was hij geen Amerikaans staatsburger, maar dat wist de Mexicaanse regering niet.

Kort daarop gaf mijn vader zijn laatste optreden op Mexicaanse grond tegenover een menigte van meer dan tachtig verslaggevers en cameralui. Hij droeg een zo te zien nieuw, donkerblauw trainingspak en glimlachte toen de journalisten hem met vragen bestookten. Eerst probeerde hij nog te reageren, maar hij gaf het op toen niemand belangstelling voor de antwoorden leek te hebben.

Een paar minuten later werd mijn vader onder escorte van de Mexicaanse autoriteiten, onder wie de directeur van de luchthaven die hem bij de elleboog hield alsof hij zijn persoonlijke gedetineerde was, over het asfalt naar het vliegtuig gebracht. Bij de Mexicanen liep ook de FBI-agent die in de cafetaria had opgeschept tegen de rechercheurs uit Sonoma. Die zette grote ogen op toen hij Brown en Edmonds zag. Hij probeerde zich groot te houden door naar de badges op hun riem te wijzen.

'Die kun je maar beter afdoen,' stelde hij voor, blijkbaar om politieke redenen.

Mike Brown haalde zijn schouders op. 'Misschien dat jij je voor je werkgever schaamt, maar wij niet. Die badges blijven zitten.'

Mijn vader werd aan de groep van Sonoma County overgedragen, die er geen gras over liet groeien en hem spoorslags naar het toestel bracht. De Amerikanen wisten dat ze niet het recht hadden hem op Mexicaanse grondgebied te arresteren en ze wilden de advocaten van de verdediging geen grond geven om aan te voeren dat ze hem onfatsoenlijk de grens over hadden gesleept, dus kozen ze er met opzet voor hem niet te boeien tot ze terug waren in de Verenigde Staten; als hij had besloten zich te verzetten tegen de uitlevering, had hij in feite op elk moment tijdens de overdracht rechtsomkeert kunnen maken en in zijn geboorteland kunnen blijven. Niet dat ze bang waren dat hij hen zou verrassen. Hij is net een worm, dacht Mike Brown, een smeerlap en een lafbek.

Maar op zijn bevel behandelden de rechercheurs hem voorkomend. De brigadier had zijn mannen voorgehouden dat ze hun persoonlijke gevoelens jegens de gevangene terzijde moesten zetten. 'Hij weet dat hij de meest gehate man ter wereld is en dat wij de enige vrienden zijn die hij op dat vliegtuig zal hebben,' zei hij. 'Anders praat hij niet. Als we hem slecht behandelen of het gevoel geven dat we op hem neerkijken, klapt hij dicht.'

Het toestel had zes passagiersstoelen, drie aan weerskanten van het gangpad. Maar met mijn vader erbij waren het er zeven, dus gaven ze hem 'de beste stoel van het vliegtuig', achterin naast Edmonds; de vier andere rechercheurs namen de andere stoelen in beslag, terwijl de laatste in de bagageruimte achter in het toestel moest. Vanaf het moment dat ze aan boord gingen, sprak niemand een woord met de gevangene. En dat zou zo blijven totdat ze in Amerikaans luchtruim waren.

Bij een tussenlanding in de Mexicaanse stad Hermasillo om brandstof in te slaan en de Amerikaanse douane te waarschuwen dat ze de grens over gingen, belde Mike zijn meerdere, inspecteur Ballinger om te melden wanneer ze verwachtten te landen. Ballinger vertelde dat een grote Amerikaanse tv-maatschappij een vliegtuig had gecharterd om het hunne te volgen op weg naar het noorden. En ja hoor, toen Mike naar het asfalt keek, zag hij een cameraploeg bij hun toestel. Dat zat Mike niet lekker; hij maakte zich nog steeds zorgen dat de een of andere burgerwacht zijn kans afwachtte om zijn gevangene te vermoorden en zo ja, dan zou de tv-ploeg de potentiële dader een goed idee geven wanneer hij waar moest zijn.

Een Amerikaanse douanebeambte die vlakbij stond, moest de blik op Mikes gezicht hebben gezien en vroeg of er een probleem was. Toen Mike het uitlegde, glimlachte de beambte dat er misschien problemen waren met de documenten van het andere toestel. 'Hoe lang hebt u nodig?'

Brown glimlachte. 'Wat dacht u van vierentwintig uur?'

'Voor de bakker,' antwoordde de man en hij verwijderde zich.

Toen ze weer waren opgestegen, waren de rechercheurs en hun gevangene weldra onderweg naar Californië. Eerst was de piloot van plan rechtstreeks van Mexico Ciry naar Sonoma County te vliegen, over New Mexico en Arizona. Maar een vluchtplan via die staten zonder dat aan de bewuste justitie te melden, kon advocaten brandstof geven om aan te voeren dat mijn vader zijn recht om de uitlevering vanuit die staten aan te vechten was ontzegd, dus vroeg Mike om rechtsomkeert te maken en rechtstreeks naar Californië te vliegen, waar ze in Sam Diego konden landen en door de douane gaan. 'Laat maar weten wanneer je tachtig kilometer diep in Californisch luchtruim bent,' zei hij tegen de piloot. 'Dan vraag ik langzaam te vliegen en alle tijd te nemen om in San Diego te komen.'

Terwijl ze wachtten tot ze de grens over waren, zat mijn vader uit het raampje te kijken. Op een zeker ogenblik besloot Mike een foto van zijn gevangene te nemen, 'genietend' van het uitzicht, als bewijs dat hij niet vastgebonden of geboeid was en het niet ongemakkelijk had gehad tijdens de vlucht naar huis. Papa ging maar al te graag akkoord en informeerde zelfs naar Browns filmsnelheid.

'Vierhonderd A S A,' antwoordde de rechercheur.

'Meer dan genoeg licht,' knikte mijn vader en glimlachte voor de foto.

Algauw kreeg Mike bericht dat ze tachtig kilometer binnen de staatsgrenzen van Californië vlogen. Hij gaf Dave Edmonds een teken om te beginnen, wat hij deed door Ramón te zeggen dat hij in hechtenis was genomen wegens moord en poging tot moord. 'Heb je dat begrepen?'

'Geen probleem,' antwoordde mijn vader. 'Ja, ik begrijp het.' Hij zei dat hij ook zijn Miranda-rechten* begreep en ervan afzag.

'Het eerste wat ik duidelijk wil hebben is dit: hebben wij je sinds je in ons gezelschap bent geslagen of anderszins slecht behandeld?' vroeg Edmonds.

'Helemaal niet. Geen probleem.'

'Heb je het gevoel dat wij iets hebben gedaan om je te dwingen je iets te laten doen wat je niet wilt?'

'Helemaal niet. Alles is in orde.'

Edmonds ging van start met een vraag naar iets wat mijn va-

---

* In dit geval het recht om te zwijgen en het recht op de aanwezigheid van een verdediger, vert.

der eerder tegen hem had gezegd, dat hij van plan was geweest zichzelf aan de te geven. 'Waarom ging je jezelf aangeven?'

'Omdat ik al wist dat ik de misdaad zou begaan in jullie land en dat een deel van hen mijn familie was... en daar zou ik me schuldig over voelen.'

Vervolgens stelde Edmonds een sleutelvraag: waarom had hij mijn moeder vermoord? Volgens de Mexicaanse justitie had hij de moord toegeschreven aan zijn woede toen hij hoorde dat ze een verhouding met Tracey Toovey had. Maar nu veranderde hij zijn verhaal. In vlak, gebroken Engels vertelde hij rechercheur Edmonds dat hij haar had vermoord omdat hij had gehoord dat Sofia zijn kind niet was.

'Ze vertelde me niet wat mijn eigen dochter was,' zei hij. 'Ze trouwde met me omdat ze zwanger was en toen we later getrouwd waren vertelde ze dat het kindje niet van mij was.'

Maar dat was niet het laatste excuus dat mijn vader zou ophangen. Een paar vragen later veranderde hij zijn verhaal opnieuw. Nu zei hij dat hij Angela had vermoord omdat ze hem een keer alleen thuis had gelaten met de kinderen na een avondje drinken en coke snuiven. 'Zij zegt, ik ga naar buiten, weet je wel, op zoek naar je weet wel, naar iemand of zo, ik weet het niet. Daarna zeg ik al die dingen tegen mezelf, weet je wel, dus oké, mijn vrouw laat mij zitten met drie kinderen en toen zei ik wat ik moest doen.'

Mijn vader bekende rap dat hij mij en mijn zusjes op de vuilnisbelt van Petaluma de keel had 'afgesneden' en daarna naar Cotati was gegaan om zijn schoonmoeder en twee jonge schoonzusjes te vermoorden. Daarna was hij naar zijn zeggen naar huis in Boyes Hot Springs teruggegaan om Angela en zichzelf van het leven te beroven. Nadat hij mijn moeder had vermoord, besloot hij Toovey om te brengen, omdat de assistent-wijnmaker had gedreigd hem te ontslaan, plus nog 'een andere man' wiens naam

Ken Butti hem was ontschoten tot Edmonds hem eraan herinnerde.

Dat eerste verhoor moest snel gaan en rechercheur Edmonds had het in een halfuur volbracht. Het enige dat Mike Brown nu nog verlangde was een onomwonden bekentenis van alle zeven moorden en de pogingen tot moord op Ken Butti, zijn vrouw en mij. Ze wisten dat mijn vader in San Diego misschien een advocaat wachtte, die klaarstond om hem voor verdere vragen te vrijwaren. De luttele minuten voor San Diego konden wel eens hun enige kans op een bruikbare bekentenis zijn.

Maar zelfs zonder bekentenis was er meer dan voldoende bewijs om mijn vader met de moorden in verband te brengen. Twee slachtoffers hadden het overleefd en ik had tegen de bewuste politieman gezegd: 'Papa heeft me gesneden'. Mijn vaders bloed was in het huis in Cotati aangetroffen en op de lijken van mijn oma en tantes, al zagen de rechercheurs nu wel dat mijn grootmoeder mijn vader maar een kleine snee in zijn vinger had kunnen toebrengen. Bovendien waren mijn vaders bloederige handafdrukken zowel in het huis in Cotati als aan Baines Avenue gevonden, waaronder de afdrukken op de billen van mijn tante Ruth.

Zoals gehoopt, bekende mijn vader alle moorden vlot en de pogingen tot moord op mij en Ken Butti. De bekentenis kwam net op tijd: van de verkeerstoren van San Diego hadden ze toestemming om met voorrang te landen omdat ze een moordenaar aan boord hadden, maar nu moesten ze dat dan ook direct doen.

Toen Mike Brown naar buiten keek, zag hij dat hun aankomst geen geheim was. Niet alleen het arrestatieteam van de politie van San Diego, maar ook agenten van het Amerikaanse *Bureau of Alcohol, Tobacco and Firearms* waren aanwezig om het hele nieuwe contingent journalisten, camera's en eventuele moordenaars op afstand te houden. Mike gaf opdracht de gordijntjes van het toestel dicht te doen, hij wilde zo min mogelijk spektakel.

Toen ze tot stilstand kwamen, kreeg Mike Brown via de verkeerstoren de boodschap van Ballinger om direct het kantoor van de sheriff te bellen. Maar terwijl de menigte zich op het vliegveld verzamelde, antwoordde Brown dat hij niet direct bij een telefoon kon komen.

Ze stonden nog geen vijf minuten op de landingsbaan toen er op de deur van de cabine werd geklopt. Mike Brown dacht dit de gevreesde advocaat was, maar het bleek weer een douanebeambte.

'Hebt u iets aan te geven?' vroeg hij terwijl hij zijn hoofd naar binnen stak.

'Nee,' antwoordde Mike.

De agent knikte. 'Dat dacht ik al. U kunt weer opstijgen.' Hij deed de deur dicht en vijf minuten later koos het toestel weer het luchtruim.

Toen ze weer in de lucht waren, vroeg Brown de piloot alle tijd te nemen om in Santa Rosa te komen. Ze hadden mijn vaders bekentenis. Nu wilden ze de bijzonderheden.

20

'Kunnen we beginnen bij het moment waarop je de moorden voor het eerst overwoog?'

Zodra ze in de lucht waren, had Edmonds mijn vader opnieuw op zijn rechten gewezen. Opnieuw zag hij af van zijn recht om te zwijgen of op de aanwezigheid van een raadsman, en bevestigde hij dat hij niet lichamelijk of geestelijk onder druk was gezet. Toen werd het verhoor hervat.

Mijn vader had er geen enkele moeite mee. Hij leek zich zelfs te koesteren in alle aandacht en gaf op alle vragen beleefd en beheerst antwoord, alsof hij een kandidaat voor het schoolbestuur was. 'Ik kan me niet precies herinneren wanneer... de politie naar mijn werk kwam om te zeggen dat ik in Fresno County een zaak voor alimentatie aan mijn broek had,' zei hij. 'En daarna hadden mijn vrouw en ik daar thuis ruzie over omdat ik eerder met Debbie Ann getrouwd was. En ik heb één kind bij haar.'

'Dus dat gaf je het gevoel dat je iemand wilde vermoorden?'

'Ja, dat gevoel,' zei Ramón. Daarna bedacht hij zich. 'Ik wilde helemaal niemand vermoorden. Ik wilde gewoon een paar biertjes drinken, weet je wel en alles vergeten. Maar mijn vrouw gaf me dat gevoel toen ze me thuis liet zitten met de kinderen en ervandoor ging... Toen kreeg ik het gevoel dat ik haar wilde vermoorden.'

Mijn vader zei dat hij mij en mijn zusjes naar de auto bracht en met ons rondreed door Sonoma, op zoek naar mijn moeder terwijl hij aan een fles champagne lurkte en cocaïne snoof. Dat hield hij ongeveer een uur vergeefs vol, zei hij.

'Was je boos omdat je je vrouw niet kon vinden?'

'Ja.'

'Besloot je daarom je drie kinderen te vermoorden?'

'En mezelf, ja.'

Edmonds vroeg waarom hij de belt in Petaluma uitkoos.

'Omdat niemand me... Niemand kon me daar zien weet je wel.'

Mijn vader beschreef vervolgens hoe hij Sofia en Teresa een voor een uit de auto had gehaald, hun de keel had afgesneden en ze in het ravijn had geworpen. 'Ik lopen terug en trek mijn derde kind Carmina tevoorschijn en deed hetzelfde. Ik pak gewoon mijn mes, snij haar en gooi haar daar neer.'

Hij beweerde dat hij en mijn moeder al eerder hadden besproken een eind aan hun leven te maken. 'Ze had een paar keer gezegd, weet je, waarom maken we onszelf niet gewoon van kant, dan hoeven we niet op deze wereld te wonen. Iedereen is op ons geld uit en we hebben niet veel... Ze vroeg het een paar keer en we waren boos en maakten ruzie.'

'Maar je hebt jezelf niet van het leven beroofd.'

'Ik deed het niet omdat ik het, eh... wilde,' zei hij cryptisch. Hij zei dat hij had bedacht dat mijn moeder waarschijnlijk naar zijn schoonouders was, dus ging hij daarheen om haar te vermoorden en ook oma, Ruth en Maria.

'Wilde je je schoonvader ook vermoorden?'

'Nee, meneer.'

'Waarom niet?'

Omdat hij niet boos was op mijn grootvader, legde hij uit. Hij was alleen boos op zijn schoonmoeder en schoonzusjes, die hadden geweten van Sofia's echte vader en het voor hem geheim hadden gehouden. Daar wist opa niets van, zei hij. 'Ze zijn bang voor hem,' zei hij. 'Mijn schoonmoeder was bang om het hem te vertellen omdat ze dacht dat hij dan woedend zou worden... Als hij wist dat die ene dochter niet van mij was.'

Vervolgens verbeterde hij zichzelf alsof hij besefte dat het bespottelijk was om mijn jeugdige tantes te verwijten dat ze iets voor hem verzwegen zouden hebben. Nu beweerde hij dat hij alleen van plan was mijn oma te vermoorden, maar niet mijn tantes.

Tegen de tijd dat hij bij het huis van mijn grootouders was, vervolgde hij, werd het buiten licht. Hij zette de auto een straat verder neer, zag opa vertrekken en daarna reed hij naar het huis. Hij stapte uit, haalde een bandenlichter uit de kofferbak en liep naar de voordeur. 'Ik klop aan en ik... Ik was nog altijd bang en nerveus weet je wel.' Toen mijn oma opendeed, zei hij dat hij een schroevendraaier nodig had om zijn auto te repareren.

'Toen zei ze: "Ik heb er een in de garage". Dus toen ze voor me uit de garage in liep, gaf ik haar een klap op haar hoofd.'

'Dacht je dat je haar had gedood?' vroeg Edmonds.

'Ik dacht dat het...' begon Ramón uit te leggen, maar toen begon hij opnieuw. 'Ik zei tegen mezelf, ik ga een mes halen weet je wel, om zeker te weten dat ze dood was.'

Papa liep de keuken in toen Ruth verscheen. 'Ze zag me en toen dacht ik dat ze iets had gehoord... dus zei ik: "Ik heb een mes nodig".'

Eerst gaf mijn twaalfjarige tante geen antwoord. Ze vroeg waar haar moeder was. 'Ik dacht dat ze haar moeder dood zou zien of zo, dus voordat ze dat zou zien, zei ik: "Kom eens hier, dan kun je me laten zien waar ik een mes kan vinden."'

Ruth gehoorzaamde, maar mijn vader had al een groot slagersmes gevonden. Toen ze de keuken inging en hem haar rug toe keerde om te laten zien waar de messen werden bewaard, greep hij haar bij haar haar, trok haar hoofd naar achteren 'en ik sneed gewoon haar keel af.'

'Had ze nog een kans om te gillen?'

'Nee. Helemaal niet.'

'Wat deed ze dan?'

'Ze viel gewoon op de grond.'

Ramón zei dat hij haar billen kon zien toen ze viel en dat ze geen slipje droeg. De rechercheurs wisten wel beter, maar voorlopig liet Edmonds het passeren.

Toen papa de keuken uit liep, zag hij Maria in de donkere gang staan. 'Ik ga voor haar staan. Ik zeg niets. Ik draai haar gewoon om en snij haar keel door.'

'Zei ze nog iets?'

'Nee, meneer.'

'Heb je haar lichaam nog aangeraakt toen ze viel?'

'Nee, meneer. Ik... Ik... Ik heb haar gewoon weggesleept.'

Maria droeg geen ondergoed, zei hij. 'Zag je haar zonder onderbroek?' vroeg Edmonds.

'Ja, zonder onderbroek,' beaamde hij.

Weer liet Edmonds het passeren. Ze wilden eerst de moorden bekend hebben, daarna de aanranding uit hem peuteren.

Toen hij wilde vertrekken, zei papa, wankelde oma het huis weer in. 'Ik dacht dat ze dood in de garage lag.' Ze hadden een handgemeen en hij sloeg haar voorover op de grond. Daarna reikte hij omlaag, trok haar hoofd aan haar haren omhoog en sneed haar ook de keel af.

Toen alle bewoners van het huis dood of stervende waren, ging Ramón op zoek naar de wapens die opa in huis had. 'Ik maakte een kast open en daar lagen allerlei wapens.' Hij nam een halfautomatisch .22mm-pistool en een paar dozen munitie mee.

'Waarom pakte je dat pistool?' vroeg Edmonds.

'Ik pak dat pistool omdat ik mijn vrouw wilde doden en daarna mezelf.' Daarna reed hij weg.

Toen hij bij ons huis aankwam, zei mijn vader: 'Ik loop mijn huis in. Ik wilde mijn vrouw vertellen dat ik mijn dochters al had doodgemaakt en eh... mijn schoonmoeder en haar zusjes en dan konden we onszelf van kant maken.' Maar toen mama hem zag, holde ze naar de telefoon. 'Ze probeerde de politie te bellen, dus schoot ik haar door het hoofd.'

Eerst ontkende mijn vader dat hij mama met het pistool had geslagen. Maar later in het gesprek bekende hij dat het pistool blokkeerde nadat hij haar één keer had beschoten, dus sloeg hij haar ermee. Vervolgens deed hij er een ander magazijn in, waardoor hij nog een keer op haar kon schieten. Toen ze op de grond was gevallen, schoot hij voor het laatst.

Mijn vader vertelde dat hij besloot om ook Toovey en Butti te vermoorden, nadat hij zich moed had ingedronken met champagne en cocaïne had gesnoven. Hij wist dat Toovey eerst naar zijn werk zou gaan, dus wachtte hij tot de wijnmaker door de poort van Grand Cru naar binnen reed. Hij flitste met zijn lichten om hem te laten stoppen. Daarna stapte hij uit. 'Ik zei: "Ik ga je doodmaken". Hij vroeg: "Wat heb ik je gedaan?" Ik zei: 'Omdat je een paar keer hebt geprobeerd mij te ontslaan" en ik schiet hem neer.'

'Weet je nog hoe vaak je Tracey Toovey hebt beschoten?'

'Precies? Nee. Ik schiet gewoon... Ik denk drie of vier keer.'

Ramón vertelde dat hij vervolgens snel naar Kunde Estate reed om Ken Butti neer te schieten. 'Hij zegt: "O, wat doe jij hier zo vroeg?" en ik zeg: "Ik ga je doodschieten" en dus schiet ik één keer. Ik was bang, dus nam ik nog een slok champagne en ging ervandoor.'

Na Butti te hebben neergeschoten, ging mijn vader naar het huis op Baines Avenue. 'Ik wilde mezelf van kant maken bij mijn vrouw.' Maar eerst belde hij zijn moeder. 'Ik zei: "Mama, ik moet afscheid nemen. Ik ga mezelf van kant maken. Ik heb mijn vrouw en haar zusjes en mijn schoonmoeder al vermoord en nog een paar mensen."'

Hij vertelde zijn moeder dat hij een pistool had en klaar was om zichzelf van het leven te beroven. Maar toen begon ze te huilen en smeekte ze hem naar Mexico te komen om haar en zijn zus op te zoeken. Daarna kon hij zichzelf aangeven, of zelfmoord plegen als hij dat wilde.

Mijn vader vertelde Edmonds dat hij vervolgens naar San Rafael ging. Vandaar ging hij naar San Francisco en vervolgens naar Calexico. 'Ik ben de grens over gelopen,' vertelde hij. 'Niemand vroeg me iets. De grenspatrouille zag me lopen, maar ze vroegen me niets.'

Met mijn vaders gedetailleerde bekentenissen van de moorden op zak, keerde Edmonds weer terug naar de aanval op mijn tantes. 'We hebben vingerafdrukken op Ruth en Maria aangetroffen, bloederige vingerafdrukken en die zijn volgens ons van jou.'

'Ja,' antwoordde mijn vader.

'Zijn die ook van jou?'

'Eh, ik denk het wel, ja.'

'Waarom zaten je bloederige vingerafdrukken op de benen van de meisjes?'

'Ik denk dat ik ze daaraan heb versleept of zo.'

'Oké. Haar benen waren wijd open gelegd. Heb jij dat gedaan?'

'Nee, meneer.'

'Hoe zijn haar benen dan zo wijd gekomen?'

'Ik heb ze opgetild, dat heb ik gedaan. Ik heb niets anders gedaan.'

Edmonds gaf niet op. 'Mij lijkt het alsof je hebt geprobeerd de meisjes aan te randen, en ik weet dat dit moeilijk is, maar het is belangrijk dat je de waarheid vertelt.'

Maar mijn vader gaf niet toe. 'Ik heb je al precies alles verteld wat waar is en ik heb helemaal niet geprobeerd ze aan te randen.'

'Heb je bij een van de meisje haar broekje uitgetrokken?'

Mijn vader aarzelde en mompelde iets. Daarna zei hij dat hij dacht dat hij het broekje van een van de meisjes had gebruikt om het bloeden van zijn vinger te stelpen.

'Welk meisje? Allebei?'

'Eh, ik denk het wel, maar ik weet het niet meer. Er zat bloed aan mijn vinger en ik zag niets waarmee ik dat kon schoonmaken...' Hij zweeg.

'Zag je dat ze een schone onderbroek aanhadden?'

'Ja,' antwoordde hij. Eerder had hij natuurlijk gezegd dat de meisjes geen ondergoed droegen, hij raakte de draad van zijn verhaal kwijt. Het was duidelijk dat mijn vader nerveus was en de rechercheur besefte dat hij zo kon dichtklappen, maar hij hield toch vol.

'Oké, Ramón. Ik besef dat dit moeilijk is, maar we hebben bloederige handafdrukken op de billen van Ruth gevonden.'

'Ja.'

'Waarom zaten er bloederige handafdrukken op haar bips?'

'Ik... weet het niet meer, meneer. Ik heb niets met haar gedaan. Ik wil u graag helpen, maar ik... Ik herinner het me niet meer. Ik weet niets van afdrukken waarvan ik kan zeggen dat ze van mij waren.'

Nu had mijn vader er genoeg van. 'Ik wil hier geen vragen meer over. Ik wilde haar vermoorden en ik... ik... Daarna heb ik mijn vrouw vermoord.'

Dat was best; de rechercheurs hadden wat ze van mijn vader verlangden. 'Oké,' vroeg Edmonds, 'wat vind je dat er nu moet gebeuren?'

'Ik denk, eh... dat ik de elektrische stoel krijg of... Iemand gaat me vermoorden. Ik bedoel ik moet boeten voor wat ik uw land heb aangedaan...'

'Voel je je schuldig?'

'Ik voel me schuldig en ik ben bereid alles te aanvaarden wat jullie met me doen, wat dit land met me doet. Ik heb geen zin om te proberen onschuldig te doen als ik weet dat ik schuldig ben.'

'Is er nog iets wat je me nu wilt vertellen?'

Ja, zei hij. Het waren de drugs en de drugsdealers die verantwoordelijk waren voor de slachting. 'Eh, wat ik wil zeggen is dat ik ik... Ik wil dat de lui die in Sonoma drugs verkopen gearresteerd worden, of er gebeurt weer zoiets met anderen als wat ik heb gedaan.'

Terwijl het vliegtuig Sonoma County naderde, bleek er weer een horde journalisten te wachten. En er was nog meer: voor de gevangenis had zich een woedende menigte verzameld.

Nog meer dan in San Diego was de groep Ernstige Delicten bezorgd dat iemand zou proberen mijn vader te vermoorden. Dus zeiden ze tegen de piloot dat hij naar de hangar van de helikopter van het bureau van de sheriff moest taxiën. Terwijl de politie de menigte op een afstand van veertig meter hield, stapte Dave Edmonds voor iedereen zichtbaar uit het vliegtuig om 'de gevangene over te nemen' van Mike Brown. Terwijl de camera's draaiden, daalde mijn vader van het trapje, deze keer met zijn handen geboeid voor zich.

Vervolgens werd hij in een wit busje geladen, dat achter de hangar verdween. Uit het zicht van de menigte werd mijn vader haastig uit het busje overgeplaatst naar de achterbank van de eerste patrouillewagen, waar hij te horen kreeg dat hij moest gaan liggen. Daarna verscheen het konvooi weer in beeld en ging het naar de gevangenis.

Zoals ze al waren gewaarschuwd, had zich voor de gevangenispoort een menigte van zo'n tweehonderd man verzameld. Toen het konvooi naderbij kwam, riepen velen: 'Maak hem dood! Maak hem dood!' Anderen zwaaiden met borden waarop stond SALCIDO VERDIENT HET NIET TE LEVEN en JA TEGEN DE DOODSTRAF.

De menigte concentreerde zich op het witte busje, zodat de patrouillewagen met mijn vader ongemoeid kon doorrijden. Niemand probeerde het busje te overvallen.

Binnen werd mijn vader naar de arrestantenkamer gebracht, waar hij werd uitgekleed. Elke centimeter van zijn gezicht en lichaam werd gefotografeerd, deels om eventuele verwondingen opgelopen tijdens de moordpartij vast te leggen, maar ook zodat de officier van justitie voor de rechter kon bewijzen dat mijn vader niet was mishandeld, noch door de Mexicaanse politie, noch door het team uit Sonoma, voor het geval de verdediging zou beweren dat de bekentenis was afgedwongen.

Het waren slimme maatregelen. Een plaatselijke advocaat, Marteen Miller, probeerde zich al op te werpen als mijn vaders verdediger. Met zijn achterovergekamde zilvergrijze haar, eeuwig gebronsde huid en cowboylaarzen van slangenhuid leek Miller wel weggelopen uit een advocatenserie op de tv. Hij had een voorliefde voor de schijnwerpers en voor het soort beruchte zaken dat hem de aandacht van de pers zou opleveren.

Toen het bericht van mijn vaders arrestatie kwam, vroeg Miller direct gerechtelijke toestemming om naar Mexico af te reizen. De rechter wees zijn verzoek af, maar dat verhinderde Miller niet om tegen de pers te zeggen dat hij mijn vaders lichamelijke toestand wilde controleren. Het was hem opgevallen dat mijn vader talrijke 'belastende verklaringen' had afgelegd tegen de Mexicaanse autoriteiten en hij liet doorschemeren dat die verklaringen misschien onder dwang waren afgelegd. Hij stelde voor dat mijn vader 'hersenscans' zou ondergaan om te zien of er een lichamelijke stoornis was die ervoor had gezorgd dat hij was gebroken. Gezien het ongewone karakter van de zaak, vroeg hij zich zelfs af of de voorzieningen in de grondwet – zoals het oplezen van de Miranda-rechten – wel van toepassing waren op een verdachte die in een ander land was gearresteerd voor een misdrijf in de Verenigde Staten. Voordat dat vraagstuk was opgelost, was het volgens hem onduidelijk of mijn vaders verklaringen wel toelaatbaar waren voor de rechtbank.

Na de registratie kreeg mijn vader zijn eigen cel op de vrouwenafdeling van de gevangenis, om te voorkomen dat hij zou worden gemolesteerd door mannelijke gedtineerden. Hij werd ook onder toezicht geplaatst om te voorkomen dat hij de hand aan zichzelf zou slaan en de rechtsgang te slim af zou zijn.

Toen mijn vader werd gefotografeerd, viel het Mike Brown op dat hij net zo nonchalant leek als tijdens zijn bekentenis in de lucht. Het was duidelijk dat de gevangene genoot van al die heisa. Mijn vader was een onbeduidend mannetje dat zijn hele leven niets had betekend. Dit was zijn kans op roem en hij zoog het allemaal op als een droge spons. Ook al was de rest van de wereld vervuld van afgrijzen over wat hij had gedaan, die aandacht had hij tenminste binnen.

Nadat de gevangene was overgedragen aan de gevangenisautoriteiten, keerde het team van Sonoma County terug naar zijn bureaus om hun rapporten te voltooien. Ze waren emotioneel uitgeput en dankbaar voor de felicitaties die hun op het bureau wachtten, waaronder een van het openbaar ministerie en een van de kinderen van de Dunbar School die hen bedankten 'omdat ze hun weer een veilig gevoel hadden gegeven'.

Daarna nodigde het team Arturo Zorilla uit om iets te gaan drinken in het centrum van Santa Rosa. Toen ze naar buiten gingen, zag Brown Randi Rossmann vlakbij staan. Hij had weinig op met de rest van de pers, die de moorden had behandeld als een circus, maar het merendeel van de verslaggevers van de Press Democrat, zoals Chris Smith en vooral Rossmann had zijn werk professioneel en tactvol gedaan. Ze had lastige vragen gesteld en twaalf tot veertien uur per dag gewerkt om het nieuws voor te blijven, maar dat was nu eenmaal hun werk en daarvoor hadden ze respect.

Brown vroeg de anderen of ze bezwaar hadden dat Rossmann meeging. Toen niemand protesteerde, bevond Rossmann zich opeens te midden van zes uitgeputte maar tevreden rechercheurs in een restaurant. Terwijl het bier en de verhalen stroomden, kwam ze onder de indruk van het feit dat ze een voor een een stukje van de puzzel hadden opgelost. Een echt team, dacht ze.

Het feestje naderde zijn eind toen Dave Sederholm het glas hief. 'We hebben het voor Carmina gedaan,' zei hij.

Mike Brown moest weer denken aan de chirurg met zijn vingers in mijn keel. 'Voor de rest konden we het niet doen,' beaamde hij, 'dus hebben we het voor Carmina gedaan.'

21

Op 17 september 1990 vormde zich een rij voor de zware houten deuren van Rechtszaal 2F van het San Mateo County Courthouse, omdat mijn vaders advocaten met succes om een rechterlijke uitspraak hadden verzocht over een andere locatie vanwege alle publiciteit in Sonoma County.

Het was een kleine rechtszaal met een beperkte publieke tribune, dus toen de gerechtsdeurwaarder de deur van het slot deed, haastte de pers zich naar binnen om een plekje te vinden, wedijverend met het publiek en personeel van de rechtbank. Hoofdofficier van justitie was Peter Bumerts, hoofd van het parket in Sonoma County met zijn assistent, officier van justitie Ken Gnoss. Naast hem zat rechercheur Dave Edmonds.

Aan de andere kant van het gangpad zaten advocaten Marteen Miller en Bill Marioni nonchalant te keuvelen naast mijn vader. Aan diens andere zijde zat zijn Spaanse tolk. Mijn vader zag er gladgeschoren uit, was conservatief geknipt en op kosten van de belastingbetaler in een nieuw grijs pak gestoken. (Net zoals de meeste advocaten in belangrijke strafzaken hadden zijn advocaten geëist dat hij in burgerkleding mocht verschijnen in plaats van in een gevangenisoverall, die volgens hen een vermoeden van schuld kan wekken bij beïnvloedbare juryleden.

In de gevangenis was zijn bruine huid verbleekt door gebrek

aan zonlicht; onder de tl-verlichting van de rechtszaal leek zijn huid wel even grijs als zijn pak.

Op de eerste bank van de publieke tribune achter de tafel van de advocaten zat Mary Stuart, een rechtenstudente die stage liep op het bureau van de officier van justitie. Zij was aangewezen als verbindingspersoon tussen mijn vader en zijn advocaten. Mary bezocht hem dagelijks en was bezorgd omdat mijn vader neerslachtig was en suïcidaal leek. Maar zijn depressieve toestand verhinderde niet dat hij met diverse vrouwen correspondeerde die om wat voor reden ook een persoonlijke relatie met hem wilden.

Ten minste een van hen had haar liefde tegenover de media bekend en zei dat ze hoopte ooit met hem te kunnen trouwen.

Verder had mijn vader weinig sympathisanten. Sinds hij uit Mexico was gehaald, was hij in afzondering gevangen gehouden omdat de andere gedetineerden hem waarschijnlijk zouden vermoorden om wat hij met kinderen had gedaan. En toen hij voor zijn proces werd overgebracht naar Redwood City, wees een van zijn escorte hem op de San Quentin State Prison, de extra beveiligde inrichting met meer dan tweehonderdnegentig terdoodveroordeelden. 'Kijk,' zou een van de politiemensen hebben gezegd. 'Dat wordt je nieuwe tehuis.'

Gedurende de zeventien maanden nadat mijn vader zeven onschuldige mensen had vermoord, waren er lange weken van wachten en korte, dramatische momenten geweest.

Bij een proformazitting in mei 1989, omstreeks de tijd dat ik uit het ziekenhuis was ontslagen, had mijn vader zich onschuldig verklaard. Vervolgens werd hij tijdens een hoorzitting in september formeel in staat van beschuldiging gesteld voor zeven moorden 'onder bijzondere omstandigheden' waardoor hij een kandidaat voor de doodstraf werd en de poging tot moord op

mij en de Butti's. In maart daarop won de verdediging zijn plei-
dooi voor een andere locatie met als argument dat mijn vader
onmogelijk een eerlijk proces kon krijgen voor een misdrijf dat
de sheriff in het openbaar 'de meest weerzinwekkende misdaad
in de geschiedenis van het land' had genoemd.

De eis van een ander locatie kwam kort na een lang stuk in
het tijdschrift *Glamour* van schrijfster Shirley Streshinsky, een
waarschuwend verhaal over de botsing van onschuld en machismo, over ontluikende verlangens en de Amerikaanse droom
die omslaat in een nachtmerrie in het pijnlijk mooie wijnland
Sonoma County. In het verhaal werden de feiten nog eens her-
kauwd en verschenen nieuwe citaten van vroegere buren en
vrienden van de slachtoffers. Een aantal van die relaties met de
overledenen en de rol die ze in de gebeurtenissen van april 1989
hadden gespeeld leek in de tussenliggende maanden wel in betekenis toegenomen.

De schrijfster dregde mijn vaders bewering op dat mijn moeder een verhouding met Tracey Toovey had gehad, hoewel ze
vermeldde dat die zowel door Tooveys vrienden en familieleden
als vrienden van mijn moeder was ontkend. De reportage stond
nu eenmaal in een tijdschrift vol advertenties van modellen-
scholen en opleidingen voor modeontwerpers, dus werd de
nadruk gelegd op mijn moeders dromen van een loopbaan als
model en de mogelijkheid dat die hadden meegewerkt om mijn
vader zover te krijgen dat hij haar vermoordde.

Aan het eind van het stuk merkte de schrijfster op dat mijn vader zijn tijd in de gevangenis doodde met het vouwen van siga-
rettenvloeitjes tot bloemetjes die voor mij bestemd zouden zijn.
Maar volgens mij waren de papieren bloemetjes een bewust onderdeel van mijn vaders pogingen om krankzinnig te lijken. Zijn
cipiers meldden dat hij soms met krijt in zijn cel tekeningen van
mij zat te maken, en dat hij beweerde dat ik hem opzocht in zijn

cel om hem verhalen te vertellen en te vragen of hij voor mij wilde tekenen.

In augustus stond lijkschouwer Greg Berry bij een andere hoorzitting in het getuigenbankje om de autopsieresultaten te bespreken, toen mijn vader opeens opstond en riep: 'Ik zeg je dat ze niet dood zijn!' Hij wees met zijn vingers op Berry en schreeuwde: 'Leugenaar!' voordat hij door de parketwacht tot kalmte werd gemaand.

Mijn vaders advocaten hadden al duidelijk gemaakt dat zijn geestestoestand – waarschijnlijk door drugs en alcohol over het randje geduwd – bij het proces zijn verweer zou worden. De uitbarsting leek een voor de hand liggende truc om dat te onderstrepen.

De rechter van de zaak was Reginald Littrell, voorzitter van het hooggerechtshof van Sierra County. Littrell was een slanke man met een vriendelijke stem en was gevraagd de zaak voor te zitten toen er in Sonoma en San Mateo geen rechters voorhanden bleken. Officier van justitie Peter Bumerts werd alom beschouwd als de beste procesvoerder en strateeg in een toch al uitstekend parket.

Hij opende de zaak door de juryleden te vertellen dat mijn vaders 'strooptocht van dood en verderf' was begonnen toen hij had gehoord dat hij Sofia's vader niet was. Volgens hem was mijn vader broeiend over dat lang bewaarde geheim de bewuste ochtend van 14 april thuisgekomen en razend geworden toen hij ontdekte dat zijn vrouw weg was en drie kinderen aan hun lot had overgelaten.

Stuk voor stuk beschreef Bumerts de plaatsen delict voor de jury: de vuilnisbelt van Petaluma waar mijn vader mijn keel doorsneed en die van mijn zusjes; Cotati, waar hij wachtte tot mijn opa was vertrokken om oma te vermoorden omdat hij geloofde dat zij wist dat mama zwanger was geweest van een andere man toen ze met mijn vader trouwde. Om de verdediging een slag voor te zijn, vertelde Bumerts de jury dat mijn vader de avond tevoren alcohol en cocaïne gebruikt kon hebben, maar dat hij niettemin 'helder kon nadenken' toen hij de misdaden beging. Mijn vaders bekentenis zou aantonen dat hij de moorden met voorbedachten rade had gepleegd en volgens de officier zou hij 'zijn familie koel en efficiënt uitgeroeid' hebben.

Zoals Bumerts stelde, kostte het ruim twee uur om van het huis in Boyes Hot Springs naar de belt van Petaluma te rijden, waar hij ons de keel afsneed, vervolgens naar Cotati waar hij oma, Ruth en Maria vermoordde en weer terug naar huis om mama dood te schieten, en daarna naar de wijnmakerij Grand Cru waar hij Tracey Toovey omlegde en uiteindelijk naar Kunde Estate waar hij Ken Butti neerschoot. Dat was ruim voldoende tijd om te bedenken waar hij vervolgens heen zou gaan en wie hij zou vermoorden, en meer dan genoeg tijd om af te koelen en zichzelf een halt toe te roepen.

Met die overwegingen verzocht Bumerts de jury het schuldig uit te spreken voor zeven aanklachten wegens moord met voorbedachten rade, alsmede drie aanklachten wegens poging tot moord op Ken en Teri Butti en mij, zijn dochter.

Gedurende de twintig minuten van Bumerts' openingsrede en het monotone gebrom van de tolk toonde mijn vader weinig emotie. Maar kort nadat Marteen Miller aan zijn verdediging was begonnen, barstte hij in tranen uit en hield het vol. Hij huilde toen Miller aanvoerde dat de gebeurtenissen van zijn leven hadden samengezworen om hem in een moordenaar te veranderen; hij depte zijn ogen toen zijn advocaat erop wees dat hij van plan was niet alleen zijn familie maar ook zichzelf van het leven te beroven.

Voor Miller en zijn team verdedigers was het enige dat telde mijn vader uit de dodencel houden. Natuurlijk sprak het vanzelf dat mijn vader schuldig was en niet iemand anders de misdaden had gepleegd. De bewijslast tegen hem was overweldigend, en bovendien had hij bekend. Maar de advocaat meende dat hij een vlotte kans maakte Ramón te helpen aan de gaskamer te ontsnappen, te beginnen met de samenstelling van de jury. Geen van de elf vrouwen en vier mannen was een voorstander van de doodstraf; gedurende de juryselectie had de helft zelfs te kennen gegeven dat ze meer naar levenslang neigden, ook al werd de verdachte schuldig bevonden aan moord met voorbedachten rade. Het vergde een unaniem oordeel om een misdadiger ter dood te veroordelen; het enige dat Miller nodig had om Ramón te behoeden voor de beul was één jurylid dat buiten de boot viel, ofwel gedurende het proces of wel in de fase van het vonnis.

Miller beweerde dat mijn vader op de ochtend van de moorden aan een psychotische depressie leed, verergerd door de cocaïne en de alcohol die hij had gebruikt. Hij voerde aan dat mijn vader in die toestand 'niet de nodige intentie en helderheid' kon hebben voor moord met voorbedachten rade. Miller vond dat hij schuldig bevonden moest worden aan moord zonder voorbedachten rade of doodslag, en op geen van beide stond te doodstraf.

Geconfronteerd met de wreedheid van Ramóns misdaden en zijn onweerlegbare schuld, deed Miller zijn uiterste best op een emotioneel appel dat ten minste één jurylid zou vermurwen. Hij begon met een verrassing: de onthulling dat mijn vader niet twee vrouwen had gehad die het leven aan andermans kinderen hadden geschonken, maar drie.

Papa's huwelijk met Debra Ann Whitten was uitgemolken door de pers. Maar slechts weinigen waren op de hoogte van zijn eerste huwelijk in Mexico, of dat zijn eerste vrouw ook een kind dat niet van hem was ter wereld had gebracht.

Miller beweerde dat mijn vader sinds zijn vroegste jeugd aan een geestelijke stoornis had geleden. In 1989 zou die labiliteit, gecombineerd met een opeenstapeling van persoonlijke problemen – de onthulling van Sofia's afkomst, Debra's alimentatie-eisen, de moeilijkheden op zijn werk, hem over de rand van een depressie hebben geduwd. Voeg daarbij twee dagen uit je dak gaan met alcohol en cocaïne, vond de advocaat, en mijn vader was op de ochtend van 14 april niet meer in staat helder over zijn daden na te denken.

Miller wees erop dat mijn vader tijdens zijn bekentenis had gezegd dat hij over zelfmoord had gesproken met Angela, die de advocaat betitelde als een 'sektarische godsdienstige'. Zijn cliënt citerend zei hij: 'Ze heeft een paar keer tegen me gezegd: "Waarom maken we ons niet van kant zodat we niet in deze wereld hoeven te leven?"'

In die waantoestand, zei Miller, had mijn vader besloten dat als hij en mijn moeder zouden sterven, de kinderen ook dood moesten. Maar niet uit woede, beweerde hij. 'Hij was dol op zijn kinderen. Ze waren zijn verlengstuk.'

Miller zei tegen de jury dat de verdediging niet om genade smeekte. Maar hij verzocht de leden wel om hun beslissing te baseren op de juridische definitie van moord met voorbedachten rade die van toepassing zou zijn op Ramón. Miller was zich bewust van de afgrijselijke foto's van de plaatsen delict die de juryleden zouden zien en de getuigenissen die zouden passeren, dus verzocht hij de jury met een oordeel te wachten tot ze alle getuigenissen hadden gehoord.

Het kostte de officier van justitie tien dagen om zijn zaak voor te leggen, te beginnen met een stoet getuigen. De eerste was Tim

Smith, die nog steeds werd achtervolgd door nachtmerries sinds de dag waarop hij mij het talud op droeg, weg van mijn dode zusjes.

Opa werd de eed afgenomen, voornamelijk om objecten uit zijn huis te identificeren, zoals het .22mm-pistool dat Ramón had gestolen en gebruikt om Angela en Tracey Toovey mee te vermoorden. Toen opa zich herinnerde dat hij Maria de bewuste ochtend voor hij naar zijn werk ging een afscheidskus had gegeven, barstte hij in tranen uit.

Ook Catherine Toovey nam plaats in de getuigenbank, ondanks protesten van de verdediging dat ze alleen maar was opgeroepen om een emotionele reactie bij de jury op te roepen. Ze was al een keer tijdens een hoorzitting ingestort, toen haar per ongeluk een foto van de autopsie van haar man werd getoond. Deze keer getuigde ze bedaard dat haar man haar had verteld dat mijn vader problemen had op zijn werk, maar dat Tracey niet gemachtigd was hem te ontslaan. Daarom was er geen reden voor mijn vader om kwaad op hem te zijn.

De meest dramatische getuigenis was misschien wel die van dokter Dennis MacLeod, die de jury vertelde hoe ik zesendertig uur had overleefd nadat mijn keel 'van kaakbeen tot kaakbeen' was doorgesneden. Als ik niet de hele nacht met mijn kin op de borst had opgezeten, zou ik zijn gestikt of doodgebloed. Hij vertelde hoe de artsen hadden ontdekt dat ik kiezels had gegeten toen ik honger had tijdens de beproeving. Toen ik op de Eerstehulp arriveerde, had ik volgens hem een emotioneel trauma en een klinische shock, en als ze me niet gevonden hadden, zou ik binnen de kortste leren zijn overleden.

Afgezien van de snee in mijn hals, beschreef McCleod nog een verwonding, een kleine snee op mijn ringvinger. De chirurg zei dat het een afweerwondje was dat paste bij een driejarige die zich probeert te verdedigen tegen haar vader.

De stoet van getuigen à charge ging verder. De Butti's beschreven Ramóns koele onverschilligheid en het bloed op zijn armen. Een buurman getuigde dat mijn moeder op een echtscheiding aanstuurde. Debbie Ghilotti vertelde dat ze mijn moeder om halfzes 's ochtends bij de geldautomaat van Wells Fargo had gezien. En een paar mannen die de avond tevoren in het gezelschap van mijn vader waren geweest, beaamden dat hij cocaïne en alcohol had gebruikt, zij het niet in de hoeveelheden die de verdediging aanvoerde, en niet zoveel dat hij niet meer normaal kon nadenken.

Een psycholoog getuigde verder dat Ramóns misdaden georganiseerd en gepland werk waren geweest. 'Zijn handelingen,' zei hij, 'waren niet van iemand wiens geestelijke vermogens zijn aangetast door drugs en alcohol.'

Op de dag van de emotionele getuigenis van lijkschouwer Greg Berry stuurde de Press Democrat zijn columnist Chris Smith naar het gerechtsgebouw om de stemming in de rechtszaal te beschrijven. Smith was een jongeman die zelf graag kinderen wilde en zijn maag draaide zich om van de misdaden. Hij vond het verschrikkelijk dat de zaak de gemeenschap geen goed leek te hebben gedaan. Toen Salcido nog op vrije voeten was, waren deuren die nooit op slot gingen van grendels voorzien en dat bleven ze nadat hij was gepakt. Sonoma County zou nooit meer zo idyllisch zijn.

De column die hij na zijn dag in de rechtszaal schreef, weerspiegelde de reactie van de gemeenschap. Hij interviewde Linda Dvorscak, een veertigjarige vrouw uit San Mateo, die 's ochtends de eerste was in de rij voor de publieke tribune. Ze was een vaste klant. Dvorscak was goed voorbereid gekomen: met een pocketboek, een ingepakte lunch en deze keer ook haar moeder. Ik zal eerlijk zijn, zei ze tegen Smith. Ik ken mensen die grote hoeveelheden alcohol en drugs hebben gebruikt en niet op pad gingen om mensen te vermoorden. Een bejaarde vrouw uit Menlo Park verscheen met een zonnebril en een strohoed als vermomming. Ze hield ervan moordzaken bij te wonen, vooral beruchte. Ik heb belangstelling voor het mensdom, zei ze. Ooit wil ik een verhaal schrijven over de reden waarom de mensen zulke dingen doen. Er lopen waarschijnlijk een heleboel potentiële Ramón Salcido's rond. Ze weigerde Smith haar naam te noemen. Weet je waarom? Mijn familie houdt hier niet van, bekende ze. Die vindt het nogal bizar.

Sommigen waren meer bizar dan anderen. Op de dag waarop Mike Brown moest getuigen, stond hij in de pauze voor de rechtbank een praatje te maken met Peter Bumerts, toen hij een vrouw zag die een beetje terzijde naar hen stond te kijken. Ze was helemaal in het zwart, een slappe hoed met een zwarte sluier incluis, alsof ze in de rouw was. Toen Bumerts weer naar binnen ging, kwam de vrouw op de rechercheur af.

'Gaat u getuigen?' vroeg ze.

Mike had geen idee wie ze was, of wat ze met zijn doen en laten te maken had. 'Waar hebt u het over?' vroeg hij.

'Ik ben verliefd op Ramón,' antwoordde ze.

Zonder een woord te zeggen, draaide Mike Brown zich om en liep weer naar binnen. Ze volgde hem om zijn getuigenis te beluisteren.

Alweer zo'n gek, dacht Mike toen hij over zijn schouder keek en haar zag zitten. Hij kende dat soort vrouwen wel: als bijen op de honing aangetrokken door de publiciteit uit een zucht naar aandacht door contact te leggen met monsters als mijn vader.

Het meest omstreden deel van het proces betrof de foto's van de plaatsen delict. Het openbaar ministerie wilde ze allemaal laten zien, mijn vaders verdedigers deden hun best om ze erbuiten te houden.

Marteen Miller voerde aan dat de beelden de juryleden zo woedend zouden maken dat ze niet in staat zouden zijn zich aan de wet te houden. Volgens hem moesten vooral de foto's van de lijken van mijn tantes Ruth en Maria buiten de zaak gehouden worden, omdat de officier van justitie ze wilde gebruiken om aan te tonen dat de meisjes seksueel waren misbruikt, ook al was zijn cliënt dat misdrijf niet ten laste gelegd. Rechter Littrell wees Millers protesten van de hand gedurende de hoorzittingen, maar liet de verdediger wel weten dat hij zijn bezwaren tijdens het proces opnieuw kon aanvoeren.

Op de tweede procesdag had Littrell de foto's bekeken en besloten dat sommige wel en andere niet aan de jury getoond konden worden. Vergrotingen van mijn moeder, mijn oma en tante Ruth mochten wel worden getoond, maar niet die van de achtjarige Maria.

Op de foto van Ruth lag mijn tante met haar gezicht in een plas bloed en haar nachtjapon tot haar borst opgehesen, haar benen wijd en haar met bloed doorweekte slipje bij haar voeten. Toen de fotograaf van de plaats delict begon te praten over de bloederige handafdruk op Ruth' rechterbil, sprong Miller overeind om te eisen dat de zaak zou worden geseponeerd.

Nadat de rechter de jury tijdelijk uit de rechtszaal had verwijderd, klaagde Miller dat Bumerts de jury ervan trachtte te overtuigen dat mijn vader Ruth seksueel had misbruikt. 'De officier heeft al een sterke zaak en zonder deze foto heeft hij al voldoende bewijsmateriaal,' hield hij vol. Hij wendde zich tot Bumerts. 'Als je het misbruik kunt bewijzen, waarom is het dan niet ten laste gelegd?'

Miller probeerde de basis te leggen voor hoger beroep en het openbaar ministerie wist dat. Ze hadden Salcido seksueel misbruik niet ten laste gelegd, niet omdat ze dachten dat hij dat misdrijf niet had gepleegd, maar omdat ze de aandacht van de jury niet wilden afleiden van de beschuldigingen van moord, door een tenlastelegging van seksueel misbruik te baseren op omstandelijk bewijs. Er was een overvloed aan hard, concreet bewijs om hem voor de moorden ter dood te veroordelen. Salcido ook nog eens van seksueel misbruik beschuldigen zou de zaak alleen maar vertroebelen.

De rechter wist dat allemaal ook. Hij wachtte niet eens op het repliek van Bumerts voordat hij Millers eis dat het proces zou worden geseponeerd van tafel veegde.

Dus op 28 september bleven de foto's voor iedereen te zien terwijl de juryleden luisterden naar de bandopname van mijn vaders achteloze bekentenis.

'Was je boos omdat je je vrouw niet kon vinden?'
'Ja.'
'Dus besloot je je drie kinderen om te brengen.'
'En mezelf, ja.'

'Ik ga voor haar staan. Ik zeg niets. Ik draai haar gewoon om en snij haar keel door.'
'Zei ze nog iets?'
'Nee, meneer.'
'Heb je haar lichaam nog aangeraakt toen ze viel?'
'Nee, meneer. Ik... Ik... Ik heb haar alleen versleept.'

'Ik loop mijn huis in. Ik wilde mijn vrouw vertellen dat ik mijn dochters al had doodgemaakt en eh... mijn schoonmoeder en haar zusjes en dan konden we onszelf van kant maken. Ze probeerde de politie te bellen, dus schoot ik haar door het hoofd.'

'Ik zei: "Ik ga je doodmaken". Hij vroeg: "Wat heb ik je gedaan?" Ik zei: "Omdat je een paar keer hebt geprobeerd mij te ontslaan" en ik schiet hem neer.'

'Oké, Ramón. Ik besef dat dit moeilijk is, maar we hebben bloederige handafdrukken op de billen van Ruth gevonden.'
'Ja.'
'Waarom zaten er bloederige handafdrukken op haar bips?'
'Ik... weet het niet meer, meneer. Ik heb niets met haar gedaan. Ik wil u graag helpen, maar ik... Ik herinner het me niet meer. Ik weet niets van afdrukken waarvan ik kan zeggen dat ze van mij waren.'

Op 2 oktober besloot de officier van justitie zijn zaak met de getuigenis van dokter Boyd Stephens, de lijkschouwer uit San Francisco die de verwondingen had beschreven die mijn vader ieder slachtoffer had toegebracht plus de verdedigingswonden die ze opliepen toen ze voor hun leven vochten.

Voordat de verdediging de kans kreeg zijn zaak te bepleiten, wierp mijn vader hun een effectbal toe: hij eiste dat hijzelf als getuige à décharge mocht optreden. Zijn advocaten waren daar fel op tegen, omdat het ook de officier van justitie de kans zou geven hem aan een kruisverhoor te onderwerpen. Als hij met alle geweld wilde getuigen, konden ze hem niet tegenhouden, maar ze wisten dat het hem meer kwaad dan goed zou doen.

Miller deed een beroep op de rechter om te voorkomen dat mijn vader in het getuigenbankje zou plaatsnemen. Hij beschreef hem als een 'arm, gestoord en zielig individu' wiens motieven om te getuigen niet duidelijk waren. 'Waarschijnlijk wil hij vertellen dat hij het niet heeft gedaan,' zei de advocaat; zijn cliënt zou in een toestand van 'pathologische ontkenning' verkeren. 'Het is de enige manier waarop hij kan overleven.'

Als bewijs van de geestesziekte van zijn cliënt beweerde Miller dat mijn vader brieven aan mijn zusjes had geschreven alsof ze nog in leven waren. Miller zei van plan te zijn psychologische deskundigen in de arm te nemen om te bewijzen dat Ramón aan zo'n grote verwarring ten prooi was geweest dat hij niet in staat was de moorden voor te bereiden of de gevolgen van zijn acties te kunnen afwegen. Ik weet niet precies waarom, maar uiteindelijk liet men het idee om hem te laten getuigen vallen.

Het proces werd op 9 oktober hervat. Mijn vaders advocaten lieten een hele reeks vrienden, kennissen en voormalige werkgevers van hem getuigen, voornamelijk als karaktergetuige.

Een van zijn vroegere werkgevers van Grand Cru getuigde dat hij een voortreffelijke werknemer was en dat zijn gedrag op het werk aftakelde nadat het gerechtelijk bevel voor de betaling van de kinderbijdrage was binnengekomen. Sommige vrienden uit Mexico beschreven hem als beminnelijk en geestig – ze hadden hem zelfs de bijnaam 'de joker' gegeven – en zeiden dat hij dol was op zijn vrouw en kinderen. Maar bij hun herinneringen werden vraagtekens gezet toen ze bij het kruisverhoor moesten bekennen dat hij af en toe ook met een pistool zwaaide en met geweld dreigde tegen 'wie hem dwarszaten'.

Veel getuigen à décharge leken zichzelf tegen te spreken. Ze vertelden dat hij op de vooravond van de moorden had gedronken en coke gesnoven, maar dat hij 'niet laveloos' had geleken. Eén man getuigde dat hij veel van zijn vrouw en kinderen hield, 'vooral van Carmina' en dat hij nooit had gezien dat hij Angela mishandelde. Maar daarna sloeg de getuige om en vertelde hij dat mama en papa veel ruziemaakten over zijn nachtelijke 'rokkenjagerij' en dat hij haar soms wel aftuigde. 'Ik heb hem verteld dat hij vrouwen in de Verenigde Staten niet kon behandelen zoals ze in Mexico gewend zijn,' verklaarde getuige.

De verdediging liet ook een aantal getuigen-deskundigen opdraven om te proberen mijn vaders gedrag te verklaren. Alex Saragoza, hoogleraar Chicano-studies aan de Universiteit van Californië, getuigde dat papa niet goed in zijn eigen cultuur paste. Hij beweerde dat mijn vader niet makkelijk vrienden maakte onder zijn mede-immigranten (hoewel er al een paar voor hem hadden getuigd) en dat hij zich liever vertoonde in blanke cafés dan in Mexicaanse. Hij wees erop dat mijn vader opschepte over mama's schoonheid, maar moeite had met haar modellenambitie en onafhankelijke karakter. Toen mijn vader begon te vermoeden dat mijn moeder hem bedroog, merkte de professor op, zou hij haar en de bewuste mannen volgens zijn cultuur hebben moeten confronteren, maar hij liet de woede vanbinnen opbouwen.

Maar de ware kern van de verdediging was mijn vaders geestestoestand, en dat hield in dat er een grote hoeveelheid getuigen opdraafde die mijn vader geestelijk labiel noemden. Als eerste getuige riep Miller Norman Ross op, een katholieke deken die mijn vader na zijn terugkeer uit Mexico in de gevangenis bezocht. De deken vertelde dat mijn vader hem foto's van ons gezin had laten zien en volhield: 'Ze zijn niet dood. Ze leven.' Toen Ramón om de heilige communie verzocht, zei Ross dat hij weigerde omdat mijn vader 'niet rationeel leek'.

Millers team riep een vijftal deskundigen op over diverse aspecten, variërend van het geweld dat werd geassocieerd met zijn cocaïnegebruik, tot de bewering dat mijn vader op de dag van de slachting te maken had gehad met een 'psychotische episode'. Maar evenals Salcido's vrienden waren die deskundigen het niet altijd eens, zelfs niet met hun eigen bevindingen. De psychiater die was opgeroepen om de theorie van de 'tijdelijke psychotische episode' vast te stellen, zei over zijn diagnose: 'Ik zou er mijn hand niet voor in het vuur steken.' Een andere psychiater zei dat mijn vader 'egotistische, megalomane fantasieën' over zichzelf had, een reeds bestaande geestesstoornis, verergerd door de cocaïne en zijn persoonlijke problemen. Maar beide psychiaters wekten de indruk dat papa hun had verteld wat hij dacht dat ze wilden horen. 'Het was frustrerend om met meneer Salcido om te gaan,' zei er een. 'Ik vond het lastig om een duidelijke teken van geestesstoornis te vinden dat zou verklaren wat er is gebeurd.'

Mijn vader gaf zelfs blijk van een diepgewortelde argwaan en vijandigheid jegens zijn eigen advocaten 'en jegens mij' aldus een psychiater. Hij had de neiging 'in drift te ontsteken' wanneer hij met iets werd geconfronteerd en hij hield een lijst bij van onrechtvaardigheden die hij naar zijn gevoel had moeten ondergaan, 'die hij bij zich draagt en voorleest als een heilige litanie'.

Het requisitoir van mijn vaders proces duurde bijna vijf uur.

Peter Bumerts wees er in zijn samenvatting op dat mijn vader iedereen behalve zichzelf de schuld van de moorden die hij had gepleegd had gegeven. De wetgeving op de kinderbijdrage. Cocaïnedealers. Mama. Omdat ze hem ontrouw zou zijn geweest en omdat ze die ochtend niet thuis was bij de kinderen. Oma, omdat ze zogenaamd de waarheid over Sofia had verzwegen. Sofia zelf, alleen omdat ze het kind van een andere man zou zijn. Hij gaf Ruth en Maria de schuld omdat ze getuige waren geweest van de moord op hun moeder. En mijn moeder omdat ze probeerde de politie te bellen. Bumerts zei dat mijn vader die moorden stuk voor stuk had uitgedokterd en op pad was gegaan om ze uit te voeren. 'Wie kan het wat schelen hoeveel cocaïne hij had gebruikt als het zijn gedrag toch niet zou beïnvloeden?' vroeg hij aan de jury. 'Het wordt tijd dat hij de verantwoordelijkheid neemt.'

Marteen Millers verdediging draaide ook om het vraagstuk verantwoordelijkheid. Hij voerde aan dat mijn vader alleen maar schuldig was aan één geval van bewuste doodslag, omdat zijn vermogen om te redeneren en te begrijpen wat hij deed was ondergraven door de alcohol en de cocaïne, waardoor hij in een psychotische depressie zakte die van waanzin was vervuld. Hij had Sofia en Teresa vermoord en mij geprobeerd te vermoorden, omdat hij dacht dat we elkaar allemaal in de hemel weer zouden ontmoeten.

Na de slotpleidooien kostte het de jury bijna vier dagen beraadslagen om tot een uitspraak te komen. Mijn vader, gehuld in een grijs krijtstreepje, leek bijna ongeïnteresseerd toen de acht vrouwen en vier mannen van de jury de rechtszaal binnenkwamen. Hij reageerde evenmin toen de gerechtsdeurwaarder de vonnissen voorlas: schuldig aan zijn zes tenlasteleggingen van moord met voorbedachten rade, een van doodslag en twee van poging tot moord, wegens de aanval op Ken Butti en mij. De enige aanklacht die de jury verwierp was die van poging tot moord op Teri Butti. De moord op mijn tante Maria had men als doodslag beoordeeld, zeiden ze later, omdat ze niet dachten dat mijn vader van plan was haar te doden tot ze uit de slaapkamer kwam en zag wat hij met haar zusje had gedaan.

'Wat dit betekent voor de slachtoffers en hun familie is één hoofdstuk dat we kunnen afsluiten,' zei Bumerts naderhand tegen de pers. Niettemin vond pastor Rich Gantenbein dat het vonnis een hoog prijskaartje had. 'Dit gedeelte is achter de rug,' merkte hij op. 'Maar het is in geen geval het einde.'

Ondanks het vonnis was rechercheur Mike Brown bepaald niet in de stemming om feest te vieren. 'Het is een triest eind aan een triest verhaal,' zei hij tegen de pers. 'Niemand hoeft zich hier

blij om te voelen. Het was van begin tot einde een tragedie.' Inmiddels wist hij dat ik een nieuw tehuis had gevonden. Hij
hoopte dat ik bij een familie was die van me hield. En hij bad dat
mij nooit meer iets hoefde te overkomen.

22

De fase van de strafbepaling van mijn vaders proces werd gemarkeerd door een serie dramatische momenten.

Bij de opsomming van de bewijzen die tot mijn vaders veroordeling hadden geleid, had Bumerts een lijst van 'bezwarende factoren' gevoegd, die de jury volgens hem in overweging moest nemen, zoals het feit dat mijn vader diverse moorden had gepleegd om andere te verdoezelen, zoals Ruth vermoorden om te voorkomen dat ze de politie zou bellen.

Hij presenteerde ook een nieuw bewijsstuk: de foto van mijn tante Maria op haar rug met haar knieën omhoog. Miller was erin geslaagd om de foto buiten het proces te houden, maar nu voerde Bumerts aan dat de afbeelding de wreedheid demonstreerde waarmee mijn vader zijn jongste schoonzus vermoordde – weer zo'n potentieel 'bezwarende factor' – en deze keer stond de rechter de jury toe hem te bekijken. Maar toen de officier de foto aan de juryleden liet zien, herinnerde de rechter hen eraan dat er tijdens het proces geen aanwijzingen waren geweest dat Maria seksueel was misbruikt. 'En u mag daar niet over speculeren.'

De verdediging pareerde door mijn vaders familie te laten getuigen. Zijn moeder, Valentina Borjorquez Seja Armendariz en twee van haar zoons, oom Arnoldo en Leopoldo, vlogen vanuit Mexico naar San Francisco, waar ze werden geïnterviewd door de media voordat ze voor de rechter moesten verschijnen om te getuigen.

Mijn grootmoeder van vaders kant zei dat haar zoon veel spijt had van zijn daden en berouw had getoond. 'Hij heeft mij om vergiffenis gevraagd,' verklaarde ze, 'en natuurlijk heb ik hem vergeven want ik ben zijn moeder.' Maar zijn misdaden rustten zwaar op haar hart, vertelde ze tegen de verslaggevers. 'Het is moeilijk om te geloven dat hij schuldig is bevonden. De vleugels van mijn hart zijn gevallen.'

In het getuigenbankje beschreef ze het telefoontje dat ze op die dag van verschrikking, 14 april 1989, van hem had gekregen. Ze moest haar ogen deppen toen ze de gerechtstolk vertelde dat mijn vader zei dat hij alleen zijn vrouw had vermoord. 'Hij vertelde dat hij de kinderen bij een vriend had ondergebracht en dat ze het goed maakten.' Ze had haar zoon niet gevraagd of hij nog meer mensen had vermoord, noch wat hij met de lichamen had gedaan, noch waarom hij zijn familie had uitgemoord. Haar zoon had er nooit over gerept. Zelfs toen hij in Los Mochis opdook en ze samen de hele nacht huilden over de moord op mijn moeder, had hij niets over de kinderen gezegd. Ze was pas over hun dood ingelicht door de politie en de media.

'Kunt u zich van een zoon iets ergers voorstellen?' vroeg Peter Bumerts toen het zijn beurt was Valentina een kruisverhoor af te nemen.

De 53-jarige vrouw luisterde naar de vertaling en haar gezicht trok samen. 'Nee,' snikte ze.

Voor haar getuigenis hadden mijn ooms de pers verteld dat ze maar op één ding uit waren: ze wilden weten waar ik was. 'Mijn moeder wil haar zien,' legde Leopoldo uit. 'Ze wil haar vasthouden en aanraken.'

Na haar getuigenis verklaarde oma Valentina tegen journalisten dat ze een pop uit Mexico had meegenomen, maar niet wist hoe ze die bij mij moest krijgen. 'Ik zou haar zeggen dat ik heel veel van haar houd,' zei ze smekend.

Maar geen mens kon haar vertellen waar ik woonde. Voor hen was ik verloren.

Zowel Peter Bumerts als Marteen Miller hield een emotioneel slotpleidooi. Bumerts, die doorgaans gereserveerd en vriendelijk was, werd boos toen hij de jury eraan herinnerde hoe mijn vaders slachtoffers een voor een waren aangevallen en hoe hij mij had achtergelaten om net als mijn zusjes te creperen op een vuilnisbelt. Mijn vader had 'geen woord van verdriet, geen woord van spijt' geuit van zijn misdaden. Hij had juist zijn ware aard getoond door nog geen vier maanden nadat hij zijn familie had afgeslacht vanuit zijn cel een verhouding te beginnen met een vrouw in Los Angeles.

Bumerts herinnerde de jury met een brok in de keel aan de kiekjes van de slachtoffers en hun familie in gelukkiger tijden en vervolgens aan de foto's van de plaatsen delict. 'Vergelijk die eerste foto's maar eens met deze... en deze... en deze,' drong hij aan, terwijl hij de afgrijselijke foto's een voor een neerlegde, eindigend met een foto van mij in een ziekenhuisbed met een verband om de keel die de buis van de tracheotomie op zijn plek hield.

'U moet Ramón Salcido duidelijk maken,' verlangde Bumerts, 'dat zijn daden zo onmenselijk zijn dat u die verwerpt en hem de doodstraf oplegt.'

Miller probeerde terug te slaan met zijn eigen verontwaardiging: 'Dit arme, zieke, zielige, gestoorde individu ter dood brengen is geen gerechtigheid,' zei hij fronsend. 'Het is wraak, wraak en nog eens wraak.' In de hoop dat hij ten minste één jurylid zover kon krijgen dat het zich tegen de doodstraf zou verzetten, smeekte hij ze om 'stevig in de schoenen te blijven staan' en niet toe te staan dat medejuryleden hen zouden overdonderen om voor de doodstraf te stemmen. Hij deed zelfs een wanhopige, linkse poging om Bumerts ervan te beschuldigen dat hij de doodstraf 'om persoonlijk politiek gewin' eiste.

Verdediger Bill Marioni poogde ook een appel op de jury te doen door hun een andere kijk op het gevangenisleven te geven. 'Ondanks deze afgrijselijke misdrijven is de gaskamer geen gepaste straf,' voerde hij aan. 'Er is geen enkele twijfel dat hij in de gevangenis zal sterven. De enige vraag is wie zal besluiten wanneer. Bent u dat of is het God?'

Wat de advocaten, officiers van justitie noch rechter Littrell hardop in de rechtbank zeiden, was dat ook al veroordeelde de jury mijn vader ter dood, het met geen mogelijkheid te zeggen was wanneer – en of – dat vonnis ooit zou worden voltrokken. De staat Californië had al sinds 1967 geen enkele gevangene ter dood gebracht.

Op vrijdag 16 november stemde de jury na drie dagen beraadslagen unaniem voor de doodstraf. Mijn vader vertoonde opnieuw geen reactie toen het vonnis werd voorgelezen, zelfs niet toen een van de juryleden openlijk huilde.

Maar het vonnis zou pas definitief zijn wanneer het door de rechter was bekrachtigd. Eerst gaf de rechter het woord aan opa Richards, die tijdens vrijwel het gehele proces een zwijgende aanwezigheid was geweest. Hij smeekte rechter Littrell de beslissing van de jury te bekrachtigen. 'En moge de gerechtigheid snel zijn,' snikte hij. 'Waarom zou je deze toestand zich nog jaren laten voortslepen? Hij heeft toch bekend?'

Voordat rechter Littrell het vonnis velde, las hij een rapport van reclasseringsambtenaar Angela E. Meyer. Er stond weinig in om hem te overtuigen het vonnis te herzien.

Er is weinig twijfel dat Ramón Salcido een alcoholist was en dat hij ook verslaafd was aan cocaïne, en dat op de bewuste dag zijn oordeel door die middelen kon zijn aangetast. Er is ook geen twijfel dat zijn verslavingen zijn persoonlijkheid op zijn minst hebben aangetast en zijn familie- en financiële problemen hebben verergerd. Maar hij was onder de gegeven omstandigheden redelijk in staat om het leven aan te kunnen, grotendeels omdat zijn vrouw tijdens het gehele huwelijk de verantwoordelijkheid voor de familieaangelegenheden op zich nam.

Het staat vast dat de verdachte onder spanning stond omdat zijn baan op het spel stond en omdat de ontbinding van zijn huwelijk met Angela Salcido dreigde door de ontdekking van een vorige echtverbintenis. De financiële druk van zijn onwelkome alimentatieverplichting zou het vooruitzicht van steun aan nog een ex-vrouw zeker onaangenaam hebben gemaakt, vooral met het oog op zijn verslavingen. Die kinderen onderhouden zou grote zelfdiscipline en offers vergen, trekjes die hij nooit heeft ontwikkeld. Hij had een heel praktisch motief om zijn familie dood te wensen. Zijn kinderen dreigden een zware last te worden.

Er is op gewezen dat de verdachte zich niet suïcidaal gedroeg, in tegenstelling tot zijn beweerde voornemens. Hij verbond zijn gewonde vinger en stapte over het lijk van Marion Louise Richards om een verband te zoeken. Bij zijn bekentenissen gaf hij toe dat ontkomen aan opsporing zijn eerste prioriteit was toen hij zijn dochters vermoordde. Hij had ruimschoots gelegenheid en zeker voldoende munitie om zich direct na de moord op zijn vrouw van het leven te beroven. Zijn vlucht wijst erop dat hij redelijkerwijs verwachtte aan de politie te kunnen ontkomen. Zelfs het telefoontje naar zijn moeder waarin hij zei dat hij van plan was de hand aan zichzelf te slaan, leek een succesvolle manipulatie van de gevoelens van een vrouw van wie hij wist dat ze hem te hulp zou schieten. Hij kon moeilijk verwachten dat zijn moeder, een vrome katholiek wier culturele achtergrond vergde dat ze boven alles loyaal zou zijn, haar zoon zelfmoord zou laten plegen. Ze hapte en Ramón Salcido deed er zijn voordeel mee. Als een plotselinge religieuze hartstocht had voorkomen dat hij de hand aan zichzelf sloeg, zoals zijn raadsman aanvoert, zou je zeggen dat hij de neiging had een priester te bezoeken nadat hij zijn moeder had opgezocht, wat hij naliet. In plaats daarvan ging hij naar het station om de trein naar Guadalajara te nemen, waar hij een andere identiteit kon aannemen en eenvoudig in de grote stad kon opgaan. Toen hij later zijn proces afwachtte, klaagde hij dat zijn rechten niet afdoend gewaarborgd waren, een onwaarschijnlijke klacht van iemand die zogenaamd wil sterven.

Ieder mens verdient enig mededogen, maar Ramón Salcido moet vooralsnog blijk geven van zijn menselijkheid. Hij heeft kinderen vermoord en bleef onbewogen tijdens hun radeloze worsteling om zich te verweren. Zijn seksuele misdragingen met de dode of stervende Maria en Ruth Richards zijn weerzinwekkend. De overgang tussen het afsnijden van de keel van jonge meisjes en zijn wellustige genot bij het ontbloten van hun geslachtsdelen is onvoorstelbaar.

Ongeacht de vraag of de rechtbank de doodstraf zal opleggen of de verdachte een levenslange gevangenisstraf gunt zonder het recht op voorwaardelijke vrijlating, het staat vast dat Ramón Salcido vele jaren de tijd zal hebben om over zijn misdaden na te denken. Zoals Angela's vader al heeft gezegd, de kinderen van de slachtoffers zullen nog lang moeten leven met onopgelost verdriet. Men kan zich amper het emotionele leed van Carmina Salcido voorstellen. Wanneer zij volwassen wordt, zal ze in het reine moeten komen met de herinneringen aan haar vader en het verlies van haar moeder, zusjes, tantes en grootmoeder. Als de verdachte ooit zo volwassen wordt dat hij verder kan denken dan zijn eigen behoeften en als zijn arrogantie ooit met het verstrijken der jaren afneemt, komt hij er misschien toe om berouw te voelen voor het leed dat hij zijn slachtoffers heeft berokkend en de rol die hij heeft gespeeld bij de verwoesting van drie gezinnen.

Voor hij het vonnis velde, vroeg rechter Littrell aan mijn vader of hij nog iets te zeggen had. Maar toen nog, toen er zoveel op het spel stond, kon hij zich er niet toe brengen om hardop te zeggen dat hij zeven onschuldige mensen had vermoord en gepoogd had twee anderen te vermoorden. Of zelfs maar om 'het spijt me' te zeggen.

'Ik vraag iedereen om mij de dingen die ik heb gedaan te vergeven,' mompelde hij op de eentonige manier waarmee hij ook zijn bekentenissen had afgelegd. 'Ik wil uitdrukken dat ik berouw heb over de dingen die er zijn gebeurd met de familie die ik het meest liefhad en over alle verdriet en pijn die ik teweeg heb gebracht.'

Berouw is niet hetzelfde als spijt. Om vergiffenis vragen is niet hetzelfde als je excuses maken. Om vergiffenis vragen is een uitweg uit je moeilijkheden zoeken.

Rechter Littrell hoorde niets in mijn vaders verklaringen om het vonnis van de jury te wijzigen. Het vonnis zou de dood zijn, zei hij.

Naderhand werd Peter Bumerts gevraagd of hij geloofde dat Ramón oprecht was geweest in zijn verklaring. 'Volgens mij hebben we vandaag maar één oprechte uitbarsting van emotie gezien en die was van meneer Richards.'

Jaren later vroeg ik rechercheur Mike Brown om me te vergezellen op een bezoek aan de begraafplaats waar mijn familie ligt. Onderweg stopten we om rode en witte anjers te kopen. Ik scheidde het boeket en legde bloemen op elk graf. Nu nog, na al die jaren, heeft Mike moeite om zijn emotie in bedwang te houden als het op mijn vader aankomt. 'Hij begrijpt het nog steeds niet,' zei hij over Ramón. 'Hij zou het nog niet begrijpen als hij die graven zag.'

23

Tien dagen nadat mijn vader mijn familie had vermoord, werd ik drie jaar.

Dat ik het had overleefd was een kwestie van geluk, of goddelijke interventie, volgens mijn artsen. Ze zeggen dat de wond aan mijn keel gemakkelijk geopend had kunnen worden als ik mijn hoofd had bewogen. Toch ging ik rechtop zitten en kroop rond, ik ben zelfs opgestaan om een klein stukje te lopen, voordat Tim Smith me optilde en het talud van de belt van Petaluma op droeg.

Ik herinner me dat ik na de ingreep wakker werd in een ziekenhuiskamer. Ik zag mensen af en aan lopen. Ik voelde iets uit mijn keel steken – het was het buisje van mijn tracheotomie – en toen ik mijn hand uitstak om het eruit te trekken, haastten de zusters zich naar me toe om me tegen te houden. Ze maakten mijn armen met riemen vast en zodra ze dat deden, raakte ik in paniek. Ze moeten me een kalmerend middel hebben toegediend, want even later gleed ik weer terug in de duisternis.

Ik herinner me niet veel van mijn tijd in het ziekenhuis, behalve dat ik mijn opa veel vaker zag dan vroeger. Voor de moorden waren wij niet zo dik met elkaar geweest, maar nu was hij aan mijn bed en hij bracht me kleurboeken en stickers, en een poosje voelde ik een heleboel liefde.

Ik herinner me wel dat hij probeerde uit te leggen waarom

mijn moeder en zusjes er niet waren. Het concept dood begreep ik niet; ik dacht dat het betekende dat ze ergens anders waren. Ik vroeg me af waarom ik ze niet mocht zien.

Tien dagen later deed ik het zo goed dat de artsen mijn intraveneuze voeding op tijd konden stopzetten voor mijn verjaardag. Ze lieten me zelfs taart en ijs eten. Ik praatte niet – het tracheotomiebuisje zat nog in mijn keel – maar ik fluisterde wat af met de zusters en opa.

Inmiddels had het ziekenhuis duizenden speeltjes voor mij ontvangen en de verpleging pakte daar een aantal van in om op mijn verjaardag aan me te geven. Die dag pakte ik meer cadeautjes uit dan ik in mijn hele leven bij elkaar had gekregen. Mijn lievelingscadeau was een paarse driewieler. Het ziekenhuis werd bedolven onder zoveel speelgoed en knuffels dat het aan het publiek moest vragen op te houden dingen te sturen en in plaats daarvan het geld in het trustfonds te storten dat was opgezet voor mij en mijn opa en voor de familie Toovey.

De meest brieven en ansichten bevatten eenvoudige verjaardagswensen. Maar nu ik terugkijk, zie ik dat ze niet allemaal met een blije gedachte eindigden.

Neem alstublieft in overweging dat kleine meisje naar een andere staat te verhuizen, haar naam te veranderen en haar haar te verven zodat ze een nieuw leven kan beginnen, adviseerde een man mijn grootvader op een verjaarskaart die me verder veel plezier in alles wat je doet toewenste. Als haar vader alleen maar voor doodslag veroordeeld wordt – wat ik bitter zou vinden – zal hij achter haar aan gaan, vervolgde hij. Ze zullen hem om de een of andere vreselijke reden voorwaardelijk vrijlaten, of misschien omdat de gevangenis gewoon overvol is.

De meeste kaarten bevatten hartelijker wensen. Een studente stuurde een donatie en schreef dat ze voor me bad, maar dat ik alle hulp nodig zou hebben die ik kon krijgen. De kleine Carmina heeft een moeilijke weg te gaan. Die weg zal als geen andere geplaveid moeten zijn met mededogen, begrip en liefde. Ze zal de moed moeten vinden om te aanvaarden wat er is gebeurd en de draad van haar leven moeten opvatten.

Sommige mensen vonden creatieve manieren om te helpen. Een plaatselijke musicus, John Williams, nam een nummer op dat 'God Protect the Children' heette en doneerde de opbrengst aan het trustfonds.

Toen de zesjarige Aaron Alexander op het avondjournaal over mij hoorde, zei hij tegen zijn moeder dat hij me zijn lievelings-knuffel Brave Heart Lion wilde geven, de personage die anderen voor gevaar behoedde. Zijn moeder bracht hem naar het zieken-huis, glipte door een zijingang naar binnen om de pers te vermij-den en het speeltje bij de receptie af te geven. 'Die is voor haar bescherming,' zei Aaron.

Toen mijn vader nog op vrije voeten was, werd ik soms wel be-waakt door tien politieagenten en drie beveiligingsbeambten van het ziekenhuis. Na zijn arrestatie werden er een politieagent en een bewaker voor mijn ziekenhuisdeur gezet, maar nu was het alleen om de gelukwensers en de pers buiten te houden. 'Als we geen bewaking hadden, zou ze elke dag honderden bezoekers krijgen,' vertelde woordvoerder Mary Frost aan de Press Demo-crat. 'Het is belangrijk dat ze niet aan te veel vreemden wordt blootgesteld.'

Een paar speciale bezoekers werden wel toegelaten, waaron-der rechercheur Randy Biehler. Hoewel hij was toegevoegd aan de plaats delict Cotati en er geen professionele reden was om mij te bezoeken, vertelde hij me later dat hij behoefte had aan een le-vende connectie met de slachtoffers, een bevestiging van leven.

Hij zei dat hij het hartverscheurend vond om mij met mijn keel in het verband te zien, maar de wetenschap dat ik leefde leek de verschrikking wat te verzachten.

Van meet af aan was ik de lieveling van de verpleging, die eraan gewend raakte mij op mijn paarse driewieler op en neer te zien rijden door de gangen om hen op te zoeken in de zusterkamer.

Dave Lopez, een grote, potige bewaker die in het ziekenhuis werkte op de dag dat ik werd opgenomen, was in de weken die volgden dikwijls bij me. Zijn lievelingswerk was mij escorteren op mijn wandelingen door de tuin van het ziekenhuis of naar het dak, waar ik op mijn driewieler in de frisse lucht kon rijden.

Naarmate de weken verstreken, verplaatste de aandacht van de media zich naar andere verhalen. Begin mei publiceerde de Press Democrat een voorpaginaverhaal van Randi Rossmann om de lezers van mijn vooruitgang op de hoogte te brengen, vergezeld van foto's die waren gemaakt door een lid van het ziekenhuispersoneel. Daar zat ik dan in een overall, bloes, kanten sokjes, sportschoentjes en staartjes naast een knuffelpanda die net zo groot was als ik, schaterend om iets vlak naast de camera. Het enige zichtbare teken van wat ik had doorgemaakt was een amper zichtbaar verband om het litteken op mijn hals.

Een van de chirurgen, dokter Ralph Keill, zei te verwachten dat ik volledig van mijn keelwond zou herstellen. Ooit kon ik zelfs plastische chirurgie krijgen om het litteken weg te werken. 'Ze gedraagt zich als een gewone driejarige,' zei hij. 'Ze speelt, pruilt en heeft driftbuien.'

Toen Rossmann vroeg of ik wel eens naar mijn moeder vroeg, zei Keill dat hij daar niets van had gemerkt. Hij zei dat ik gewoon blij leek met het leven.

Op 10 mei, bijna een maand nadat ik op een brancardwagentje was binnengereden, werd ik ontslagen. De zusters van de afdeling moesten huilen. Zelfs die grote Dave Lopez huilde, hoewel hij eerst een plekje opzocht waar niemand hem kon zien.

Mijn ziekenhuisrekening beliep ongeveer 24000 dollar, maar

die werd geheel door het ziekenfonds en het Sonoma County Victim Assistance Center gedekt. En al had ik dat in die tijd nooit begrepen, het trustfonds dat voor mij was opgezet, zou uiteindelijk tweehonderdduizend dollar groot zijn, een appel voor de dorst die ik ooit nodig kon hebben voor therapie, studie of om een zaak te beginnen.

Maar niets zou ooit eenvoudig gaan.

Twee dagen na de moorden had mijn grootvader een telefoontje van het California Department of Social Services gekregen. Hij kreeg te horen dat er een datum voor een voogdijhoorzitting was vastgelegd om te bepalen waar ik zou worden geplaatst wanneer ik uit het ziekenhuis zou worden ontslagen. De zitting was op dinsdag 18 april, daags voor de begrafenis en pas vier dagen na de moorden. 'U hebt het recht de zitting bij te wonen,' zei de dame aan de andere kant van de lijn...

'Ik heb zojuist mijn hele familie verloren,' antwoordde opa ongelovig. 'Ik weet niet eens wat ik morgen doe, laat staan wat ik met mijn kleindochter aan moet.'

Daar had de dame niets mee te maken. De hoorzitting lag vast, hij kon komen of niet.

Opa wist niet wat hij moest doen. Hij belde een bekende bij het bureau om te vragen of de zitting kon worden uitgesteld, maar zij kon haar maar een dag uitstellen, de dag van de begrafenis. Hij was te versuft en uitgeput om zich te verzetten, laat staan om de zitting bij te wonen. Op de dag dat hij zijn vrouw, zijn dochters en twee kleinkinderen begroef, kreeg het California Department of Social Services een rechter zover om mij onder staatsvoogdij te plaatsen.

Als opa mij wilde, moest hij naar de rechter stappen om me terug te krijgen.

Tot die tijd werd ik in een pleeggezin geplaatst bij een vrouw die een verpleegstersopleiding had gehad en voor mijn tracheotomiebuisje kon zorgen tot het kon worden verwijderd. Dat was logisch, maar veranderde niets aan opa's wens om de voogdij te krijgen. Na de begrafenis was hij me een paar keer per week komen opzoeken om verstoppertje met me te spelen op de afdeling, of in het park en om bij me te zitten en verhaaltjes voor te lezen. Soms stopte hij me een snoepje toe dat ik eigenlijk niet mocht hebben en vroeg hij de zusters: 'Het kan toch geen kwaad?'

Toch wist opa niet goed wat hij met me zou doen áls hij de voogdij zou krijgen. Emotioneel was hij een wrak en de avonden alleen thuis bracht hij huilend door. Soms keek hij naar me, zag mijn moeders gezicht en raakte hij verstikt. Hij was bang dat hij niet veel voor me kon betekenen. Maar hij wilde ook niet dat ik onder staatsvoogdij bleef of naar iemand zou gaan die we geen van tweeën kenden.

Uiteindelijk wees de rechter de voogdij toe aan opa. Daarna kwam de vraag wat nu? Hoewel hij met het verstrijken van de weken emotioneel wel wat sterker was geworden, had hij geen idee hoe hij in zijn eentje een driejarig meisje moest grootbrengen. Het grootbrengen van de kinderen was altijd oma's taak geweest, terwijl hij de kost verdiende. En de waarheid was dat hij het leven niet goed aankon. Hij kon voldoende moed opbrengen om een paar uur met me te spelen, maar wist niet of hij op den duur de energie kon opbrengen om mij de liefde en steun te geven die ik nodig had.

Uiteindelijk besloot opa dat het beste voor ons allebei was als hij me zou laten adopteren. Het moest toch niet moeilijk zijn om liefhebbende ouders te vinden; de aanbiedingen waren binnengestroomd sinds de dag dat ze me levend hadden aangetroffen. Maar er was één hindernis: opa wilde dat ik net zo zou worden opgevoed als zijn eigen kinderen, als ultraconservatieve katholieke volgelingen van Tradition, Family and Property. Op die manier zou hij weten dat me goede morele waarden werden bijgebracht en dat mijn ziel in goede handen zou zijn. Hij dacht dat hij contact kon blijven houden met mijn adoptiegezin en mij en me daardoor niet voorgoed kwijt zou zijn.

Toen opa het bericht dat hij een nieuw tehuis voor zijn kleindochter zocht onder de leden van TFP verspreidde, kreeg hij vlug reacties. Maar het vinden van de juiste gezin zou een lange, moeilijke en emotioneel veeleisende klus worden.

Eén vrouw die op bezoek kwam, leek op mijn moeder, vooral door haar kapsel. Toen ik haar zag, wees ik en zei ik: 'Mammie.'

'Jouw mammie is in de hemel, zei opa. Hij probeerde me nog steeds uit te leggen wat dood zijn betekende, en ik klampte me nog altijd vast aan het idee dat mijn moeder en zusjes terug zouden komen.

'Nee, dat is mammie,' hield ik vol.

De vrouw leek het wel leuk te vinden dat ik haar mammie noemde, maar opa zocht verder.

Op een zeker ogenblik meende hij het juiste gezin te hebben gevonden, bij een TFP-familie met een goede reputatie in noord-Californië. Hij en ik zijn er zelfs een poosje gaan wonen. Maar het was een uitdaging om mijn energie en avontuurlijkheid bij te houden. Ik herstelde zienderogen van mijn verwondingen en ik vond het heerlijk om op onderzoek te gaan in de achtertuin van de bewuste familie. Op een dag, toen mijn potentiële nieuwe moeder in een ander deel van de tuin aan het werk was, stuitte ik op een paddenstoel en nam er een hap uit. Daarna holde ik door de tuin om de vrouw het smakelijke hapje te laten zien. 'Kijk eens wat ik heb gevonden!'

De vrouw schrok zich een hoedje. Mijn smakelijke paddenstoel was giftig. Het duurde niet lang voordat ik zwart braakte en op weg was naar het ziekenhuis om mijn maag te laten leegpompen.

Bij die familie lukte het niet. Ze konden mij niet aan. Ik kon het niet vinden met hun biologische kind, ik had een sterke eigen wil en hongerde naar aandacht. Mijn opa mocht de vrouw des huizes niet en ze kiftten constant. Ze besloten dat ik niet paste.

Er was nog een mogelijkheid bij een gezin van twaalf op een boerderij in Kansas. Opa en een maatschappelijk werker van het California Department of Social Services gingen er op bezoek, maar de laatste schrapte die mogelijkheid toen een van de zoons op de dag van dat bezoek zijn kleine zusje in een konijnenhok opsloot. Ik was nog aan het herstellen en zat er niet op te wachten om in een dierenhok te worden gepropt.

Opa vroeg zich af of hij ooit een geschikt gezin voor me zou vinden. Vervolgen schoten hem 's avonds laat de Swindells te binnen, een prominent echtpaar binnen TFP dat op een groot terrein op het platteland van het middenwesten woonde. De Swindells waren van middelbare leeftijd, ze waren een van de meest gerespecteerde TFP-stellen in het hele land en als voorbeeld gesteld van een volmaakt katholiek huwelijk. Opa had hen tijdens een congres leren kennen en wist dat ze in het verleden al kinderen hadden geadopteerd en samen met hun eigen kinderen hadden grootgebracht.

Opa belde Clyde Swindell en vertelde hem over zijn moeilijke situatie. 'Zouden jullie Carmina willen adopteren?' vroeg hij.

Meneer Swindell aarzelde niet, noch nam hij de moeite om iets aan mevrouw Swindell te vragen. 'Vanzelfsprekend,' zei hij. Pas nadat hij had opgehangen, vertelde hij zijn vrouw en jongste dochter Elaine dat hij zojuist had ingestemd met de adoptie van nog een kind.

Kort daarop kwamen de mensen van mijn geboorteplaats er via een berichtje in de krant en op het journaal achter dat het meisje dat de Salcido-moorden had overleefd een nieuw tehuis had gevonden bij een familie op het platteland van het middenwesten.

De bevolking van Sonoma County en diegenen elders in de wereld die mijn verhaal hadden gevolgd, zouden de draad van hun leven weer opvatten. Mijn vaders proces zou beginnen en eindigen. Veel mensen zouden zich alleen maar de belangrijkste bijzonderheden van die duistere periode herinneren, maar veel anderen zouden zich altijd afvragen wat er van mij was geworden. Ze zouden hopen dat ik een liefhebbend gezin had gevonden en dat de verschrikking van mijn belevenissen door tijd en tederheid zou verbleken. Maar voor zover zij het wisten, was ik voorgoed uit beeld.

Als ik tegenwoordig terugkijk op mijn opa's beslissing, valt het me moeilijk mezelf ervan te overtuigen dat er geen andere oplossing mogelijk was geweest. Het leven had op dat punt alle mogelijke scenario's kunnen volgen. Het scenario dat mij werd opgedrongen zou ik nooit zelf hebben gekozen. Mijn ooms waren boos op mijn grootvader omdat hij me niet had gehouden en zijn het nog. Maar het was zijn beslissing en ik probeer die maar door zijn ogen te zien: door de ogen van een man die net alles kwijt was geraakt en niet zeker wist of hij de kracht kon opbrengen om zijn leven met een behoeftig klein meisje te delen.

Wat gebeurd is, is gebeurd. Ik heb niet veel familie, dus heeft het weinig zin om boos te zijn op diegenen die ik nog heb.

24

Mevrouw Swindell en Elaine vlogen naar Californië om me op te halen. Toen we op het vliegveld landden, werden we door meneer Swindell opgehaald.

'Daar is je nieuwe vader,' zei mevrouw Swindell terwijl ze probeerde me aan hem over te dragen. Ik keek naar die grote, kale man van middelbare leeftijd met een bierbuik, veel ouder dan mijn echte vader en verstijfde.

'Nee, dat is mijn papa niet,' zei ik.

'O, jawel hoor,' blafte ze. 'Geef hem een kus!'

Mevrouw Swindells stem was zo scherp dat ik schrok en me in de armen van meneer Swindell liet duwen. Ik kon hem niet eens aankijken. Ik denk dat het voor ons allebei een ongemakkelijk ogenblik was, wat des te erger werd omdat mevrouw Swindell beval: 'Geef je nieuwe vader een kus.'

Uiteindelijk wisten de Swindells me ertoe te brengen hen vader en moeder te noemen, al verboden ze me minder formele woorden te gebruiken zoals mama of mammie of papa. Ik wist dat ze mijn ouders niet waren, maar ik kon nergens anders heen.

Ook veranderden ze mijn naam. Mijn adoptiefouders besloten dat ik voortaan met mijn middelste naam door het leven moest en dus heette ik Cecilia Ursula Mary Rose de Carmel Swindell. Toen een vriend van de Swindells me een keer vroeg hoe ik heette, antwoordde ik: 'Vroeger noemden ze me Mina.' Er gleed een verraste blik over mevrouw Swindells gezicht voordat ze zich herstelde, haar keel schraapte en me verbeterde. 'Nee, nee, je heet Cecilia. Dat is altijd zo geweest.'

Het was de eerste stap in het plan van mijn adoptiefouders om me te scheiden van mijn verleden en me in de boezem van Tradition, Family and Property op te nemen.

Voor zijn critici mag TFP een rechtsreligieuze sekte zijn geweest, maar zijn leden beschouwden zich als de voorhoede van de Westerse christelijke beschaving en als een bolwerk tegen het liberalisme, communisme en modernisme. De oorspronkelijke aanhangers in Brazilië en vervolgens andere Latijns-Amerikaanse landen waren rijke landeigenaren en zakenlui. Door de liberale hervormingen van het Tweede Vaticaanse Concilie was de macht van de katholieke Kerk in Zuid-Amerika verplaatst van de bisschoppen en kardinalen die de rijken al sinds de zestiende eeuw hadden gesteund, naar plaatselijke priesters die de kant van de armen neigden te kiezen, en zelfs naar een paar linkse landhervormings- en gelijkheidsbewegingen. TFP had zich vervolgens verspreid buiten Latijns-Amerika als anticommunistische en antiliberalistische beweging.

Veel mensen in zowel Latijns-Amerika als de Verenigde Staten hebben TFP beschuldigd van het hersenspoelen van zijn volgelingen, vooral jongemannen. TFP ontkent die aantijgingen. Maar de beweging verontschuldigt zich niet voor haar geloof dat de wereldbevolking beter af zou zijn onder het leiderschap van een elite, zelfs in democratische landen als de Verenigde Staten. De eigen documenten van de beweging beweren:

TFP streeft de waarden van het christendom na en verzet zich tegen links egalitaire opvattingen, beleid en trends zowel in de samenleving als geheel als in de katholieke Kerk...

Afgezien van het feit dat de beweging de officiële katholieke leerstellingen in hun geheel omhelst, bepleit ze de behoefte aan een authentieke elite in de samenleving die bovenal de morele toon van de algemene maatschappij moet verheffen, zoals na te lezen is in een van de meest beschikbare werken van Corrêa de Oliveira 'Nobility & Analogous Traditional Elites in the Allocutions of Pius XII'.

In dat boek probeert Corrêa de Oliveira de opvatting van een 'voorkeurskeus voor de armen' [dat kenmerkend is voor] enig modern en liberaal katholiek gedachtegoed in evenwicht te brengen met steun voor de natuurlijke elite die in alle samenlevingen bestaat.

In een ander werk, 'Revolution and Counter Revolution' hield Corrêa de Oliveira vol dat de moderne wereld drie fasen had doorgemaakt van 'gnostische en egalitaire revolutie', waarvan elk de Kerk en de maatschappelijke orde had ondergraven: de Renaissance (de 'protestantse pseudoreformatie' incluis); de Verlichting en de Franse Revolutie, die de deur opengezet hadden voor het moderne politieke liberalisme en voor de communistische revolutie. De tegenwoordige tijd markeerde een laatste fase waarin de Kerk en de christelijke beschaving dreigden te worden weggevaagd door de krachten van het 'radicale egalitarisme en neopaganisme', dat wil zeggen door diegenen die geloofden dat alle mensen gelijk zijn.

Dat was de theologische kant van TFP. Maar in het Amerikaanse dagelijkse leven hielden de leden van TFP zich meer bezig met bekendere rechtse thema's. Ze vertoonden zich bij anti-abortusdemonstraties, postten voor abortusklinieken en protesteerden zowel tegen 'linkse ideeën' zoals homorechten als tegen kunst en vermaak die ze beledigend of zondig achtten. Hoewel het algemene publiek niet altijd wist wie zij precies waren, voerden zij de protestacties tegen films als 'Hail Mary' uit 1985 en Martin Scorceses 'The Last Temptation of Christ' uit 1988.

In talrijke opzichten leek de TFP niets anders te doen dan weemoedig teruggrijpen naar conservatievere tijden. Net zoals mijn moeder en haar zusjes vroeger thuis, droegen TFP-vrouwen geen broek of make-up en kleedden ze zich zo dat hun lichaam verborgen bleef. Mannen droegen een pak en een stropdas in een sociale omgeving; spijkerbroeken en spijkerstof waren helemaal taboe. (TFP beweerde dat Levi Strauss een communist was en dat het doel van spijkerstof was om iedereen gelijk te laten lijken.)

Jongemannen en vrouwen van TFP gingen niet met elkaar uit in de moderne zin van het woord; ze leerden elkaar eerder kennen via hun ouders, onder strenge chaperone. Maar zelfs dan werden huwelijk en kinderen krijgen niet aangemoedigd. In plaats daarvan werden jongemannen aangemoedigd priester te worden en jonge vrouwen om in een klooster te gaan. Deze zondige wereld had meer behoefte aan priesters en nonnen, geloofde de leiding van TFP, niet aan nog meer kinderen.

In de wereld van TFP was de man het hoofd van het huishouden. Vrouwen werden dikwijls omschreven als 'metgezel' van hun man, maar een beter woord zou misschien bereidwillige bedienden zijn. Van hen werd verwacht dat ze thuis bleven om voor huishouden en kinderen te zorgen wanneer de man naar zijn werk was, dat ze hun plaats kenden en hun heer en meester nooit tegenspraken.

Evenzo moesten kinderen tegenover hun ouders rustig, gehoorzaam en behulpzaam zijn. Hoewel sommige TFP-jongens naar speciale TFP-scholen gingen, kregen de meeste TFP-kinderen privéles en werden ze afgeschermd tegen contact met andere kinderen, die hen waarschijnlijk zouden bezoedelen met de ondeugden van televisie, wereldse literatuur en rock-'n-roll.

De leiding van TFP pleit voor het herstel van oude monarchieën en hun 'eliteklassen' tooiden zich met duidelijk middeleeuwse ornamenten. In hun huizen hingen rijk bewerkte wapenschilden, ze woonden in een rode mantel protestbijeenkomsten bij, droegen enorme, kruisvaarderachtige vaandels en gaven hun kinderen lange, ouderwetse namen zoals Cecilia Ursula Mary Rose de Carmel Swindell.

De Swindells hadden drie kinderen van zichzelf en één jongen geadopteerd voordat ik op het toneel verscheen. Alleen Elaine woonde nog thuis toen ik kwam.

Ze woonden op het platteland in een grillig huis van twee etages op een heuvel omringd door hectaren weiden en boslandschap. Het stond drie kwartier rijden van de dichtstbijzijnde plaats voor de boodschappen en ruim twee uur rijden van de dichtstbijzijnde grote stad, en zo wilde Clyde Swindell het ook; toen hij op zoek was gegaan naar een boerderij voor zijn gezin, zei hij tegen de makelaar dat het 'buiten schootsafstand van buren' moest zijn.

Clyde Swindell, een potige ex-marinier, verkocht elektrische apparatuur en reisde het land af met bestellingen, soms vergezeld van zijn vrouw en kinderen. Hij had een forse lening gesloten om de zaak te beginnen en het huis te kopen, al floreerden de zaken nooit zoals hij had gehoopt en was het altijd zuinig aan geblazen.

Betty Swindell bleef thuis bij de kinderen en haar enige uitjes waren boodschappen doen en winkelen. Ze hadden bij TFP veel aandacht gekregen als modelpaar, bejubeld op congressen en in nieuwsbrieven als mensen om tegenop te zien en na te volgen. Hoewel ze niet rijk waren, stond hun reputatie in de gelaagde maatschappelijke geledingen van TFP op één lijn met die van welvarender families.

Ik kwam niet bepaald berooid bij hen aan; de kranten hadden

de grootte van mijn trustfonds, waaraan mensen van over de hele wereld hadden bijgedragen, breed uitgemeten. Het geld was zowel aan opa als aan mij gestuurd, dus hield hij een deel en gaf hij de rest aan de Swindells om voor mij in bewaring te houden.

Terugkijkend zie ik al vroeg tekenen dat mijn leven niet over rozen zou gaan. Toen de Swindells naar Californië reden om de cheque van het trustfonds op te halen, bood opa hun onderdak in zijn huis aan. 'Ben je gek geworden?' zeiden ze. 'Jouw huis is niet veilig. Waarschijnlijk word je in de gaten gehouden door vrienden van Ramón. We spreken wel af in een restaurant.'

Er waren nog meer voortekenen van problemen. Eén van de adoptievoorwaarden van Californische Department of Social Services was, dat de Swindells verplicht waren een kinderpsycholoog in de arm te nemen die mij moest helpen het trauma van het gebeurde te verwerken. Maar daar was het echtpaar niet blij mee, vooral niet toen mevrouw Swindell te horen kreeg in een andere kamer te wachten terwijl ik in mijn eentje met de psychologe praatte.

De eerste keer dat het gebeurde, maakte ze ruzie met de therapeute, al gaf ze uiteindelijk toe. Maar haar pogingen gaf ze niet op. Elke keer dat we gingen, protesteerde ze dat ze erbij moest zijn. Ze wilde weten wat ik vertelde en wat de psychologe tegen mij zei, en als ik klaar was, wilde ze me daar ook zo snel mogelijk weg hebben en stond ze erop om alles te horen wat er was gezegd.

Ondanks de verhoren van mevrouw Swindell genoot ik van de gesprekken met de psychologe. Het grootste deel van de tijd hielden de Swindells me in huis opgesloten met als mijn enige speelkameraadje Elaine die een stuk ouder was. Ze brachten me alleen naar de psychologe omdat ze dat moesten, maar het haalde mij tenminste uit dat huis, zodat ik wat meer van de wereld zag.

De psychologe hielp me het zelfrespect te vinden dat ik nodig had. Ze vertelde me hoe leuk ik eruitzag en hoe slim ik was. Ik was pas vier toen ik bij het echtpaar ging wonen, maar mevrouw Swindell begon al vroeg met me bij te brengen dat in de spiegel kijken ijdelheid dus zondig was. De psychologe stelde me gerust dat het oké was.

Tijdens een van de sessies vroeg de psychologe wat ik van de dood van mijn moeder en zusjes dacht. Ik wist niet goed wat ik moest zeggen; nog ruim een jaar na dato begreep ik nog altijd niet goed wat dood betekende. Ik dacht nog steeds dat de anderen ergens heen waren gegaan en mij niet mee hadden genomen, waar ik boos om was.

Die eerste jaren wilden de Swindells het niet over mijn ouders hebben. Maar ik moest wel bidden voor mijn zusjes, tantes en oma. Ik begreep niet waar de hemel was. Ik wist alleen dat ik ze daar niet mocht opzoeken.

De psychologe was ook de enige die me ooit heeft gevraagd wat ik van mijn vader vond. Ze liet me een kleifiguur zien en zei dat die mijn vader vertegenwoordigde; daarna zette ze het voor een speelgoedgevangenis en vroeg of ik vond dat hij in die gevangenis moest zitten. Maar ik begreep het concept gevangenis niet, dus haalde ik maar mijn schouders op.

Daarna gooide ze het over een andere boeg. Had mijn vader iets ergs gedaan? Mensen die erge dingen doen, worden in de gevangenis gestopt om te voorkomen dat ze andere mensen pijndoen. Dat was iets wat ik kon vatten. Ja, hij had iets ergs gedaan. Ik pakte het poppetje op en stopte het in de gevangenis.

Uiteindelijk kwam er een dag waarop de psychologe uitlegde dat we elkaar niet meer zouden spreken. Ik deed het prima en had haar niet meer nodig. Maar het leek alsof ze het lastig vond om me zomaar aan mijn nieuwe ouders uit te leveren. Ze pakte een speelgoedtelefoontje, nam me bij de hand en keek me in de ogen.

'Als je mammie of papa je ooit slaan of tegen je schreeuwen,' zei ze, 'of iets doen, of iets tegen je zeggen dat je moet doen en wat je niet goed vindt, of als ze je pijn doen, neem je de hoorn van de haak en draai je 911.'

25

Het leven bij de Swindells was eenzaam en verstikkend, vooral voor een kind dat zo van gezelligheid en activiteit hield als ik. In Sonoma had ik mijn zusjes en tantes gehad om mee te spelen en ook de buurtkinderen. We waren op picknicks en uitstapjes naar het strand geweest en speelden vaak in het park. Nu was me dat allemaal ontnomen en vervangen door een steriel, geïsoleerd bestaan onder strikte supervisie van mijn obsessief religieuze adoptiefouders.

Het land van de Swindells was voor ongeveer twee derde weidegrond, de andere derde was bos met eiken, iepen, bitternoot, wilde kaki en walnotenbomen. De enige mensen met wie ze omgingen waren andere leden van Tradition, Family and Property, en de dichtstbijzijnde waren twee uur rijden in de ene richting of vijf uur in de andere. Ik zag zelden andere mensen, behalve bij die zeldzame uitstapjes, of op de zakenreizen van meneer Swindell, of wanneer we naar TFP-congressen gingen. Het was zelfs verboden om te zwaaien naar auto's die passeerden op de weg langs ons land.

Mijn isolement werd nog groter toen ik vijf was en Elaine het huis verliet om in een verpleegtehuis op twee uur gaans te werken. Ik raakte de enige persoon kwijt met wie ik behalve het echtpaar zelf regelmatig contact had, en de enige die het dichtst in de buurt van mijn leeftijd kwam. De enige onderbreking van mijn eenzame uren kwam wanneer mevrouw Swindell me meenam om boodschappen te doen. Dat waren de enige keren dat ze huis en haard zonder haar man verliet en je kon ze amper sociale gebeurtenissen noemen. Maar daardoor kwam ik wel uit huis en van het land en dat was een welkome opluchting.

Mijn dagen werden meestal gevuld door mevrouw Swindell te volgen tijdens haar werkzaamheden in huis en te leren een fatsoenlijke katholieke huisvrouw te worden. Alle vormen van jezelf mooi maken of opsmuk werden als zondige ijdelheid beschouwd. Mevrouw Swindell, die vormloze hobbezakken over haar mollige lijf droeg en haar zilvergrijze haar altijd in een streng knotje opgestoken droeg, maakte zich daar in elk geval nooit schuldig aan. Wanneer we uitgingen, liet ze mij leuke jurkjes met schortjes, roesjes en bloemetjes dragen. Thuis droeg ik overgooiers en 'speel'-jurken.

Ik was met dozen vol knuffels, speelgoed en kleding die ik in het ziekenhuis had gekregen bij de Swindells gekomen, maar mijn adoptiefouders hadden het meeste weggegooid, vooral 'verboden' dingen zoals broeken en Barbiepoppen. Het merendeel van mijn 'aanvaardbare' kleding kreeg ik van andere, rijkere TFP-families, die ons ook voedsel schonken.

Toen ik de leerplichtige leeftijd bereikte, hielden ze me thuis en gaf mevrouw Swindell me te hooi en te gras privéles. Ik leerde pas omstreeks mijn zevende lezen en toen waren de meeste wereldse kinderboeken verboden. Mijn leesmateriaal bestond uit de bijbel, godsdienstige geschiedenissen uitgebracht door TFP en natuurboeken. Zelfs mijn kleurboeken stonden vol godsdienstige afbeeldingen, geen Assepoesters en Sneeuwwitjes voor de kleine Cecilia.

Muziek was een van mijn creatieve uitlaatkleppen. In huize Swindell werd altijd klassieke muziek gedraaid, van Gregoriaanse gezangen tot opera's en symfonieën van Mozart of Vivaldi.

Bovendien hadden ze een piano. Net als alle kinderen vond ik het leuk om doelloos op de toetsen te bonken tot we naar een pianorecital gingen en er iets vanbinnen op zijn plaats viel. Toen ik thuiskwam, begon ik te experimenteren en binnen de kortste keren speelde ik tot ieders verrassing akkoorden en vervolgens delen van composities die ik van de grammofoon hoorde.

Op mijn vijfde kon ik complete werken spelen nadat ik ze een paar keer van a tot z had gehoord en net zo lang had geoefend tot mijn vingers de melodie in mijn hoofd naspeelden. Ook kon ik opera zingen. Dan luisterde ik naar een van Swindells opnamen van Pavarotti en algauw zong ik mee. De Italiaanse woorden verstond ik niet, maar de muziek begreep ik intuïtief.

Muziek was een van de weinige hobby's die de Swindells gedoogden. Mevrouw Swindell vroeg vaak of ik voor het eten wilde spelen en ze vroegen me trots om voor gasten op te treden. Maar zelfs muziek kon mijn eenzaamheid niet opheffen. Ik leefde in een cocon, afgeschermd tegen de buitenwereld, maar de genoegens van een kind werden me ook ontzegd.

Zelfs wanneer ik met andere TFP-kinderen speelde, moest ik uitkijken met wat ik zei over 'de tragedie', vooral als ze naar het litteken op mijn keel informeerden.

De meeste mensen wisten voldoende om er niets over te zeggen. Waarschijnlijk kenden ze het verhaal en had mevrouw Swindell duidelijk gemaakt dat er niet over gesproken mocht worden.

Maar op een keer speelde ik bij een bezoek aan een andere familie met hun dochter op haar slaapkamer toen ze naar mijn litteken vroeg. Dus vertelde ik haar wat ik wist. 'Hier blijven,' zei ze. 'Ik kom zo terug!' en ze holde naar de volwassenen om te vertellen wat ik had gezegd. Ik kreeg een zware uitbrander van de Swindells en ik mocht er nooit meer over praten.

Maar een keer per jaar, op 14 april, de herdenkingsdag van 'de tragedie', kookte mevrouw Swindell een bijzondere maaltijd en zaten het echtpaar en ik bijeen om de tafel om die samen te gedenken. De tafel werd fraai gedekt, met kaarsen en zo, en mevrouw Swindell zette foto's neer van mijn zusjes, tantes en grootmoeder. 'Zij zijn allemaal heiligen in de hemel,' zeiden ze. En elk jaar vroegen ze mij hun te vertellen wat ik me herinnerde van wat me was overkomen. Dat is waarschijnlijk een van de redenen dat ik me dat tegenwoordig nog zo goed herinner.

Maar er stonden geen foto's van mijn ouders bij; ze hadden het toen ik klein was zelfs nooit over mijn moeder. Pas toen ik ouder was, noemde mevrouw Swindell haar naam wel eens, en dan alleen om te zeggen dat ze had gezondigd door naar buiten te glippen om mijn vader te ontmoeten en 'de tragedie' over onze familie af te roepen. Mijn moeder was niet met de anderen in de hemel, hield ze vol; als ze bofte, zat ze misschien in het vagevuur in afwachting van haar uiteindelijke dispensatie. Bij de zeldzame gelegenheden waarbij ze over mijn vader praatte, was het om te zeggen dat hij door de duivel bezeten was en na zijn dood rechtstreeks naar de hel zou gaan.

De Swindells waren vastbesloten mijn verleden uit te wissen. Eén keer riep iemand die onze familie in Sonoma had gekend en mij op een TFP-congres zag, 'Carmina!'

Ik draaide me om en was even in de war omdat ik die naam sinds mijn vierde niet meer had gehoord. Maar mevrouw Swindell kwam tussenbeide. 'Carmina is lang geleden gestorven,' zei ze streng tegen de vreemde. 'Cecilia is het wonder dat bleef leven!'

Na het vertrek van Elaine waren de paarden, de koeien en andere dieren op het land van de buren mijn enige metgezellen. De paarden kwamen naar het hek om zich door mij te laten aaien en ik zong dikwijls liedjes voor de koeien, die zich als een publiek om me heen verzamelden. Behalve muziek was tekenen mijn enige creatieve uitlaatklep; ik kon uren paarden zitten tekenen. Pas jaren later zou ik horen dat ik die voorliefde van mijn moeder had.

Ik had wel een eigen lievelingsdier, een lammetje dat Lilly heette. Elke dag liet ik haar uit en stoeiden we met elkaar, we sprongen in de lucht, verstopten ons achter bomen en stootten met de hoofden tegen elkaar. Van haar leerde ik dat mensen en lammeren in één opzicht gelijk zijn: we hebben behoefte aan gezelschap. Lammetjes zijn gewend aan de kudde; eenzame lammetjes sterven meestal jong. Ik had iets van een eenzaam lam dat hunkerde naar de familie en vrienden die me ooit hadden omringd.

Zonder echte vrienden om mee te spelen zocht ik naar ingebeelde om mijn avonturen mee te delen. Ik praatte met mijn poppen en knuffels, maar die zeiden nooit iets terug, wat me teleurstelde. Dus rond mijn vijfde begon ik me te omringen met fantasievriendjes. Een aantal was ouder, zoals mijn zusje Sofia, maar andere waren net zo oud als ik of jonger, zoals de kleine Teresa. Ze hadden ook hun eigen leven, dus waren ze er niet altijd, maar soms waren we met zijn vieren of vijven bij elkaar.

Het magische van die ingebeelde vriendjes was dat ik ze overal mee naartoe kon nemen. Als ik speelde, of de afwas deed, of leerde, of in bad zat, waren ze om me heen en voerden ze gesprekken. Ik praatte hardop met ze, waar mevrouw Swindell gek van werd. 'Waarom praat je niet met je zusjes, of met God en de engelen en de heiligen in de hemel?' vroeg ze dan. Maar mijn zusjes waren daar niet bij mij in de keuken of op mijn slaapkamer. Die hadden me juist in de steek gelaten.

De Swindells hadden niet zoveel met heraldiek als mijn grootvader, maar er hing wel een groot middeleeuws zwaard aan een muur bij de voordeur en er stond een beeld van het Kindeke Jezus van Praag op een tafel. En ze hadden nog meer heiligenbeelden, crucifixen en schilderijen dan mijn grootvader, waaronder een levensgroot buitenbeeld van Onze Lieve Vrouwe van de Zee.

Het echtpaar sliep apart. Meneer Swindell woonde in de kelder die geheel was uitgerust met een open haard, koelkast, fornuis, gootsteen, ligbad en een slaapkamer. De familie-tv stond daar ook; op zaterdag keek hij naar golf en op andere dagen keken we naar TFP-video's en goede, 'gezonde' films zoals 'The Song of Bernadette', 'Jeanne d'Arc' en 'A Man for All Seasons'.

Boven waren drie slaapkamers: 'moeders kamer', Elaines kamer en aan het eind van de gang de mijne met een tweepersoonsbed. Het huis had een fraai uitzicht door zijn grote ramen, vooral in de huiskamer, die uitzag op een mooie vallei. Aan de andere kant van de huiskamer was de grote eetkamer, gedomineerd door een lange, houten tafel waarop je een middeleeuws feestmaal kon aanrichten en soms gebeurde dat ook.

De Swindells mochten graag TFP-leden ontvangen, vooral de VIPS van de beweging en de rijkere en ook invloedrijkere leden. Dan dekten ze alsof er royalty op bezoek kwam, met kristallen glazen, zilveren messen, twee vorken en drie lepels, elk met zijn eigen doel en plek naast het fraaie porseleinen servies. Al op jeugdige leeftijd leerde ik de linnen servetjes in allerlei vormen te vouwen, zoals bloemen of vogels, en om gasten te bedienen en af te ruimen na elke gang. Alles was tiptop, van de wijn en de sterke drank tot en met het eten, terwijl ze met niets begonnen waren.

Met klassieke muziek op de achtergrond bespraken de Swindells en hun gasten – allemaal lid van de TFP-elite – de jongste leringen van dr. Corrêa de Oliveira en betreurden ze de ondergang van de Westerse beschaving. Ik zat stil te luisteren of hing vlakbij rond en absorbeerde hun gepraat over 'revolutionairen' – de immorele zondaars die voorbestemd waren voor de hel – en de 'contrarevolutionairen' van TFP die vonden dat de beschaving al eeuwen lang – letterlijk – naar de hel ging.

Ik probeerde een goed katholiek meisje te zijn, zoals de heilige Bernadette en schreef de kleine vurige gebedjes op die ik omstreeks mijn zesde of zevende begon te verzinnen.

O lieve Heer, Zegen mij en geef me vertrouwen!
Bescherm mij en behoed me voor het kwaad, amen.

Toen ik ouder werd, werden mijn gebeden langer en intenser, zij het af en toe met spelfouten:

O lieve Moeder Maria ik vraag u vanaf de bodum van mijn hard
om mij te helpen in deze tijden van behoefte geef me de genade
om te doen wat u van mij wendt [wenst]
Lieve Jezus wees mijn liefde.

Wat ik niet tegen de Swindells zei, was dat ik niet alleen voor mijn zusjes en tantes en grootmoeder bad, maar ook voor mijn moeder. En soms zelfs voor de bekering van mijn vader.

Ik was ambivalent over Ramón. Soms stelde ik me manieren voor waarop hij ter dood gebracht moest worden: overreden worden door een tractor, of opgehangen boven een vuilnisbelt zodat de vogels zijn ogen zouden uitpikken, overdekt met vliegen zoals mijn zusjes. Maar een ander deel van mij geloofde in de christelijke beginselen die me werden onderricht en bad dat mijn vader zich zou bekeren en om vergiffenis zou smeken zodat zijn ziel kon worden behouden. Ik stelde me voor dat ik hem weer eens zou opzoeken en dat hij dan vol berouw zou zijn en ik hem zou vergeven zoals Jezus van me zou verlangen.

Maar dat waren geen dingen die ik met de Swindells kon bespreken.

Aan de buitenkant belichaamden de Swindells het perfecte TFP-gezin. Maar het beeld dat ze aan de TFP-top en medeleden presenteerden, was thuis niet de dagelijkse werkelijkheid.

Meneer Swindell hield van drank, en niet zo'n beetje ook. Wanneer hij thuiskwam, begon hij met drankjes klaarmaken voor hem en zijn vrouw, meestal Jim Beam met water en ijs, hoewel de zondag was gereserveerd voor gin-tonic. Zelfs wanneer er TFP-leden op bezoek kwamen, eindigde hij dronken en praatte hij steeds harder en sneller tot hij in de woonkamer indommelde.

Soms was al dat drinken wel grappig, zoals die keer toen hij zichzelf vergat en vloekte, waardoor mevrouw Swindell uitbarstte in een tirade over hel en verdoemenis. Maar er waren ook gelegenheden waarbij mevrouw Swindell zo dronken werd dat ze niet meer kon lopen en naar bed geholpen moest worden.

De Swindells huldigden het beginsel wie zijn kind liefheeft spaart de roede niet en er zijn talrijke pollepels op mijn blote bips kapotgeslagen. Maar ik was niet het type kind dat je er met slaag makkelijk onder krijgt; dan schreeuwde ik moord en brand in de hoop dat het dan wat minder zou worden. Als ik een 'grote mond' gaf of op een andere manier onbeleefd was, schonken ze wat Tabasco op mijn tong of ze staken een stuk zeep in mijn mond en dwongen me het daar te houden tot mevrouw Swindell zei dat ik het eruit mocht halen. In de jaren die volgden heb ik geprobeerd mijn gevoel voor humor daarover te bewaren. Ik mag graag zeggen dat ik al vroeg in mijn leven leerde dat een mondvol Palmolive lekkerder is dan die ouwe Sunlight-zeep.

De Swindells ontdekten dat het niet zou meevallen om mijn koppige trekje te breken. Op een dag, toen mevrouw Swindell verlangde dat ik mijn speelgoed zou opruimen, herinnerde ik me weer wat de psycholoog had gezegd. 'Nee!' schreeuwde ik, terwijl ik mijn speelgoedtelefoontje oppakte. 'Ik bel de politie en geef je aan!' Dat was de dag waarop ik mijn eerste flinke pak slaag kreeg met een grote houten spaan. Mijn speelgoedtelefoontje was ik voorgoed kwijt en pas op mijn vijftiende mocht ik voor het eerst de echte telefoon gebruiken.

De Swindells toonden weinig begrip voor mijn emotionele uitbarstingen. Als ik driftig werd, beschuldigde mevrouw Swindell me van bezetenheid door de duivel, 'net als je vader'. Ze overwogen zelfs een priester in de arm te nemen om exorcisme uit te voeren. Hoewel het nooit zover kwam, begon mevrouw Swindell me 's morgens te wekken door mijn gezicht met wijwater te besprenkelen.

Lang voordat ik oud genoeg was om er iets aan te doen, begon ik al te denken aan ontsnappen aan de Swindells. Dan droomde ik dat ik achter het stuur van een auto kroop en er zo hard mogelijk vandoor ging.

Maar zelfs voordat zo'n vlucht me gelukt zou zijn, was het probleem altijd eender: ik kon nergens heen. Ik was verloren voor de mensen van Sonoma en verloren voor mijn onbekende familie in Mexico. Gedurende het eerste jaar zag ik mijn moeders broers, die inmiddels voor de TFP-branche America Needs Fatima werkten, één keer, maar dat was dat. Later hoorde ik dat eerst Lewis en later ook Robert de beweging had verlaten; daarna waren ze niet langer welkom hij de Swindells.

Mijn opa mocht op bezoek komen, maar voelde zich nooit welkom – hooguit getolereerd – bij de Swindells thuis, dus kwam hij maar een keer per jaar. Ik genoot van zijn bezoekjes en kon niet begrijpen waarom hij niet vaker kwam, een klacht die de Swindells maar al te graag uitbuitten.

'Zie je wel? Je kan hem niets schelen,' zei mevrouw Swindell bij zulke gelegenheden.

Natuurlijk wist opa wel hoe hij op hun tenen moest trappen. Hij vond het heerlijk om foto's van mij te maken, al wist hij best dat mijn nieuwe familie daar niet van hield. Meneer Swindell waarschuwde hem regelmatig geen foto's of video's van 'Cecilia' te maken, omdat ze niet wilden dat iemand uit mijn verleden wist waar ik woonde. En soms vergat opa het en noemde hij me Carmina, wat altijd dezelfde reactie bij mevrouw Swindell opriep: 'Carmina is al lang gestorven.'

Naarmate de jaren verstreken, maakte opa zich steeds meer zorgen over mij. Ik had geen speelkameraadjes en de Swindells leken weinig in het werk te stellen om me te scholen. Mijn oma Louise was een goede privélerares geweest voor mijn moeder en haar broers en zussen, maar mijn onderwijs door mevrouw Swindell leek sporadisch en beperkt. Mijn opa's geweten knaagde of mij afstaan ter adoptie eigenlijk wel zo'n goede beslissing was geweest.

Destijds moest het hem de enige keus hebben geleken. Tot twee jaar na de moorden had hij gehuild, zelfs toen hij na mijn adoptie naar het zuiden van Californië was verhuisd alsof verandering van omgeving iets aan het verleden kon verhelpen. Een poosje leek het alsof hij eindelijk de draad van zijn leven weer opvatte, maar dan hoorde hij een kind in de supermarkt dat klonk als Ruth of Maria of als een van zijn kleinkinderen en barstte hij weer in snikken uit. Zelfs zijn bezoekjes aan mij waren hartverscheurend omdat ik hem zo aan Angela deed denken toen ze klein was.

Opa wist dat er iets schortte aan de manier waarop ik werd grootgebracht. Op een zeker moment heeft hij zelfs aan mijn vroegere maatschappelijk werkster in Californië gevraagd of er een manier was om het adoptieproces terug te draaien. Maar die kon daar kort over zijn. Ze herinnerde hem eraan dat hij zijn rechten had opgegeven toen hij me aan de Swindells afstond.

In hun campagne om de banden tussen mij en mijn opa door te snijden, nodigden de Swindells hem zelfs niet uit voor het belangrijkste godsdienstige moment van mijn jonge leven: mijn Eerste Communie.

In de TFP-gemeenschap was de Eerste Communie in zo'n modelgezin als de Swindells een belangrijk evenement en de beweging wilde eens goed uitpakken. Ze bood ons een speciale plechtigheid in New York aan waarbij tegelijkertijd het nieuwe TFP-boek *The Nobility* zou worden uitgebracht. De Swindells en ik werden op kosten van hun rijke beschermheren van TPF ondergebracht in het mooiste hotel van de stad. De avond voor de grote gebeurtenis zwierf ik in mijn witte communiejurkje door de gangen van het hotel toen ik opkeek en recht in het gezicht van opa staarde.

Hij schrok net zo als ik. Hij was voor de boekpublicatie naar New York gekomen en had geen idee dat ik de volgende dag mijn Eerste Communie zou krijgen. Hij logeerde niet eens in hetzelfde hotel; zo rijk was hij niet. Hij wilde gewoon bij een paar vrienden langsgaan toen hij mij zag.

De volgende dag zou me voor het eerst de biecht worden afgenomen en ik het heilige sacrament toegediend krijgen. Mijn Eerste Communie betekende dat ik de 'leeftijd van de rede' had bereikt, dat ik oud genoeg was om deel te nemen aan de sacramenten van de rooms-katholieke kerk. Na mijn doop was er geen belangrijkere dag in mijn spirituele leven; het was een dag waarop mijn hele familie bijeen had moeten komen om feest te vieren.

Toch hadden ze mijn grootvader met opzet buitengesloten.

De volgende morgen verscheen hij met cadeautjes aan de deur van de weelderig suite van de Swindells. Ik wachtte met uitpakken tot hij weg was, dus zodra hij de deur uit was, maakte ik de doos opgewekt open om er een hartvormig medaillon en een rozenkrans uit te halen.

Meneer Swindell wierp één blik op het medaillon. 'Goedkoop ding,' smaalde hij. 'Waarschijnlijk van plastic.'

Ik keek naar mijn cadeautjes. Met de woorden van meneer Swindell nog in mijn oren, wierp ik ze in de prullenbak.

Voor ik de hostie kon ontvangen, moest ik te biecht. Ik wist niet precies wat ik moest bekennen, maar ze hadden me wel voorgehouden dat ik niet ter communie kon als ik niet ál mijn zonden opbiechtte, anders riskeerde ik eeuwige verdoemenis. Dus maakte ik een lijstje.

'Wat heb je daar?' vroeg de priester toen ik in de biechtstoel zat.

'Ik heb mijn zonden opgeschreven,' zei ik.

De priester klonk geamuseerd. 'Weet je dan niet meer wat je hebt misdaan?'

Niet echt, dacht ik, maar ik knikte. 'Jawel.'

'Geef dat lijstje dan maar aan mij en zeg je biecht op,' grinnikte de priester. Toen ik klaar was, zei hij: 'Bid maar vijf Onzevaders om boete te doen.'

Naderhand zag ik opa naar me toe komen. Eerst glimlachte hij, maar toen hij dichterbij kwam, zag hij dat ik een mooiere rozenkrans in mijn handen hield, die ik van Elaine had gekregen.

'Waar zijn de cadeaus die je van mij hebt gekregen?'

'Die waren van plastic,' antwoordde ik. 'Dat zei meneer Swindell. Ik heb ze weggegooid.'

Geschokt en gekwetst confronteerde opa meneer Swindell daarmee. Waarom wist hij niets van de Eerste Communie? Waarom zeiden de Swindells zulke dingen over de cadeaus die hij op het laatste moment voor zijn kleindochter was gaan kopen?

Maar meneer Swindell poeierde hem af door te zeggen dat opa geen rechten had.

Sindsdien voelde opa zich nog minder welkom in huize Swindell. Maar zijn bezoekjes een keer per jaar hield hij vol en hij stuurde me altijd een cadeautje op mijn verjaardag en met Kerstmis. Toen zei mevrouw Swindell op een dag tegen me dat ik opa moest schrijven om te vragen of hij wilde ophouden met het sturen van cadeaus en dat ik liever geld wilde.

Daarna kwamen er steeds minder cadeaus en uiteindelijk hielden ze op. En als hij ooit geld stuurde, heb ik er niets van gezien.

26

Slechts vier jaar na het bloedbad van mijn vader werd de bevolking van Sonoma County opnieuw opgeschrikt door een afgrijselijk misdrijf dat grote belangstelling van de wereldpers trok. Op 1 oktober 1993 werd de 12-jarige Polly Klaas onder bedreiging van een mes ontvoerd uit haar moeders huis in Petaluma.

Polly en twee vriendinnen die een nachtje bij haar logeerden, werden om ongeveer halfelf in hun slaapkamer lastiggevallen door een man. Hij bond de twee vriendinnen vast, beval hen tot duizend te tellen en verdween met zijn snikkende slachtoffer in de nacht.

Het verhaal schokte gezinnen in het hele land. Als ze een kind uit haar slaapkamer konden ontvoeren terwijl haar moeder en jongere zusje aan dezelfde gang sliepen, hoe kon een mens zich dan nog veilig voelen?

De bevolking van Petaluma en omringende gemeenten sloeg de handen ineen en vormde de Polly Klaas Search Center. Mannen, vrouwen en kinderen kwamen bij tientallen bijeen om te doen wat ze konden, telefoon aannemen, enveloppen vullen, p.r.-pakketten samenstellen en leiding geven aan bijna vierduizend andere vrijwilligers die hun diensten hadden aangeboden.

De speurtocht naar Polly besloeg bijna 259000 hectare boomgaarden, wijngaarden, akkers en bos waarbij bloedhonden werden ingezet en helderzienden belden om hun hulp aan te bieden.

De speurtocht door de lucht besloeg nog eens achtduizend vierkante kilometer. Door een technologisch nieuwtje werden er driedimensionale digitale kaarten van de zoekgebieden vervaardigd. Televisieprogramma's zoals *America's Most Wanted* en *20/20* zonden dramatische reconstructies van het misdrijf uit en deden een appel op de hele bevolking om te helpen, waarbij Polly's vader en moeder in tranen de dader smeekten: 'Laat haar alsjeblieft gaan.'

In die vier jaar waren er nog meer veranderingen gekomen: internet, in 1989 amper in de kinderschoenen, bood nu een manier om digitale foto's van het vermiste meisje, composiettekeningen van haar ontvoerder en bijzonderheden van de misdaad onder miljoenen computergebruikers over de hele wereld te verspreiden.

Maar uiteindelijk maakte zelfs internet geen verschil. Op 30 november arresteerde de politie Richard Allen Davis, wiens handafdruk overal in Polly's slaapkamer was achtergebleven. Vier dagen later bracht hij de politie naar haar stoffelijk overschot aan een zijweg van Highway 101 bij Cloverdale in het noorden van Sonoma County. Na haar te hebben verkracht en gewurgd, had hij haar met opgehesen minirokje wijdbeens in een ondiep graf begraven.

Davis was een beroepscrimineel met een strafblad dat terugreikte tot in de jaren zestig met misdrijven als inbraak, mishandeling, beroving en verkrachting. Door alle publiciteit werd zijn proces van Sonoma County naar San Jose verplaatst. In juli 1996 werd hij veroordeeld wegens moord met voorbedachten rade plus vier bijzondere omstandigheden – ontvoering, beroving, inbraak en onzedelijke handelingen met een kind – en op 5 augustus beviel een jury de doodstraf aan.

Toen het vonnis werd voorgelezen, ging Davis staan en stak hij zijn middelvinger op naar de publieke tribune, waar ook Polly's familie zat. Later, toen de rechter officieel uitspraak deed, beweerde Davis dat Polly hem vlak voor haar dood had gesmeekt: 'Neuk me alsjeblieft niet zoals mijn vader,' implicerend dat haar vader een kinderverkrachter was. Marc Klaas wilde zich op de grijnzende moordenaar storten, maar werd door de parketwacht in bedwang gehouden. Vervolgens sprak rechter Thomas Hastings de doodstraf uit: 'Meneer Davis, voor een rechter is dit altijd een traumatische en emotionele beslissing. Maar uw gedrag heeft het me vandaag heel makkelijk gemaakt.' Vervolgens werd Davis naar San Quentin gestuurd waar hij zich bij mijn vader en nog een paar honderd anderen in de dodencellen schaarde.

Ondanks de voor de hand liggende verschillen tussen de misdaden en de daders, werden veel mensen in Sonoma County herinnerd aan de moorden die mijn vader zeven jaar daarvoor had gepleegd.

Dokter Linda Beatie, de dienstdoende anesthesist toen ik op de Eerstehulp arriveerde, woonde maar een paar straten van het huis vanwaar Polly werd ontvoerd. Opeens was het alsof een oude nachtmerrie haar weer had beslopen. Ze was mij noch haar angst voor Ramón ooit vergeten. Nog jaren had ze tegen iedereen die maar wilde luisteren gepraat over die bewuste dag op de Eerstehulp, alsof ze zich nog altijd probeerde te louteren van het afgrijzen dat haar had overmeesterd toen ze begreep dat mijn leven in haar handen lag. Na een tijdje zeiden zelfs haar vrienden en familieleden dat ze het verhaal beu waren, dat ze het verleden los moest laten.

Maar dat kon ze niet. Een paar jaar nadat ik was afgestaan voor adoptie, volgde ze een avondopleiding fotografie in Sonoma. Ze had er niet bij stilgestaan toen ze zich inschreef, maar om er te komen, moest ze langs de vuilnisbelt van Petaluma rijden. Pas toen ze die eerste dag de afslag naar de stortplaats passeerde, besefte ze waar ze zich bevond en toen ze een blik opzij wierp sprong ze in gedachten terug in de tijd naar het beeld van mij, toen ik glimlachend de polaroid wilde aanpakken. Telkens wanneer ze daarna langs hetzelfde punt kwam, keek ze weer opzij en zag ze opnieuw dat beeld van mij op de belt.

De dag waarop Polly werd ontvoerd was ook die van inspecteur Mike Browns twintigjarig dienstverband bij de Sonoma County Sheriff's Department. Inmiddels had hij de leiding van de hele recherche, met zes rechercheteams en twee administratieve ondersteuningsbrigades onder zijn bevel.

Mikes enige betrokkenheid bij het Klaas-onderzoek was een bijeenkomst met zijn goede vriend hoofdinspecteur David Long van de politie van Petaluma, die de jurisdictie had, om te bespreken wat het bureau van de sheriff kon doen om te helpen. Vervolgens was Mike nadat het lijk was gevonden in het mortuarium toen haar stoffelijk overschot in een witte plastic lijkzak werd afgeleverd. Maar hij was niet bij de autopsie, er was geen beroepsmatige reden om dat te doen en hij had al veel te veel autopsies en veel te veel dode kinderen gezien.

Alleen al de aanwezigheid van Polly's stoffelijk overschot, zo vertelde hij me later, herinnerde hem meer dan hem lief was aan de Salcido-zaak, vooral aan Ruth, die bijna even oud was als Polly toen ze werd vermoord en aan de wijze waarop haar lichaam in een plas bloed had gelegen.

Mike had de massale publieke reactie op de zaak-Klaas gevolgd en had de indruk dat die deels ook het gevolg was van de moorden in mijn familie. Ons verhaal was zo snel rond, dat er geen tijd was geweest om een speurtocht met vrijwilligers op touw te zetten voordat we op de belt van Petulama werden aangetroffen. Toen Polly was ontvoerd, mobiliseerden de vrijwilligers zich in de hoop dat ze haar nog konden redden, of op zijn minst haar lichaam konden vinden om haar kidnapper voor het gerecht te brengen.

Twintig jaar politiewerk had zijn tol van Mike gevergd; hij klampte zich vast aan de positieve verhalen zoals het mijne, en op extra zware dagen zorgde hij ervoor dat hij tegen Arlyn en zijn jongens zei hoeveel hij van ze hield.

Op de avond dat Polly's stoffelijk overschot werd gevonden, ging hij naar huis en keek hij zoals zo dikwijls omhoog naar een speciale heuvel in de weelderig groene vallei waar hij woonde. Jaren daarvoor had een gepensioneerde inspecteur van de politie van San Francisco op een glooiende akker die je vanaf de snelweg kon zien, van wit geverfde stenen en keien een groot kruis van vijftien bij tien meter gemaakt. Hoewel kinderen uit de buurt de stenen wel eens van de helling lieten rollen, legde de inspecteur ze altijd weer terug.

Mike kende de man die het kruis had gemaakt niet, maar hij wist zeker dat hij het had gemaakt als uitlaatklep voor wat hij in de jaren bij de politie had meegemaakt. Dat kruis gaf Mike hoop. Minstens één andere diender had een manier gevonden om zijn loopbaan te overleven, en die zou hij ook vinden.

Hij hoopte ook dat ik niet alleen een manier had gevonden om te overleven, maar ook om te bloeien. Hij mocht graag denken dat ik groot en sterk was opgegroeid en dat ik gelukkig en geliefd was. En dat ik misschien had kunnen vergeten wat hem was bijgebleven.

27

Telkens wanneer we het land van de Swindells verlieten, werd ik eraan herinnerd hoe geïsoleerd we in feite leefden van de 'gewone' wereld. En het was niet alleen de geografische afstand die het hem deed, het was ook alsof we in een heel ander tijdperk leefden. Naarmate ik ouder werd, vielen de blikken die mevrouw Swindell en ik trokken wanneer we boodschappen deden in onze lange jurken en lange, ouderwetse kapsels me meer op. 'Zijn jullie van de amish?' vroegen de mensen. 'Wat voor godsdienst hebben jullie?'

Vanuit mijn ooghoeken zag ik andere tieners naar elkaar knikken en grijnzen wanneer we passeerden. Net als mijn moeder toen ze zo oud was als ik, zag ik alles wat de andere meisjes droegen. Ik zag wat ze met hun haar deden en hoe ze zich hadden opgemaakt. Ik zag hen plezier maken. Ik zag hen met jongens. En dat alles wilde ikzelf ook zo graag.

Maar de Swindells hadden wel duidelijk gemaakt dat jongens taboe waren, al lang voordat ik er serieus over had kunnen nadenken. Op een keer, toen ik een jaar of vier was, gingen wij kinderen tijdens een bezoek aan een van Swindells dochters verstoppertje spelen. Ik vond het fantastisch dat ik speelkameraadjes had en verstopte me onder de dekens van een bed met een van de andere kinderen, een jochie van zes.

Helaas was degene die ons vond mevrouw Swindell. Ze trok

me aan mijn haren onder de dekens vandaan, zette een keel op, begon me te slaan en wilde met alle geweld weten wat we samen in bed deden. Ik was te jong om te weten waar ze het over had en begreep totaal niet waarom ze zo boos was geworden.

Pas jaren later zou ik het begrijpen.

Maar het leven met de Swindells was niet altijd afschuwelijk. Godsdienstige feesten als Kerstmis en Pasen werden, net als verjaardagen, met een heleboel cadeaus en traktaties gevierd. Maar mevrouw Swindell gebruikte zelfs die dagen om me onder de duim te houden. 'Kijk eens naar alles wat we voor je hebben gedaan,' zei ze. 'Kijk eens wat we allemaal hebben gekocht.'

Er waren nog meer gelegenheden – zoals wanneer de Swindells en ik naar een van de goedgekeurde films op tv keken, of wanneer we op een familie-uitje gingen – waarop ik me kon voorstellen dat we een gelukkig gezin waren. Muziek was altijd de gemeenschappelijke grond. Sinds mijn achtste zeurde ik om een viool en toen ik vijftien was, kreeg ik er een van de Swindells. Inmiddels bespeelde ik een stuk of vijf instrumenten en zong ik mee met operaplaten en 'gewijde liederen' zoals het Ave Maria.

Muziek was een uitlaatklep van mijn gevoelens. Om de een of andere reden kon ik geen muziek leren lezen, maar ik hoefde een stuk maar een paar keer te horen voordat ik het kon naspelen of nazingen. Ik componeerde ook liedjes die een uitdrukking waren van de stemming van het moment en die nooit meer terug zou komen. Als de Swindells wilden weten hoe ik me voelde, hoefden ze alleen maar te luisteren naar wat ik speelde. Het was de enige keer dat ze me prezen voor iets wat ik leuk vond om te doen.

Maar die vreedzame perioden duurden nooit lang. En het moeilijkste was dat ik me zelfs tijdens zulke perioden niet geliefd voelde. Het was net alsof ik een project was, alsof ze verantwoordelijk waren voor mijn opleiding en vaak teleurgesteld waren in mijn vooruitgang.

Hoe ouder ik werd, des te gewelddadiger en repressiever mijn huiselijke situatie werd. De driftbuien van meneer Swindell konden angstaanjagend zijn, maar hij sloeg me zelden, misschien uit angst voor wat ik daarover aan anderen zou loslaten. Maar mevrouw Swindell koesterde die scrupules niet, en een wrok of een fout die ik had gemaakt, kon ze maanden en zelfs jaren lang koesteren.

Toen ik klein was, sloeg mevrouw Swindell me met een pollepel. Rond mijn tiende was ik 'te oud' voor slaag op mijn bips geworden, dus ontwikkelde ze een voorliefde voor klappen in mijn gezicht, aan mijn haar trekken, me bekogelen met voorwerpen en schreeuwen.

Ik accepteerde het, een tijdje, zo lang als ik kon. Daarna nam ik mijn toevlucht tot mijn 'boze oog', een blik die zo giftig was dat mevrouw Swindell gilde: 'Haal die blik van je gezicht of ik sla hem eraf!' Maar die blik leek haar ook nerveus te maken, voldoende om me met rust te laten.

Het lichamelijk geweld ging door tot ik op een dag, toen ik net een tiener was, zei dat ik terug zou slaan als ze het nog één keer deed. Maar daarna verhoogde ze mijn regelmatige dosis verbale en emotioneel geweld alsof ze iets moest compenseren. Soms zweeg ze me een hele dag dood. Maar haar beste wapen was het schuldgevoel dat ze me constant opdrong, geaccentueerd door kritiek en beledigingen.

Je bent lui, zei ze. Je bent onbetrouwbaar.

Ik wist nooit hoe ik me moest wenden of keren. Als ik iets verkeerds deed, probeerde ik mijn excuses te maken, maar dan snierde mevrouw Swindell: 'Sorry? Het enige wat jij doet is het nog eens herhalen. Uit jouw mond betekent sorry helemaal niets!' Dus de volgende keer zei ik geen sorry in de wetenschap

229

dat het olie op het vuur zou zijn, en dan kreeg ik op mijn kop wegens mijn zondige 'trots en arrogantie'. Ik deed het nooit goed.

Als ze me echt wilde kwetsen, gebruikte ze mijn moeder en vader tegen me. Als ik koppig was, zei ze: 'Je eindigt net zo als je moeder.' Als ik tijdens het boodschappen doen met een jongen 'flirtte' – wanneer ik bijvoorbeeld zoiets onschuldigs deed als teruglachen – beschuldigde ze me van zedeloos gedrag en onzuivere gedachten. 'Omdat je moeder ongehoorzaam en zondig was, heeft ze je vader leren kennen en het kwaad over die familie uitgeroepen.' Ze leek de schuld van het gebeurde net zozeer bij mijn moeder als mijn vader te leggen en mij was natuurlijk nooit de waarheid verteld.

Die opmerkingen deden wel pijn, maar ik weigerde mevrouw Swindell te laten zien hoeveel. Ik schreeuwde terug, maar spaarde mijn tranen voor wanneer ik in bed lag. Op dat soort momenten dacht ik aan mijn vader en gilde ik het vanbinnen tegen hem uit. Waarom ik? Ik haat je omdat je me hier alleen hebt gelaten. Mij in leven laten was erger dan me vermoorden!

Toch weigerde ik toe te geven. Ik vond manieren om me te harden tegen de gestage stroom kritiek, tegen de verveling en de eenzaamheid.

Zo vaak als ik kon was ik buiten, weg van mevrouw Swindell. Onder het handjevol wereldlijke boeken dat de Swindells in huis toestonden, was een verzameling natuurgidsen over bomen en Noord-Amerikaanse vogels. Ik zwierf met die boeken over het terrein en leerde de namen van alle bomen die er stonden: berken, witte eiken, haagdoorns, walnoten, kornoeljes en judasbomen en ik kende ook alle vogels in dat deel van het land. De Swindells zagen mijn belangstelling voor de natuur en kochten een groot boek over vlinders voor me; weldra had ik een verzameling van alle soorten die door de vallei trokken.

Elk najaar lieten de zwarte walnotenbomen hun vracht vallen en kwamen kinderen, voornamelijk van naburige boerderijen noten rapen om ze naar de plaatselijke voedingswinkel te brengen om ze van hun schil te laten ontdoen en te wegen. Ze kregen er tien cent per pond voor. Eén jaar verzamelde ik voor tachtig dollar.

Maar die activiteiten konden de eenzame perioden niet vullen, ze waren geen substituut voor mensen met wie ik echt kon praten, aan wie ik mijn gedachten en dromen kon toevertrouwen. Ik had geen onderwijzers, geen vrienden die niet geïndoctrineerd waren met het gedachtegoed van TFP en zelfs mijn TFP-vrienden zag ik zelden. Ik mocht correspondentievriendinnen van TFP hebben, maar die leken te denken dat de enige keus die ze voor de toekomst hadden intreden in een klooster was om met Jezus te 'trouwen'.

Dus begon ik ook te overwegen in een klooster te gaan. Als jong meisje was ik geboeid geweest door de zusters karmelitessen van het Heilig Hart van Jezus, een orde die hielp in het verpleegtehuis waar Elaine werkte. Later liet Henrique Fragelli, een topman van TFP in Amerika, de Swindells kennismaken met een orde van ongeschoeide karmelitessen in de dichtstbijzijnde stad. Omdat me het grootste deel van mijn leven was voorgehouden dat de wereld meer op nonnen en priesters dan op huwelijken zat te wachten, vroeg ik me natuurlijk af of ik misschien gelukkiger zou zijn in een klooster. Ik leek weinig alternatieven te hebben en van de seculiere wereld wist ik heel weinig.

Opa kwam nog steeds een keer per jaar op bezoek en een paar keer verzocht hij de Swindells om me een poosje bij hem te laten logeren. Dat weigerden ze natuurlijk. Als hij aanstalten maakte om te vertrekken, boog ik me door het autoraampje naar binnen zodat ze me niet konden horen en vroeg ik of hij me wilde meenemen. Maar dat mocht hij niet. Dat recht had hij verspeeld.

Wanneer ik de Swindells vroeg waarom ik niet op bezoek mocht bij mijn opa, zeiden ze dat ze bang waren dat hij me aan de wereld zou blootstellen waartegen zij me juist wilden beschermen. De afgelopen jaren had opa zich van TFP gedistantieerd en de Swindells hadden het gevoel dat hij niet te vertrouwen was. Ze zeiden dat hij waarschijnlijk geld wilde verdienen door mijn verhaal te verkopen. 'En het zou allemaal naar hem gaan,' waarschuwden ze. 'Je zou er zelf geen cent van zien.'

Ik had nog altijd mijn ingebeelde vrienden om me te helpen tegen de eenzaamheid. In mijn verbeelding waren ze samen met mij opgegroeid en nu leidden ze een leven als gewone tieners. Ze begonnen zelfs afspraakjes te maken en over de toekomst te praten. Ik luisterde naar ze alsof ik per ongeluk mensen hoorde praten over een schitterend exotisch land dat ik nooit zou zien.

Eerst waren de ingebeelde vrienden allemaal meisjes geweest, maar toen ik ouder werd, kwamen er ook jongens bij, te beginnen met Ryan, die toevallig dezelfde naam had als een buurjongen die ik soms van een afstandje de geiten van zijn familie zag hoeden.

Toen mevrouw Swindell erachter kwam dat er jongens bij mijn ingebeelde vriendenclubje waren gekomen en dat die en de oudere meisjes met elkaar uitgingen, mocht ik niet meer met ze praten. 'Je bent te oud om er nog fantasievrienden op na te houden,' klaagde ze. 'God heeft engelen en heiligen gemaakt om tegen te praten. Je hebt geen ingebeelde vrienden nodig.'

Ik haalde mijn schouders op. Engelen waren geen mensen en heiligen waren dood. Mijn ingebeelde vrienden waren echt voor mij. Ik kon hen zien. Horen. En ze begrepen me. De meesten hadden een beter gezin dan ik, maar die van hen waren ook niet altijd volmaakt. Als ik problemen had met mevrouw Swindell, hadden ze met me te doen. Ze konden niets aan mijn situatie veranderen, maar me wel steunen en van advies dienen. Ze wisten wat ik bedoelde als ik zei dat ik weg wilde lopen, als ik maar ergens heen kon.

Meestal was ik de leider als mijn ingebeelde vrienden en ik op avontuur gingen. Maar soms opperde een van hen een idee en deed ik opgewekt mee. Eén spel waarop we allemaal dol waren was als moderne ridders over het land van de Swindells zwerven, als 'voorvechters van het geloof' tegen alle kwaad. Ik maakte een harnas en een schild van karton en gebruikte een stok als zwaard. Urenlang maakte ik mijn ronde door 'het koninkrijk' en ik gebruikte een bezemsteel om een zelfgemaakt vaandel met het St.-Jacobskruis te zwaaien. Ik klom op een stronk van een meter en speelde Jeanne d'Arc die tegen de ketterse protestanten uit Engeland streed en als schitterende martelares stief.

Dat idee – martelaarschap – had iets heel romantisch. De TFP-literatuur leerde me dat de contrarevolutie voorlopig een spiritueel verzet tegen het kwaad was, maar dat de strijd op een dag een echte, concrete veldslag zou worden. En dat vond ik best. Ik verheugde me erop om uit te halen en mijn tegenstanders te verslaan, of om gaandeweg ten onder te gaan. Erger dan het leven dat ik leidde kon het niet worden.

Het ergste was dat ik me behekst voelde. Altijd.

Mijn ingebeelde vrienden waren niet de enige bovennatuurlijke aanwezigheid in mijn leven. Sinds de tragedie had ik af en toe beweging in mijn ooghoeken gezien. Als ik alleen was, loerden er donkere schaduwen in de periferie van mijn gezichtsveld. Maar als ik er recht naar keek, verdwenen ze om de hoek, of gingen ze in rook op.

Ik herinner me een keer vanuit mijn ooghoeken iets aan het eind van de gang te hebben gezien. Het ging van de ene slaapkamer naar de andere. Het was zo echt dat ik zeker wist dat het mevrouw Swindell was. Maar toen ik ging kijken, was er niemand.

Een aantal van die visioenen verscheen als kleine wezens zoals ratten, of zelfs als kleine mensjes. Die me het bangst maakte was een magere, faunachtige schaduw met bokkenpoten en het bovenlichaam van een man. Maar sommige waren alleen maar vage, zij het doelbewuste vormen. Ze lieten me schrikken en even deed een scheut van angst me verstijven voordat ik diep kon ademhalen en weer kon doorlopen.

Toen ik ouder werd, begon ik me zorgen te maken over de betekenis van die schaduwen. Stel dat het kwaad waaraan mijn vader ten prooi was gevallen nu nog een appeltje met mij te schillen had?

Hoe angstaanjagend die bewegende schaduwen ook waren, nog erger waren de nachtmerries die rond mijn tiende begonnen. In al die dromen viel ik mevrouw Swindell aan. In een van die dromen pakte ik een mes en bleef ik maar op haar in steken. In een andere droom draaide ik haar nek om tot die brak. Ik wist niet goed wat ik met die dromen aan moest. Ik had wel een hekel aan haar, maar ik vroeg me af of ik echt in staat was zoiets te doen. Kón ik zoiets doen? Na wat mijn vader had gedaan?

Jaren later vertelde ik een psychologe over mijn dromen. Tot mijn opluchting hoorde ik dat ze een natuurlijke reactie waren op wat ik met de Swindells doormaakte, ze waren een uitlaatklep voor alle woede die ik in me had.

Ik heb mevrouw Swindell, noch iemand anders, in feite ooit iets misdaan. Maar ik herinner me wel dat ik een keer naar haar stond te kijken toen ze zo tegen me tekeerging, en dat ik dacht dat er een eind aan moest komen, anders zou er iets ergs gebeuren. Tegenwoordig zie ik wel eens horrorfilms waarin mensen hun kinderen net zo lang mishandelen tot ze massamoordenaars worden, en ik begrijp hoe zoiets kan gebeuren. Een mens kan niet alles slikken.

In mijn eentje met mijn bejaarde ouders zag ik de toekomst somber in, tot ik een aantal dingen ontdekte. Toen ik een jaar of dertien was, gaven de Swindells me opdracht de garage op te ruimen. Dat vond ik niet erg. De poes woonde in de garage, dus hield zij me gezelschap en het was een kans om uit mevrouw Swindells invloedssfeer te zijn.

Terwijl ik rondscharrelde, maakte ik een doos open en zag ik dat die vol boeken zat: *My Friend Flicka*, *The Adventures of Sherlock Holmes* en een reeks van *The Little Colonel*, over een meisje uit het zuiden dat haar bijnaam verdient omdat ze zo veeleisend is.

Ik wist dat die boeken 'van de wereld' waren en dat de Swindells ze zouden weghalen als ze zagen dat ik ze had, dus toen niemand keek, smokkelde ik ze naar mijn kamer. Vervolgens las ik ze als iedereen sliep en ik mijn nachtlampje had aangedaan en verbeeldde ik me dat ik de heldin was die vrij uit rijden ging op mijn paard Flicka. Of dat ik mijn logische verstand gebruikte om op het spoor van de dodelijke hond van de Baskervilles te komen.

De maanden daarop maakte ik nog meer dozen open en deed ik nog belangrijkere ontdekkingen, die me ooit weer tot een zoektocht naar mijn verleden zouden brengen.

In één doos zaten brieven die mijn ooms me jaren lang hadden geschreven en die ik nooit had mogen lezen. In een andere doos zat informatie over familie waarvan ik niet eens het bestaan wist, mijn oma's familie in noord-Californië en die van mijn vader in Mexico.

Een andere doos zat vol porseleinen en kristallen figuurtjes, en toen ik ernaar keek, besefte ik dat die van mijn tantes waren geweest. Ik vond geboortekaartjes, foto's van mijn zusjes, zelfs een kiekje van 'baby's eerste tandje'. Weer een andere doos zat vol tekeningen gesigneerd door Angela Richards, de meeste waren van paarden. Ik kon me mijn echte moeder amper herinneren en toch voelde ik op dat ogenblik een onmiddellijke band met die kunstzinnige jonge vrouw, een onschuldig slachtoffer dat altijd door de Swindells was neergezet als een ongehoorzame slet.

Maar de meest schokkende ontdekking was een doos met krantenknipsels uit 1989 en 1990.

Zelfs in mijn tienerjaren hadden de Swindells de gewoonte gehandhaafd om een bijzondere maaltijd te maken om de moorden te herdenken, gevolgd door mijn voordracht van de gebeurtenissen. Ik vertelde het verhaal altijd alsof ik me een droom herinnerde. Toch lag hier het bewijs dat mijn herinneringen allemaal op de werkelijkheid gebaseerd waren, dikwijls tot in de kleinste details.

De knipsels vertelden me meer over het leven van mijn moeder. Ook zij was grootgebracht in een streng religieus huishouden, zonder vriendinnen, zonder uitstapjes met jongens, zonder schoolbals, zonder logeerpartijtjes bij, of geroddel over jongens met vriendinnen. Ook zij had naar vrijheid verlangd en lange wandelingen gemaakt om die te zoeken, net zoals ik deed met mijn ingebeelde vriendjes op het land van de Swindells. In die vergeelde knipsels las ik dat mijn moeder had gedroomd van een carrière als model en dat ze mij op de dag van de moorden had willen meenemen voor een fotosessie omdat ik het meest op haar leek.

Hoe meer ik over mijn moeder las, des te meer ik me met haar vereenzelvigde. Het kon best zijn dat ze iets meer zocht dan een doodlopend bestaan met een man die haar sloeg, maar ze was een goede moeder geweest en had veel van mij en mijn zusjes gehouden. Ze was geen hoer, geen zondares die de tragedie op de een of andere manier over haar familie had afgeroepen. De Swindells hadden gelogen.

Door die krantenverhalen kwam ik er ook achter dat ik met

een grote som geld op mijn trustrekening bij de Swindells was gearriveerd en daar hadden ze nooit over gesproken. Ik vroeg me af wat er van dat geld geworden was en of ik het ooit zou krijgen.

Ik tilde de dozen naar boven om de Swindells vragen te stellen. Maar mevrouw Swindell zette ze in een kast en ik zag ze nooit meer, behalve die ene keer dat ik naar binnen sloop om de tekeningen van mijn moeder eruit te pikken.

Doordat ik de dozen had gevonden wilde ik meer weten over de wereld voorbij de Swindells. 's Nachts sloop ik naar beneden om de televisie aan te zetten. Tot die tijd was mijn tv-ervaring beperkt tot door TFP goedgekeurde films zoals *The Song of Bernadette* en ook, nadat een van Swindells zoons zijn ouders ervan had overtuigd dat er niets mis mee was, *The Sound of Music*.

Maar nu werd ik opgeleid. Ik leerde over de wereld door nachtfilms, soapseries en herhalingen van *The Jerry Springer Show*. Ik leerde over uitgaan en relaties van reality-tv en talkshows. En ik leerde over romantiek en hartstocht door een doos met de Bouquet-reeks in de kelder. Af en toe verscheen er een stukje smokkelwaar in de brievenbus aan het begin van de oprit – een catalogus van Victoria's Secret, of een verkeerd bezorgd damesblad – en dat bracht ik dan stiekem naar mijn slaapkamer, waar ik het onder mijn bed verborg om later te lezen. 's Avonds laat bewonderde ik de foto's van halfnaakte mannen en vrouwen op de bladzijden en stelde ik me de verrukkelijk vrije levens voor die ze wel moesten leiden.

Ik had een hele voorraad tot mevrouw Swindell die op een kwade dag vond tijdens een van haar periodieke 'inspecties'. Ik had geen privacy, zelfs niet het récht op privacy zoals ze zo dikwijls zei. Nu ze had ontdekt dat ik nieuwsgierig was naar mode – en de andere sekse – voelde ze zich in het gelijk gesteld. 'Leugenaar! Stiekemerd!' riep ze. 'Je kunt niet iedereen beduvelen!' Ik was 'onzuiver' en dat sloeg bijna alles. Onzuiver zijn betekende dat je een doodzonde had begaan en als je met een doodzonde stierf, ging je rechtstreeks naar de hel. Zonder meer. Zelfs het vagevuur was er niet bij.

Maar dat weerhield mij er toch niet van om nog meer schatten te verzamelen, noch mevrouw Swindell om mijn kamer regelmatig overhoop te halen en me te bestraffen voor wat ze aantrof.

In 1999 kreeg ik nog zo'n eyeopener over de wereld die mij ontging. De zusters karmelitessen van het Heilig Hart van Jezus gaven me een kaartje om met hen mee te gaan naar paus Johannes Paulus II die een bezoek aan St. Louis bracht. Dat betekende twee nachten logeren bij een katholieke familie die niet bij TFP hoorde en de Swindells zat dat helemaal niet lekker. Ze hadden me nog nooit uit het zicht gelaten, nog voor geen nacht. Maar het aanbod afslaan was een publiek blijk van ongehoorzaamheid en dat zou er niet goed uitgezien hebben. De Swindells mochten dan kritiek hebben op de paus – net zoals de meeste TFP-families kritisch stonden tegenover hedendaagse pausen – maar in de nationale katholieke gemeenschap waren ze nog altijd prominent.

Ik had aangenomen dat alle katholieken min of meer hetzelfde waren. Maar mijn gastfamilie luisterde naar moderne muziek op de radio; hun tienerkinderen, die bij een katholieke jeugdbeweging hoorden, leken net zo gewoon als de pubers die ik zag wanneer ik boodschappen deed met mevrouw Swindell. En de vrouwen droegen een broek!

Naar de Heilige Vader gaan kijken was alsof je naar een groot feest ging. Er waren christelijke rockgroepen en christelijke rappers, hun muziek denderde uit enorme luidsprekers om de menigte in de stemming te brengen. Ik keerde terug naar de Swindells met een totaal ander perspectief op wat het betekende om katholiek te zijn.

Eén aspect van mijn scholing over de wereld was in feite door de Swindells aangemoedigd, hoewel ze er later spijt van kregen. Ik mocht geen baantje buitenshuis nemen, maar op mijn zestiende waren ze meer dan blij om me aan TFP uit te lenen als telemarketer om boeken aan de man te brengen en mensen te bellen die 'de kerk verlaten hadden' om te proberen hen over te halen terug te keren. Ze betaalden me acht dollar per uur. Daarvan zag ik geen cent, want alles ging rechtstreeks naar de rekening van de Swindells.

Maar er was wel een bonus. Gedurende een van mijn telemarketingsessies draaide ik per ongeluk een verkeerd 800-nummer en kreeg ik een sekslijn. Vol verbazing luisterde ik naar wat de vrouw aan de andere kant van de lijn allemaal zei. Daarna schreef ik nog meer 800-nummers op en zette ik mijn seksonderricht voort.

Maar aan die lol kwam een einde toen ik het lijstje telefoonnummers per ongeluk in mijn badjas liet zitten. Mevrouw Swindell vond het toen ze de was deed en de volgende morgen om vier uur schreeuwde ze nog steeds tegen me. 'O, mijn god, wat zullen je heilige zusjes in de hemel wel denken? Die moeten wel van je walgen. Wat ben jij boosaardig!'

En vervolgens maakte ze niet voor het eerst van de gelegenheid gebruik om mij met m'n vader te vergelijken. 'Je bent geen haar beter dan hij,' zei ze ziedend van woede. 'Misschien moet je maar bij hem gaan wonen in zijn cel.'

Wat moest ik dan? Ik kon niet met mevrouw Swindell praten over dingen als seks, of jongens, of de emoties die af en toe door me heen raasden. Sinds mijn twaalfde had ik de ene depressie na de andere gehad en bevond ik me soms op zulke duistere diepten dat ik overwoog er een eind aan te maken.

Toen ik voor het eerst ongesteld werd, had ik geen idee wat er aan de hand was omdat niemand er ooit iets over had gezegd. Ik durfde het niet tegen mevrouw Swindell te zeggen, maar ze ontdekte mijn geheim toen ze een vlek in een van mijn jurken vond en ze ernaar vroeg. Daarna legde ze zo beknopt mogelijk uit wat het betekende, alsof we ons allebei moesten schamen.

Soms droomde ik ervan dat ik gered zou worden door een ridder in een blinkend harnas, of minstens een leuke jongen met een auto. Hij zou de Swindells zijn liefde voor mij bekennen en als ze ons hun zegen onthielden, zou hij me gewoon meenemen en zouden wij nog lang en gelukkig leven. Maar meestal geloofde ik niet in een gelukkig einde. In andere TFP-gezinnen had ik vrouwen van in de dertig of veertig gezien die nog bij hun ouders woonden. En ik wist dat ik op de een of andere manier aan de Swindells moest zien te ontsnappen voordat ik ook zo'n oude vrijster zou worden die eeuwig thuis blijft wonen. Maar ik wist maar één manier waarop ik dat kom bereiken.

Op zoek naar vrijheid ging ik het klooster in.

28

Ondanks het slechte voorbeeld van de Swindells ben ik nooit het contact met mijn spiritualiteit verloren. Ik had me altijd dicht bij Jezus Christus gevoeld en ik werd bijzonder geroerd door het lijdensverhaal. In de ogen van de mensen was hij gestorven, maar zijn dood was niet wat het leek. In zekere zin had ik het gevoel dat ik begreep wat Jezus had doorgemaakt. Ook ik was bijna gestorven maar blijven leven.

Mijn belangstelling voor het kloosterleven was voor een groot deel gevoed door pater David, een TFP-gezinde priester die een bekende van de familie was. Pater David beschreef welsprekend de intimiteit die nonnen hebben met Jezus als hun echtgenoot, verlosser en minnaar en weldra werd ik verteerd door het verlangen het klooster in te gaan. Een van mijn correspondentievriendinnen van TFP, Catherine Lee, dacht er ook over in treden in de orde van de ongeschoeide karmelitessen en we schreven elkaar er een poosje over. Als ik geen jongens mocht leren kennen en ook niet mocht trouwen en ik wilde voorkomen dat ik oud zou worden bij de Swindells, leek het wel mijn enige keus.

Maar de grootste invloed op mijn beslissing om in te treden kwam van de moeder-overste van de karmelitessen, met wie ik in mijn tienerjaren was gaan schrijven. Omdat het een besloten orde was, bleef ons persoonlijke contact beperkt tot brieven en praten door een scherm in de postkamer van het klooster. Maar zelfs dat leverde problemen op. Mevrouw Swindell stond erop alle brieven van en naar het huis hardop voor te lezen; in dat huishouden bestond er niet zoiets als privacy. Ze durfde zelfs te beweren dat een moeder onder de gegeven omstandigheden met haar kind mee in de biechtstoel moest mogen. Ze zei dat ze zich ervan wilde vergewissen dat ik alles opbiechtte, maar ik weet zeker dat ze gewoon bang was voor wat ik zou kunnen zeggen.

Als ik een brief schreef, stond mevrouw Swindell erop dat spelling en schrift perfect waren. Eén foutje en ze liet me overnieuw beginnen; ze censureerde ook wat ik schreef. Dat alles maakte de communicatie zo lastig en vermoeiend dat ik soms de moeite niet eens nam. Hoe dan ook had ik de eerwaarde moeder toch niet alles kunnen schrijven wat ik wilde. Als ik had gewaagd bepaalde aspecten van mijn opvoeding ter sprake te brengen, had mevrouw Swindell mijn correspondentieprivilege misschien helemaal ingetrokken.

Maar ik kon wel met de moeder-overste praten en dat deed ik dikwijls. Soms wel een uur of langer. Met haar kon ik praten over mezelf, over mijn jeugd, over de moorden in Sonoma en over wat ik 'mijn leven in de hel' bij de Swindells noemde.

Die hadden geen idee waarover ik met de moeder-overste sprak, dus waren ze blij toen ze hoorden dat ik van plan was in te treden. Maar ze gebruikten de kennis ook tegen me. Telkens wanneer mevrouw Swindell bijvoorbeeld een van mijn geheime verzamelingen boeken of tijdschriften had gevonden, waarschuwde ze: 'Als jij een non wilt worden, kun je je maar beter gaan gedragen. Anders moet ik de moeder-overste vertellen dat ze je niet mogen toelaten.'

Maar ik was niet de enige die in staat bleek de Swindells voor het hoofd te stoten. Toen ze erachter kwamen dat de karmelitessen de Novus Ordo Missae – de Nieuwe Orde Eucharistie in het Engels in plaats van het Latijn – vierden, was het huis te klein.

'Hoe kun je je aansluiten en die heiligschennis aanvaarden?' gingen ze tekeer. Maar ik draaide de rollen om. Me aansluiten bij een orde zonder Latijnse mis zou een groot offer voor me zijn, maakte ik hen wijs, maar misschien zou mijn lijden, tezamen met mijn gebeden, de nonnen er uiteindelijk toe brengen de Latijnse mis weer in te voeren. Ik speelde hun eigen troef uit en gebruikte hun eigen gereedschap tegen hen, en ze hapten.

De gewone leeftijd om in te treden is zeventien, maar de eerste keer dat ik het probeerde was ik vijftien. De moeder-overste deed zelfs een goed woordje voor me bij de bisschop toen hij met Pasen een bezoek aan het klooster bracht en regelde een afspraak met hem in de bezoekerskamer voor na de mis. Maar de dag eindigde niet zoals ik had gehoopt.

Toen ik knielde om zijn toestemming te vragen om in te treden, zei hij: 'Dit is niet het juiste moment.' De bisschop stond bekend om zijn wrange gevoel voor humor, dus namen de moeder-overste en de andere nonnen aan dat hij een grapje maakte en ze lachten. 'Ach, kom nou,' zei de moeder-overste, maar de bisschop werd vuurrood. 'Nee, eerwaarde moeder, ik meen het echt,' zei hij. Uiteindelijk hield iedereen zijn mond; ze stonden met de mond vol tanden.

Ik huilde de hele weg naar huis. Toen ik naar binnen liep, ging de telefoon. Het was de moeder-overste die haar excuses wilde maken. Ik was er kapot van, maar ik verzekerde haar dat er niets aan de hand was. Ik zette mijn vizier op intrede op mijn zeventiende. Ik wist dat tegen die tijd noch de bisschop noch de Swindells me in de weg konden staan.

De enige persoon die me in feite iets in de weg kon leggen was ikzelf. Hoewel ik een spirituele relatie met God en de karmelitessen voelde, moest ik mezelf aanpraten dat ik bereid was voor de rest van mijn leven als non in afzondering te leven.

Mijn jaren van alleen-zijn – waarin ik alleen mezelf als vertrouwenspersoon had – hadden me vrij introspectief gemaakt, dus wist ik dat ontsnappen aan de Swindells mijn voornaamste doel om in te treden was, maar ook al kon ik hen verlaten zodra ik meerderjarig was, ik wist dat ik nergens heen kon. Ik had nooit geleerd om op eigen benen te staan. Behalve telemarketing voor TFP en walnoten rapen op het land van de Swindells had ik geen werkervaring. Mijn scholing, als je die zo kon noemen, was in feite gestopt bij de brugklas. Ik had geen diploma van de middelbare school en geen plannen voor een toekomstige opleiding; TFP-vrouwen gingen niet studeren.

Ik wist dat ik in een klooster een plaats en een doel zou hebben. Maar diep vanbinnen wilde ik nog altijd een gewoon leven leiden en wist ik dat ik mezelf – en niet alleen de Swindells – voor de gek hield als ik geloofde dat ik echt non wilde worden.

Op mijn zestiende raakte ik doordrongen van de waarheid hiervan toen de familie naar *The Sound of Music* keek. In de film heeft de heldin Maria zichzelf ervan overtuigd dat ze non wil worden, ondanks haar liefde voor meer wereldse zaken zoals muziek, wandelen en romantiek. Anderen, onder wie de moeder-overste in de film, zagen dat ook. Dus wanneer Maria verliefd wordt op kapitein Von Trapp en zijn kinderen, zegt de moeder-overste tegen haar dat ze niet uit het juiste hout is gesneden om non te worden. Ze moest alle bergen over klimmen en elke stroom oversteken en elke regenboog volgen tot ze haar droom had gevonden.

Natuurlijk identificeerde ik me met Maria. Gedurende de momenten in de film waarop duidelijk is dat ze geen non zal worden – zoals wanneer ze verliefd wordt op de kapitein – moest ik wegkijken van het scherm, want ik wist zeker dat de Swindells anders aan mijn gezicht konden zien dat ik evenmin in de wieg gelegd was voor het klooster.

De Swindells trokken mijn toewijding toch al in twijfel. Ik bleef smokkelwaar verbergen op mijn kamer, en elke keer dat mevrouw Swindell weer iets nieuws vond, leidde dat tot een nieuwe ronde verwijten. 'Huichelaar!' schreeuwde ze dan. 'Leugenaar! Je bent een toneelspeelster! Ik zou de moeder-overste moeten vertellen wat ik heb gevonden! Dan komt de waarheid wel boven water, en als ze die niet meteen zien, zul je gauw genoeg door de mand vallen.'

Uiteindelijk werd ik op 24 april 2003 zeventien, dus oud genoeg om op eigen houtje in te treden. Maar toen had ik een nieuw probleem. Hoewel ik was geaccepteerd door de naburige orde van karmelitessen waar Henrique Fragelli mij had geïntroduceerd, doemde er nu een andere kandidaat aan de horizon op: een karmelitessenklooster in het westen dat een rechtstreekse afstammeling was van de kloosters die in het Spanje van de zestiende eeuw door de Heilige Teresa van Ávila waren gesticht.

Dat klooster, vertelde mijn vriendin Catherine, was veel conservatiever dan het klooster waar ik heen wilde. De nonnen leefden er in afzondering en ongeschoeid, en droegen het traditionele habijt. Ze vierden ook de eucharistie in het Latijn en stonden in hoog aanzien bij TFP.

Het stond me niet aan. Ik mocht de moeder-overste van het klooster dat ik kende. Maar algauw werd ik behoorlijk onder druk gezet, niet alleen door de Swindells, maar ook door TFP-korifeeën en priesters die zich met TFP hadden verbonden, om dat nieuwe klooster te overwegen. Hoewel pater David het eerste klooster welgezind was, zei hij dat hij de nieuwe mogelijkheid beter vond. Een andere priester zei het directer; als ik intrad in een klooster zonder Latijnse mis, zou ik de kant van het kwaad kiezen. 'Moge God je bijstaan,' zei hij, als ik die weg zou inslaan.

Uiteindelijk stemde ik erin toe om het tweede klooster te bezoeken. De Swindells waren in de wolken en boden aan me erheen te brengen met de auto voor een bezoek aan de moeder-overste en het kloosterterrein. Het contrast tussen de twee kloosters was enorm. Het klooster in Missouri was gehuisvest in een bescheiden gebouw in een stads decor, maar het nieuwe klooster was adembenemend groot en mooi, boven op een heuvel omringd door hectaren glooiend akkerland. De kapel was een kunstwerk op zich met een groot koepeldak en grote glas-in-loodramen.

Die dagen kwamen er diverse andere meisjes op bezoek en we spraken met de moeder-overste, een hoffelijke, charmante vrouw uit Mexico, en de novicenmeesteres, wier voornaamste taak was het onderricht en de bewaking van de novicen. Ze leken allebei innerlijke vrede uit te stralen, en dat was iets wat ik ook wilde. Tegen de tijd dat we vertrokken, stond mijn besluit vast; ik wilde zo spoedig mogelijk in dit klooster intreden.

Zo eenvoudig was het natuurlijk niet. Doorgaans accepteerde het klooster aanvragen niet zo snel. Dus schreef ik een brief aan pater David om hem om hulp te vragen. Om uit te leggen waarom ik de stap zo graag wilde nemen, beschreef ik hem een paar aspecten van mijn leven bij de Swindells die ik nog nooit aan iemand anders had verteld, geheimen die ik wilde vergeten.

Maar voordat ik die brief op de post kon doen, wilde meneer Swindell hem met alle geweld lezen. Ik weigerde hem de brief te geven, want ik wist maar al te goed dat hij me die nooit zou laten versturen als hij hem eenmaal had gelezen. Ik hield voet bij stuk en voerde aan dat een brief aan een priester dezelfde privacy verdiende als de biecht. 'Het zijn uw zaken niet,' zei ik.

'Kom niet aanzetten met mijn zaken niet!' blafte hij met uitgestoken hand.

Toen koos mevrouw Swindell opeens tot mijn verrassing mijn kant. 'Ze heeft gelijk,' zei ze. 'Dat is privé.'

Meneer Swindell fronste. 'Dit huis wordt communistisch,' zei hij. Maar de brief ging op de bus, ongelezen en ongecensureerd door de Swindells.

Na de brief gelezen te hebben deed pater David een goed woordje voor me bij het klooster. En op Goede Vrijdag kreeg ik het nieuws: ik was geaccepteerd om in mei in te treden.

Toen had ik nog één moeilijke opdracht: aan de moeder-overste van het klooster in Missouri schrijven om dat te laten weten. Ik legde uit dat het andere klooster de mis in het Latijn opdroeg en dat de Swindells wilden dat ik daarheen ging. 'Zo ben ik opgevoed,' schreef ik eenvoudig. Tot mijn opluchting schreef ze terug dat zij en de andere nonnen teleurgesteld waren, maar dat ze mijn beslissing begreep. God zegen je, schreef ze. We zullen er altijd voor je zijn en we gedenken je in onze gebeden. Ze tekende met liefde.

Daarmee accepteerde ik dat mijn pad vastlag. Ik zou de rest van mijn leven afgezonderd leven van de buitenwereld. Ik maakte me op om mijn thuisplek in Missouri te verlaten en de deur van mijn verleden dicht te trekken. Maar een week voor mijn vertrek herinnerde dat verleden me eraan dat het nog niet klaar was met mij.

Ik zat aan de keukentafel toen ik een van die donkere schaduwen zag die al sinds mijn kinderjaren bij me kwamen spoken. Hij schoot vlug over de vloer en kroop in mijn jurk voordat ik iets kon doen. Ik kon het onder de stof zien kronkelen als een slang. Sprakeloos van angst verstijfde ik even. Daarna reikte ik voorzichtig naar de plek waar het kronkelde, en toen verdween het.

Ik bleef zitten en probeerde op adem te komen en bad dat de schaduwen van het verleden me niet zouden kunnen volgen op de gewijde grond van een klooster.

29

In het weekeinde dat ik me als postulant bij de orde aansloot had zich een menigte mensen in het klooster verzameld om me geluk te wensen. De meesten waren TFP-vrienden van de Swindells, maar mijn grootvader was er ook om afscheid van me te nemen.

Maar mijn nieuwe leven begon met een valse noot. Die bewuste vrijdagavond voor de plechtigheid, voegden opa en een paar vrienden van de familie zich bij ons in een restaurant voor mijn laatste maaltijd buiten de kloostermuren. Ik verheugde me erg op het etentje, al wist ik niet goed wat ik moest bestellen. Streng gelovige katholieken eten op vrijdag geen vlees, en ik stond op het punt aan een leven te beginnen waar vlees eten een zeldzaam privilege was, dat doorgaans gereserveerd was voor nonnen die ziek waren en behoefte aan eiwitten hadden, en dan nog alleen met toestemming van de bisschop.

Toen ik het menu bekeek, viel mijn oog op een voorafje van gehaktbrood. Ik wist niet of het wel een goed idee was, maar tot mijn verrassing zeiden de anderen dat ze zeker wisten dat deze laatste uitzondering niet erg zou zijn. Dus bestelde ik gehaktbrood en we hadden allemaal een heerlijk etentje voordat we teruggingen naar onze kamers om te gaan slapen voor de grote dag.

Vervolgens werd ik om vier uur 's morgens wakker met een vreselijke buikpijn en gaf ik over. Ik was de rest van de nacht op, sloeg om het uur dubbel van het braken en omstreeks de tijd van de plechtigheid was ik uitgeput. Naderhand werd er bij de lunch lasagna geserveerd, wat doorgaans mijn lievelingseten is, maar ik kreeg geen hap door mijn keel.

Mijn familie en vrienden verzekerden me dat het gewoon de zenuwen waren; meisjes die het klooster ingaan zijn dikwijls emotioneel en van hun stuk op die eerste dag, in de wetenschap dat ze hun familie misschien nooit meer zullen zien. Maar voor mij kon dat het niet zijn geweest. Ik verheugde me erop van mijn 'familie' af te zijn.

Mijn symptomen hielden een week aan, lang nadat alle bezoekers waren vertrokken. Uiteindelijk haalde de novicenmeesteres er een dokter bij, die de diagnose voedselvergiftiging stelde en een dieet voorschreef van gelatinepudding en Gatorade tot ik er weer bovenop was.

Het leven bij de karmelitessen was een paar eeuwen lang onveranderd gebleven. Aankomende nonnen betreden de orde als postulanten, een soort proefperiode; daarna worden ze novicen en tot slot volleerd non. Wij kleedden ons op dezelfde wijze als de oorspronkelijke postulanten van de Heilige Teresa zo'n vijfhonderd jaar daarvoor, in een eenvoudige bruine jurk met een bruine cape om nek en schouders tot een stukje onder de elleboog. We droegen een sluier die ons haar bedekte en van achteren was vastgebonden. Ons werd geleerd te lopen met de handen ineengevouwen voor ons en onder onze cape, alleen ons gezicht was onbedekt. Hoe minder huid we toonden, des te beter.

Net als de andere postulanten sliep ik in een kleine cel van ongeveer drie bij zes, met één raampje en kale witte muren, op een crucifix en een schilderij van de Maagd Maria na. Het enige meubilair was mijn bed, dat bestond uit twee houten planken op twee zaagbokken met een vijf centimeter dik matras van aan elkaar genaaide dekens.

Het klooster zelf was verdeeld in een kapel, verschillende vleugels met cellen voor de postulanten, novicen en aangenomen nonnen, twee recreatieruimten, een wasserij, naaikamer, voedselvoorraadkamer, keuken en eetzaal. Buiten waren twee grote tuinen. De zusters hielden kippen voor de eieren, schapen en lama's voor de wol en een koe voor de melk.

Het was een sober leven. Geen televisie. Geen films. Boeken mochten wel, meestal religieuze, maar de bibliotheek bevatte ook een exemplaar van *In de ban van de ring* van Tolkien, *De kronieken van Narnia* van C.S. Lewis en de thrillers van Sherlock Holmes. We mochten brieven schrijven aan onze familie, maar niet aan vrienden, anders dan hen bedanken voor hun post.

Een doorsneedag begon om vier uur 's morgens, wanneer we opstonden voor een uur meditatie, een minder gestructureerde communie met God dan traditioneel gebed. Daarna gingen we naar de mis, ontbeten en begonnen we met ons corvee, zoals het vegen van de zalen, de was doen en de dieren voeden. Dan werd er gebeden tot de lunch, gevolgd door een siësta van een uur en daarna werd er nog meer gebeden en gemediteerd tot het avondeten. Na het eten kregen we om zes uur een uur de tijd voor 'recreatie' en dan baden we tot tien uur voordat we gingen slapen.

Afgezien van het zingen in het koor en tijdens het recreatie-uur speelde ons leven zich in stilte af. De meeste recreatie bestond uit het opvouwen van het linnengoed, naaien of het knutselen van 'derderangs' relikwieën, zoals een stukje stof waarmee de botten van een heilige was aangeraakt op een gewijde ansicht lamineren. Die werden verkocht in de souvenirwinkel van het klooster of weggegeven aan familie en vrienden. Maar er waren ook lichtere momenten. Tijdens het recreatie-uur mochten wij postulanten met elkaar babbelen en lachen en verhalen uitwisselen over de 'wereld daarbuiten'. En soms, in de winter, gingen we sleetje rijden en hielden we zelfs een heus sneeuwballengevecht.

Het leven van een karmeliet is een leven van gebed voor herstel, offervaardigheid en het verlossen van zielen. Zoals ik al van plan was geweest, bad ik voor de oprechte inkeer van mijn vader.

Ik had gelezen dat sommige heiligen hun eigen eeuwige zaligheid hadden geofferd – en tijd in de hel hadden doorgebracht – om een geliefde te redden die anders gedoemd zou zijn geweest. Ik beloofde God dat ik bereid was tot hetzelfde offer als mijn vader het nodige zou doen voor zijn eigen verlossing.

Ik geloofde dat bidden de sterkste uiting van hoop was. Het kan zijn dat we nooit de reden voor welke verandering ook in de wereld zullen kennen, of die zich voltrekt als Gods wil, of eenvoudig omdat we iets zo graag willen dat onze geest het laat gebeuren. Het enige dat ik belangrijk vond was dat het gebeurde.

Al voltrok ons leven zich in contemplatie, gebed en corvee, ik zag wel dat de meeste vrouwen in het klooster gelukkig waren. Ze mochten elkaar dan zwijgend op de gang passeren, ze deden dat wel met een glimlach, ze waren elkaar heel nabij, het was een waarachtig spirituele gemeenschap. Ze hadden innerlijke vrede. Ik hoopte dat die voor mij ook weggelegd zou zijn en dat ik nu een thuis had waar ik mijn leven in vrede kon slijten.

Maar van meet af aan spanden mijn lichaam en geest met mijn verleden samen. Mijn voedselvergiftiging markeerde het begin van een lang, zwaar jaar van gezondheidsproblemen. Een paar weken voor mijn intrede had ik mijn verstandskiezen laten verwijderen en mijn tandvlees was ontstoken geraakt. Ik moest zes keer naar de tandarts en uiteindelijk een kaakchirurg om het probleem te verhelpen. Elke keer werd ik vergezeld door de novicenmeesteres. Dat was veel gevraagd van een non die in afzondering leefde en juist probeerde de buitenwereld te mijden, en ik voelde me schuldig dat ik haar meesleepte.

Maar mijn tanden waren nog niet hersteld of mijn allergieën begonnen op te spelen. Ik had altijd last van hooikoorts gehad, maar tijdens die eerste lente en zomer sloeg die met verdubbelde hevigheid toe door het stuifmeel van de omringende landerijen. Ik kreeg zulke ernstige astma-aanvallen dat ik een paar keer naar de Eerstehulp van het plaatselijke ziekenhuis moest voor Benadryl-injecties; één keer moesten ze zelfs een ambulance voor me bellen.

Mijn lichaam leek er telkens weer op andere manieren de brui aan te geven. Zodra er één probleem was verholpen, kwam er een nieuw. Op mijn allergieën na was ik een sterk en gezond kind geweest, maar het constante knielen op de grond om te bidden maakte dat mijn knieën opzwollen en ontstoken raakten. Ik probeerde de pijn te negeren, maar die werd zo hevig dat de moeder-overste me zag rond hobbelen en me opnieuw een arts liet raadplegen. Hij schreef antibiotica voor en gaf opdracht mijn knieën met rust te laten.

Maar ondanks al die lichamelijke aandoeningen was het mijn geest waardoor mijn leven als non ten dode was opgeschreven.

De schaduwen waren me naar het klooster gevolgd. Ze leken het gebouw zelf niet te kunnen binnenkomen, maar dat deed er niet toe. Ik ving een glimp van ze op wanneer ze als wolken langs mijn raam of de glazen deuren van het klooster dreven, om me eraan te herinneren dat ze me in de wereld opwachtten.

Waren de schaduwen een manifestatie van het kwaad? Een psychische reactie op het trauma dat ik sinds mijn kleuterjaren had meegedragen? Of waren het de metaforen van mijn hersens voor duistere herinneringen? Ik wist het niet. Maar er was één schaduw bij die me echt dwarszat, de steeds dieper wordende schaduw van depressie die me overviel aan het eind van mijn eerste jaar in het klooster.

In deze nieuwe, vreedzame omgeving kreeg ik de rekening gepresenteerd van al die jaren van verdringing van wat me als klein meisje was overkomen, plus de navolgende jaren van mishandeling en verwaarlozing bij de Swindells. Sinds de tragedie heb ik nooit tegen stilte gekund. Ik zorgde er altijd voor dat er iets van geluid was om mijn geest af te leiden, om mijn boosheid en verdriet te verdunnen. De Swindells hadden altijd muziek opstaan en als er niemand was om mee te praten, praatte ik hardop met mezelf en mijn ingebeelde vrienden. Het hielp me geen aandacht te schenken aan wat er in mijn hoofd gebeurde.

In het klooster was ik het gelukkigst als ze me voor de schapen lieten zorgen, wanneer ik ze naar de velden moest drijven om te grazen en ze weer terug te brengen. Bij al die stilte verwelkomde ik de afleiding van een lichamelijk doel. Maar het leven van een non in afzondering moet in religieuze contemplatie worden doorgebracht, binnenshuis, in een cel. En de moeder-overste liet me weten dat dit ook van mij werd verlangd.

Maar het leven in stilte, alleen met mijn gedachten, was net alsof er constant een vulkaan in mijn hoofd werkte die de hele dag borrelde en uitbarstte.

Het trof me niet in één keer, maar stukje bij beetje. Eerst leek het allemaal nogal onbeduidend. Een van de nonnen vroeg me bijvoorbeeld een eenvoudige taak uit te voeren of om de rommel achter mijn rug op te ruimen en dan vergat ik het. Vervolgens vergat ik het de volgende keer weer.

Ik wist niet wat er met me aan de hand was, alleen dat ik ongelukkig was. Ik was apathisch en niet in staat helder te denken. Ik herinner me dat ik me gefrustreerd voelde, alsof ik me altijd in een zwart gat bevond. Mijn geest haalde trucjes met me uit. Ik wilde dood en die gedachte op zich vrat aan me.

Ik moest nog een paar keer naar het ziekenhuis, verward, hyperventilerend en ten prooi aan paniekaanvallen. Ik verdwaalde op de terugweg naar mijn cel of ik zwierf buiten in de stromende regen rond terwijl de bliksem insloeg in de grond om het klooster.

De andere nonnen hadden mijn gedrag in de gaten en maakten zich zorgen. De moeder-overste en de novicenmeesteres deden wat ze konden, ze nodigden zelfs psychologen en psychiaters uit om met me te praten. De psychiaters stelden de diagnose klinische depressiviteit en schreven antidepressiva voor. En een tijdje voelde ik me beter en begon ik te denken dat mijn moeilijkheden achter de rug waren. Maar de pendel zwaaide altijd terug naar de andere kant en dan merkte ik dat ik nog dieper was weggezakt dan daarvoor.

Ik bad om hulp en hoopte de oplossing in de godsdienst te vinden. In de kapel staarde ik omhoog naar het prachtige gouden beeld van een duif met het Heilig Sacrament die in de lucht hing aan de kant waar de nonnen zaten. Als ik nadacht over wat die duif betekende, voelde ik iets van troost, maar dat duurde nooit lang en ik werd met de week bitterder.

Naarmate mijn depressie ernstiger werd, voelde ik hoe ik me terugtrok van de spiritualiteit, ik voelde me in de steek gelaten door God zoals ik me in de steek gelaten voelde door mijn moeder en zusters. Op sommige dagen weigerde ik zelfs de heilige communie.

Mijn gezondheid speelde mijn toetreding tot de nonnen parten tot aan het eind van mijn eerste jaar in het klooster. Maar in februari 2004 werd ik geaccepteerd om mijn novicehabijt in april in ontvangst te nemen. Ik was niet langer zuster Cecilia, maar vanaf dat moment zou ik Zuster Mariam van de Gekruisigde Jezus heten.

De zusters van het klooster waren zich bewust van mijn achtergrond en hadden de naam zorgvuldig gekozen. Mariam Baouardy, later bekend als 'de Kleine Arabische' was in 1846 geboren in Galilea, Palestina in een christelijk gezin van de Grieks-melkitische katholieke Kerk. Mariam was op haar tweede wees geworden en grootgebracht door een oom in het Egyptische Alexandrië. Maar toen ze weigerde te trouwen met een man die door haar adoptiefouders voor haar was uitgekozen – ze wilde liever maagd blijven en haar leven aan Jezus wijden – ontstak Mariams oom in woede. Hoewel ze werd uitgescholden en geslagen, hield ze voet bij stuk. Haar oom begon haar te behandelen als een bediende en gaf haar het laagste en meest vernederende werk te doen.

Geïsoleerd van haar familie, diepbedroefd en eenzaam, besprak Mariam haar problemen met een jonge, islamitische bediende die voorstelde dat ze zich tot de islam zou bekeren. Hij stelde ook voor dat ze man en vrouw zouden worden. Toen Mariam zijn bedoelingen doorhad, antwoordde ze: 'Een moslim? Nee, nooit! Ik ben een dochter van de katholieke apostolische Kerk en bij de gratie van God mag ik hopen dat ik mijn godsdienst tot mijn sterven toe behoud, want die is de enige ware.'

Woedend door haar afwijzing trapte de jongeman haar tegen de grond, waarna hij zijn zwaard trok en haar keel doorsneed. In de overtuiging dat ze dood was, gooide hij haar lijk in een steegje. Jaren later vertelde ze de novicenmeesteres in een klooster in Marseille dat een non in een blauwe habijt haar had gevonden en de wond in haar keel had gehecht. Toen die non – volgens haar Moeder Maria – haar vervolgens had afgeleverd bij een klooster om te herstellen, was ze weer verdwenen.

Op haar eenentwintigste trad Mariam in bij de karmelitessen en nam ze de naam Zuster Maria van Jezus aan het Kruis aan. Maar haar moeilijkheden waren nog niet voorbij; op een zeker ogenblik werd ze veertig dagen lang door een demon bezeten; maar ze hield vol en dankzij haar geloof ontdeed ze zich van de entiteit. Haar beloning was wat was voorbehouden aan de meest bevoorrechten: ze kreeg stigmata, de tekenen van de wonden van Jezus aan het kruis. Ze ervoer ook levitatie, een stralenkrans om haar gezicht, het vermogen om de toekomst te voorspellen en bezetenheid door een goede engel.

Nadat ze had geholpen bij de stichting van missieposten in India en Bethlehem, stierf zuster Maria van Jezus aan het Kruis op haar tweeëndertigste aan de gevolgen van een val. In 1983 verklaarde paus Johannes Paulus II haar zalig en hoewel ze nog niet officieel heilig was verklaard toen ik intrad, werd die verheffing eerdaags wel verwacht.

Ik was gefascineerd door het verhaal van mijn naamgenoot. Er waren natuurlijk voor de hand liggende redenen – bij allebei was de keel doorgesneden; we hadden allebei een bijna-doodervaring gehad; beiden waren we geïsoleerd en mishandeld door onze adoptiefouders; beiden hadden last van depressiviteit gehad (of 'droefenis' zoals Mariam het noemde) en allebei hadden we ervaringen met 'duistere geesten'. Toch had Mariam haar verleden weten te overwinnen en vrede gevonden in haar geloof en de orde van karmelitessen. Dus ondanks de gemengde gevoelens die ik over mijn spiritualiteit had gehad, inspireerde haar verhaal me om me te verheugen op de Dag van de Inkleding, waarop ik mijn habijt zou krijgen en novice werd.

Voor de bewuste dag gaan de postulanten op een tiendaagse retraite, waarin ze al hun tijd doorbrengen in afzondering en stilte in het klooster: geen gezamenlijke maaltijden met de andere nonnen, geen recreatie-uren met babbelen en lachen. Het doel van de retraite is de postulanten voorbereiden en louteren voor de volgende stap in haar leven als religieuze. Het hoort een periode van reflectie en meditatie te zijn.

Ik bracht het grootste gedeelte van de retraite door in mijn cel of maakte af en toe een wandeling buiten in mijn eentje. Andere zusters hadden hun retraite al eens als ontspannend en helend beschreven, maar voor mij was de stilte één grote kwelling van akelige herinneringen aan en beschuldigende stemmen uit het verleden. Als ik een betere dochter was geweest, was mijn vader misschien geen moordenaar geworden. Als ik van de belt was gelopen om hulp te gaan halen, waren mijn zusjes misschien niet dood geweest. Als ik niet zo'n verschrikkelijk kind was geweest, zou mijn opa mij misschien hebben gehouden, of dan hadden de Swindells wel van me gehouden.

In plaats van mijn ziel te helen, reet de stilte oude wonden open. Zonder de betrekkelijke afleiding van het leven onder de zusters was het alsof ik in een isoleercel van de gevangenis zat, alleen met mijn gedachten en herinneringen, zonder iets tussen mij en hen. De woede, het verdriet en het schuldgevoel die ik achter slot en grendel had willen houden, barstten tevoorschijn.

De stem die ik het vaakst in mijn hoofd hoorde, als een naald die in de groef van een elpee is blijven hangen, was die van mevrouw Swindell. Lui varken. Leugenaar. Huichelaar. Je bent niet te vertrouwen. Net als die moeder van je... schuldig aan wat er is gebeurd... aan het kwaad. Bij de nonnen val je wel door de mand. Die kijken dwars door je heen. Niemand laat zich lang bedotten.

Ik begon te beamen wat de stem zei. Ja, ze had gelijk. Ik was niet te vertrouwen. Ik was de schuld van alles wat er was gebeurd, zelfs de moorden. Natuurlijk zouden de moeder-overste en de novicenmeesteres me doorzien en me eruit gooien. Dan zou ik echt nergens meer heen kunnen.

Na die week van wanhoop kreeg ik te horen dat ik moest biechten om me op de grote dag voor te bereiden. Mijn biechtvader was een priester van de Broederschap van de Heilige Petrus, een orde die van het Vaticaan toestemming had de mis in het Latijn te vieren. Die dag vertelde ik, pas voor de tweede keer van mijn leven, iemand over de donkerste geheimen van mijn leven in Missouri.

Toen ik mijn geheimen deelde met pater David, was hij meelevend, maar hij vond het maar het beste als ik gewoon doorging en het verleden achter me liet. Maar toen ik was uitgepraat bij deze nieuwe priester, boog hij een hele poos het hoofd. Uiteindelijk zuchtte hij. Nu begreep hij waarom ik zulke moeilijkheden in het klooster had. 'Je moet goed begrijpen dat niets van dat al jouw schuld was,' zei hij vriendelijk. 'En je moet dit aan de moeder-overste vertellen.'

Ik volgde zijn raad op en zag een blik van begrip op het gezicht van de oude dame verschijnen. Nu viel er van alles op zijn plek, zei de moeder-overste. Ik had alles gedaan om te overleven.

De biecht had een aantal directe gevolgen. Aan de ene kant was het een opluchting om te horen dat ik geen schuld droeg. Aan de andere kant bezorgde die wetenschap me een merkwaardig gevoel van machteloosheid. Ik kon het gevoel niet van me af schudden dat als ik wel verantwoordelijk was geweest, het kloosterleven van boetedoening en berouw een waarachtige weg naar vergeving en absolutie was geweest. Maar als het aankwam op andermans zonden jegens míj, kon ik daar niets aan doen, behalve hopen dat ze tot inkeer zouden komen en vergiffenis zouden zoeken.

En dat deed nog een vraag rijzen. Bijna mijn hele leven was ik voorgelogen en was me het gevoel opgedrongen dat ik verantwoordelijk was voor alle akelige dingen die mij en mijn familie waren overkomen. Nu de priester en moeder-overste me hadden laten zien dat niets daarvan waar was, maakte de opluchting van na de biecht plaats voor woede... en nieuwsgierigheid. Hoeveel was er waar van alles wat me over mijn familie en mijn verleden was verteld?

Op 18 april 2004, precies een jaar nadat ik het klooster in was gegaan, was mijn Dag van de Inkleding. Het was een vrolijke dag, vol van verwachting. De duisternis en verwarring die boven mijn hoofd hadden gehangen, leken uiteindelijk te breken.

Wanneer een non de kloostergeloften aflegt, zegt men dat ze 'trouwt' met Jezus; in die zin is de Dag van de Inkleding een verlovingsfeest. De feestelijkheden begonnen al aan de vooravond. De andere zusters lokten me uit mijn cel zodat ze die konden versieren met een altaartje, een grote crucifix op een tafeltje met een wijnrood fluwelen kleed en een afbeelding van Zuster Maria van Jezus aan het Kruis aan de wand.

De volgende dag kreeg ik een kroon van witte en roze rozen. Een vriend van de nonnen in de buitenwereld had voor iedereen een volledig maal besteld bij Red Lobster. Daarna volgde de kledingceremonie. Ik verwisselde de bruine jurk, cape en sluier van de postulant voor het volledige habijt, een riem met een lange rozenkrans en de scapulier, een mouwloos schouderkleed, incluis. Mijn haar werd afgeschoren en ik kreeg een nonnenkap die hoofd en nek bedekt, een witte sluier en sandalen voor mijn blote voeten.

Op de Dag van de Inkleding werden geen geloften afgelegd. Dat gebeurt pas drie tot vijf jaar later, wanneer de novice de kloostergeloften aflegt; dan belooft ze trouw aan de orde en legt ze de geloften af van armoede, kuisheid en gehoorzaamheid. Maar op die dag ontving ik wel officieel mijn nieuwe naam zuster Mariam en hoopte ik dat de verandering van kleed en naam ook een verandering in mijn geluk met zich mee zou brengen.

Maar binnen een week was ik weer terug bij mijn gevecht tegen de depressie. Die zette aanvankelijk geleidelijk in. Ik had constant rust nodig en miste de bel na de siësta. Daarna miste ik de bel voor het ochtendgebed en de meditatie voor de mis, een veel ernstiger overtreding. Ik was zo uitgeput dat ik me niet gewoon kon concentreren en mijn apathie zat me ook emotioneel in de weg. Eind juli was alles nog erger. Het constante kabaal van mevrouw Swindells stem in mijn hoofd ging nu vergezeld van pure hallucinaties. Ik zag heiligenbeelden in zwarte monsters veranderen en moest een schilderij van de Maagd Maria uit mijn cel verwijderen omdat het plotseling van vorm veranderde en me de stuipen op het lijf joeg.

Ik bracht zoveel mogelijk tijd buiten door. De moeder-overste stond me dat toe, wetend dat het me goed deed. De dieren waren er altijd voor me geweest en nu waren ze er weer. Ik bracht veel tijd door met een kleine Jack Russel terriër, die uit het niets was komen aanwaaien en die over de akkers stoeide met de schapen en de lama's en een poosje verwaaiden mijn angsten en zorgen op de wind. Maar ik kon niet altijd buiten zijn en ik zag niet hoe ik ooit tussen vier muren uitgerust en gelukkig zou zijn.

De enige activiteit binnenshuis die me gelukkig maakte was muziek. Ik bespeelde het orgel voor het klooster en soms mijn viool. Ik kreeg ook vorming om mijn stem beter te gebruiken, wat hielp om de anderszins dreigende stiltes om me heen te vullen.

Maar niets hielp lang. Muziek niet. Buiten zijn niet. Niet de psychiaters noch elk nieuw antidepressivum dat ze voorschreven. Ik dacht steeds vaker aan zelfmoord. Als ik overvallen werd door zo'n stemming, stond moeder-overste erop dat ik het suïcide alarmnummer belde.

Vervolgens kwam ik op 8 augustus 's avonds uit mijn bed voor een glas warme melk, wat me tezamen met hete douches was aanbevolen door deskundigen van de geestelijke gezondheidszorg. Toen ik in de halfduistere keuken kwam, zag ik dat de hele ruimte was schoongemaakt en alles was opgeborgen, behalve een groot mes dat naast de gootsteen lag.

Ik liep erheen en pakte het mes op. Opgeven lag niet in mijn aard. Ik had al sinds mijn derde gevochten voor een gelukkig leven, maar ik was alles meer dan zat. Opeens werd ik verteerd door de drang mezelf het mes in de borst te stoten.

Daarna zag ik uit mijn ooghoeken iets donkers in de gang naar de keuken bewegen. Maar deze keer was het geen schaduw. Het was een non in een zwart habijt die op weg was naar haar kamer. Haar verschijning bracht me met een schok weer bij zinnen, alsof ik had staan dromen. Ik legde het mes neer en holde naar moeder-overste om te vertellen wat er was gebeurd. Als die zuster op dat moment niet voorbij was gekomen, had ik misschien de hand aan mezelf geslagen, vertelde ik.

De moeder-overste zei dat ik het alarmnummer weer moest bellen. De maatschappelijk werker vroeg hoe ik me voelde op een schaal van 1 tot 10, waarop tien het ergst is.

'Negen,' zei ik. Ik was bereid een eind te maken aan dat afschuwelijke leven dat mij was gegeven.

De man vroeg me rustig de hoorn aan de moeder-overste te geven. 'U moet haar direct naar het ziekenhuis brengen,' zei hij. 'Ze moet vierentwintig uur per dag worden bewaakt.'

De moeder-overste liet er geen gras over groeien. Opnieuw moest de novicenmeesteres me naar het ziekenhuis brengen, waar ik werd opgenomen op de afdeling psychiatrie. Ik had het habijt van mijn novitiaat aan, maar ze namen me alles af, mijn rozenkrans incluis, plus de spelden van het onderkleed en mijn riem, alles wat ik kon gebruiken om mezelf iets aan te doen. Daarna gaven ze me een kamer met glas aan twee kanten en altijd een nachtlampje aan zodat ze me konden zien.

Het kostte vier dagen, maar ik voelde mijn geestelijke stabiliteit langzaam terugkeren. De psychiaters pasten mijn medicatie aan en legden uit dat recent onderzoek deed vermoeden dat antidepressiva bij sommige tieners suïcidale neigingen versterkt. De nieuwe medicijnen leken veel beter te werken.

Misschien nog belangrijker was het feit dat er weer geluid in mijn leven was. In het ziekenhuis kon ik echt met andere patiënten praten en bij de interactie met hen op groepsbijeenkomsten leerde ik nog meer over de problemen waarmee ik kampte. Bovendien leerde ik mensen kennen die hun eigen problemen onder ogen zagen. Ik mocht ook televisie kijken en films zien en ik werd aangemoedigd zoveel mogelijk uit te rusten. En ik wilde veel rust.

In feite genoot ik volop van mijn tijd op de afdeling, behalve een keer 's middags op dag drie, toen een zuster me aan de telefoon riep. Het was mevrouw Swindell. 'O, mijn god, Cecilia, wat is er gebeurd?' vroeg ze. Ik vertelde dat ik een zware depressie achter de rug had. En dat ik het al op mijn twaalfde had willen uitleggen, maar dat ze toen niet wilde luisteren.

Daarna vertelde ik haar over de dingen die volgens de artsen aan de depressie ten grondslag lagen: het onverwerkte trauma van de gebeurtenissen in Sonoma; de emotionele mishandeling bij hen, de Swindells; de geheimen die ik met niemand anders deelde dan met mijn artsen, de zusters en priesters.

Ze ontplofte. 'Hoe dúrf je zulke dingen te zeggen! Je bent een onzuiver nest! Dat was allemaal je eigen schuld. En nu lieg je erop los om alle anderen de schuld te geven!' Na haar tirade was ik in tranen. Ik hield de telefoon een eindje van mijn oor en zelfs de zusters konden haar tekeer horen gaan. Uiteindelijk was ik het beu. Snikkend wendde ik me tot de zusters en zei dat ik niets meer met de Swindells te maken wilde hebben. Een van hen nam de hoorn vriendelijk van me over en zei dat ik moest gaan liggen. Zij handelde het wel af.

Op dag zes kwamen de moeder-overste en de novicenmeesteres op bezoek. Ze brachten me een doos chocola en bloemen. Ze gingen zitten en vroegen hoe het ermee ging.

Na een tijdje vroeg ik: 'Kan ik weer terug?' Ik voelde me stabieler en ik was aan terugkeer naar het klooster gaan denken. Mijn nieuwe medicijnen hadden mijn toestand gestabiliseerd en ik had nieuwe inzichten in mijn problemen en hoe ik ermee moest omgaan.

Maar het mocht niet zo zijn. Met een bedroefd gezicht zei de moeder-overste: 'Je kunt niet terugkomen. We hebben alles voor je gedaan wat we konden, maar onze dagindeling en leven is niets voor jou, lieverd. We zullen er altijd voor je zijn als je later mocht besluiten bij ons terug te keren. Maar we zijn het er allemaal over eens dat je verder moet werken aan je herstel en wij vinden dat dit maar het beste buiten het klooster kan gebeuren.'

Ik wachtte tot ze weg waren en toen barstte ik in tranen uit.

Ik was alleen. Angstaanjagend en totaal alleen.

30

Mijn plotselinge vertrek uit het klooster en opname op de afdeling psychiatrie deed bij TFP veel stof opwaaien. Maar dat had meer met mijn beschuldigingen jegens de Swindells te maken dan met enige zorg over mijn welzijn.

Nadat mijn stabiliteit weer terug was, belde ik mensen in de organisatie van TFP die ik als vrienden beschouwde, althans diegenen van wie ik dacht dat ze me misschien zouden helpen. Maar ik beging de vergissing hun te vertellen wat ik ook aan twee priesters, de moeder-overste en de novicenmeesteres had verteld, en aan de psychiaters van de afdeling. Maar geen van hen geloofde me. En zelfs degenen die dachten dat er misschien iets in zat, vonden dat ik minstens voor een deel zelf de schuld droeg.

Ik had geen idee waar ik heen moest wanneer ik uit het ziekenhuis zou worden ontslagen. De Swindells vroegen me weer bij hen te komen wonen, maar dat leek me een poging om mij de mond te snoeren. Dan zou ik de zoveelste TFP-vrijster worden, zonder stem, zonder vrijheid en zonder toekomst.

Ik overwoog opa te bellen. Maar sinds mijn derde of vierde hadden de Swindells me voorgehouden dat hij niet om me gaf. Hij had me afgestaan voor adoptie en me maar een keer per jaar opgezocht. Zelfs in het klooster schreef hij me maar een paar keer. Ik dacht niet dat ik nog ergens familie had.

Ik was pas achttien en wist helemaal niets van het leven in de buitenwereld en het zag ernaar uit dat ik op straat zou eindigen. Ik had geen vrienden. Geen geld. Ik had niet eens een diploma van de middelbare school om me aan een baan te helpen.

Toen belde pater David. Hij was de eerste geweest die ik over de Swindells had verteld en ik had gehoopt dat hij me zou steunen. Maar hij wilde niet stilstaan bij het verleden. Hij zei wel dat zijn zus een werkboerderij in Idaho had en tienermeisjes met problemen opnam. Doorgaans accepteerde ze geen meisjes boven de zeventien en rekende ze vijftienhonderd dollar per week. Maar hij had haar zover gekregen om me voorlopig onderdak te verlenen.

De boerderij stond te boek als een therapeutisch centrum 'midden in Gods schepping' voor christelijke jongedames met gedrags- en verslavingsproblemen. Die problemen werden op de hoeve aangepakt, aldus hun brochures, door de meisjes in een 'veilige, liefdevolle omgeving' te plaatsen, ver weg van de slechte invloed en druk van leeftijdgenoten in het hedendaagse leven. Ze zouden leren samenleven met andere meisjes zoals zijzelf, en met therapeuten, de boerderijdieren en het Geweldige Buitenleven.

Pater David wist alleen wat hem over de boerderij was verteld, dat het een plek was voor kinderen met drugs- en alcoholproblemen of extreme woedeaanvallen, harde meisjes die hun ouders te machtig waren. Maar er waren paarden en bergen en als alles goed ging, bestond de kans dat ik er in dienst kon komen. Het klonk perfect.

Ik nam het aanbod met beide handen aan. De bisschop van het plaatselijke diocees betaalde zelfs de vlucht. Acht dagen na mijn opname op de afdeling psychiatrie landde ik op een vliegveld in Idaho. Alles wat ik in de wereld bezat had ik bij me: drie kartonnen dozen met de paar wereldse kledingstukken die ik nog had, de brieven die ik in het klooster had ontvangen, mijn eigen aantekeningen, een paar boeken en mijn viool.

Pater Davids zus en haar man, Susan en Ray Holt, haalden me van het vliegveld en lieten me instappen in hun auto voor de rit terug naar de God's Cowgirls Ranch. Ze zeiden dat ze gewoon hardwerkende boerentypes waren. Susan was dol op paarden, wat me opwond en Ray zorgde voor de boerderijzaken en het machinepark. Ze stelden een heleboel vragen over mijn verleden en leken me best aardig.

De boerderij was alles wat ik me ervan had voorgesteld. Het land strekte zich kilometers in alle windrichtingen uit, omringd door bergen en begraasd door prachtige paarden. De woonkwartieren leken me ook prettig: eenvoudige blokhutten met een heleboel ruimte eromheen.

Maar direct al waren er tekenen dat dit geen vakantie ging worden. Kort na aankomst werden mijn drie dozen in beslag genomen en meegenomen naar het huis van de eigenaar, voor 'verzekerde bewaring'. De grote crucifix die ik naar het klooster had meegenomen mocht ik houden, maar weinig meer. Ze lieten doorschemeren dat ik er niet op kon vertrouwen dat de andere meisjes van mijn spullen zouden afblijven. Maar ik besefte algauw dat veel regels – het taboe op sieraden en persoonlijke kleding – een ander doel dienden, namelijk conformiteit.

Ik werd aan de 'teamcaptains' of therapeuten voorgesteld. Maar tot mijn verrassing strekte die introductie zich niet uit tot de andere bewoners, zeven meisjes die om de centrale blokhut zaten te lezen in een schrift met een spiraalband.

Ik moest even buiten wachten bij de andere meisjes en de Holts gingen met de therapeuten een van de blokhutten in. Verlegen en met mijn figuur geen raad wetend, ging ik bij een paar van de meisjes zitten en vroeg me af hoe ik een gesprek moest beginnen. Ik hoopte dat een van hen iets zou zeggen, maar geen van hen leek bijzonder geïnteresseerd in me. Uiteindelijk werd de stilte me te veel.

'Hoe is het hier eigenlijk?' vroeg ik aan het dichtstbijzijnde meisje.

Alle meisjes keken op toen ik dat vroeg, en keken vervolgens weer in hun lectuur zonder iets te zeggen. Dus vroeg ik of er regels waren die ik hoorde te weten.

De meisjes keken weer op en neer. Maar het meisje dat het dichtst bij zat hield het spiraalschrift dat ze bestudeerde omhoog en fluisterde: 'Lees het boek maar.'

Ik las de titel: *God's Cowgirls Manual*. Ik wilde weer iets zeggen, maar ze viel me in de rede.

'We mogen niet praten,' fluisterde het andere meisje.

Voordat ik nog meer kon vragen, ging de deur van de hut open en wenkte mevrouw Holt me. Binnen kreeg ik te horen mijn rok en bloes uit te trekken, want voortaan moest ik het boerderij-'uniform' dragen, spijkerbroek, T-shirt, speciale werkschoenen en voor koud weer een sweatshirt met capuchon.

'Oké,' zei ik. 'Kan ik me ergens verkleden?'

'Doe het maar hier,' antwoordde Susan Holt.

Niet wetend wat ik anders moest, kleedde ik me uit tot op mijn ondergoed. Nerveus en vol gêne vroeg ik me af wat er ging komen.

'Welke maat broek heb je?' vroeg een van de vrouwelijke therapeuten.

Vier monden vielen open toen ik zei ik dat niet wist omdat ik nog nooit een broek had gedragen. Dus moesten ze een gok doen.

'Je moet ook je ondergoed uittrekken,' zei een andere vrouw.

'Wat?' Ik begreep niet waarom ze me dit lieten doormaken. Ik schaamde me voor mijn lichaam. Naaktheid was er niet bij in huize Swindell. Ik was sinds mijn kleuterjaren zelfs niet in bad gegaan waar mevrouw Swindell bij was en de zusters in het klooster douchten privé.

'Je mag geen eigen kleding hebben. Kampregels,' antwoordde de vrouw. 'Wij geven je ook je ondergoed.'

'Ik heb me nog nooit uitgekleed waar anderen bij waren,' smeekte ik. 'Ik kom net uit een klóóster!' Maar ze gaven me geen keus.

Nadat ik me helemaal had uitgekleed voor de verzamelde therapeuten en mijn nieuwe uniform had aangetrokken, werd ik weer naar buiten gestuurd. Ik voelde me vernederd. Ik dacht dat het niet erger kon, maar ik had het mis.

Een paar uur later vroeg ik een therapeut of ik naar het toilet mocht. Ze glimlachte alsof ik haar had gevraagd een spelletje te spelen, daarna holde ze een van de hutten in en kwam weer tevoorschijn met mevrouw Holt, die de andere teamcaptains opdracht gaf alle meisjes bijeen te roepen.

Toen iedereen bij elkaar was, kondigde mevrouw Holt aan: 'Oké, allemaal. We hebben een nieuw teamlid dat naar het toilet wil en we weten allemaal wat er gebeurt.' Ze wendde zich tot mij. 'Het wordt tijd om je in te wijden in de ranch en in onze manieren.' Ieders ogen gingen naar de witte emmer van twintig liter bij de wand van een schuur.

Pas toen begreep ik wat er van me werd verlangd. Ik moest gaan plassen ten overstaan van de rest: zeven meisjes, drie teamleiders en de eigenaar.

Later kwam ik erachter dat het doel van de emmer – en van de andere vernederende ervaringen op de ranch – was een meisje af te breken zodat de Holts en de therapeuten haar vervolgens weer op hun manier konden opbouwen. Maar daar zat ik niet op te wachten. Ik was niet een of ander boos meisje met een drugs- of alcoholprobleem. Ik was niet in aanraking geweest met de wet. Ik wás al afgebroken. Ik had behoefte aan een hand die me overeind hielp.

Er waren een stel harde meisjes op de ranch, gewelddadige, kwaaie meisjes. Een aantal had als dakloze geleefd. Anderen hadden een jeugdstrafblad. Maar geen van hen bleek harder dan ik.

We werden in vier niveaus verdeeld of gerangschikt. Degenen op niveau één, zoals ik, waren meestal nieuwelingen; we hadden weinig privileges en werden niet vertrouwd. Bovenaan stonden de meisjes van niveau vier; de meesten hadden al een lange tijd op de ranch doorgebracht, hadden hun dwalingen ingezien, hun gedrag geconformeerd en genoten daarom ook meer privileges en vertrouwen.

Ik kreeg te horen dat alles wat ik moest weten om hogerop te komen in *God's Cowgirls Manual* stond. 'Zo lang je hier bent,' zeiden ze, 'is die handleiding je bijbel. Bestudeer hem. Geen uitvluchten.'

De ranch werd gedreven door de regels en voorschriften van de handleiding. Niveaus een, twee en drie mochten niet met elkaar praten tenzij er een eigenaar, therapeut of soms een lid van niveau vier aanwezig was om het gesprek te volgen. We moesten ons corvee zonder uitzondering afmaken. We moesten de Holts, de therapeuten en de meisjes van het hoogste niveau blindelings gehoorzamen, zonder vragen te stellen. En we moesten elke ochtend naar de mis in een naburige katholieke kerk.

We kregen goed en gezond te eten. Een ontbijt van brinta of havermout, behalve in het weekeinde, wanneer je muesli met yoghurt of eieren kon eten. Vervolgens een stuk fruit en heel soms een boterham voor de lunch, gevolgd door een voedzaam avondmaal dat kon variëren van hamburgers tot Italiaans of Mexicaans. Maar veel was het niet, in het licht van al het werk dat we moesten verzetten. Onze dag begon om 06.00 uur. We stonden op, poetsten onze tanden, ontbeten en maakten ons op om naar de mis te gaan. Wanneer er tijd voor was, maakten we voor ons vertrek onze blokhut schoon of voerden we dieren.

De mis was om zeven uur en om acht uur waren we terug op de ranch om ons werk te hervatten. Zoals pater David me had verteld, was het een werkboerderij en waren de meisjes de knechten. We voerden de dieren, hoewel alleen leden van niveau vier ze mochten aaien. We ruimden stenen van de akkers, legden omheiningen aan, hielpen bij het hooien en deden verder alle boerderijklussen die er gedaan moesten worden.

Om twaalf uur keerden we terug naar de centrale hut voor de lunch. Daarna gingen we na een korte pauze weer aan het werk en deze keer op een naburige boerderij. Aan het eind van elke lange werkdag keerden we terug naar de Holts voor het avondeten, huiswerk, nog meer corvee en dan naar bed.

De meisjes van niveau drie en vier mochten meteen na het avondeten naar bed. Maar die van niveau een of twee, die dikwijls tolden van vermoeidheid, moesten wachten tot de therapeuten om tien uur klaar waren met hun administratie.

De algemene filosofie achter de ranch leek erop gericht ons af te breken door ons af te beulen en door intimidatie of vernedering als we het tempo niet konden bijbenen. Er waren geen excuses voor minder dan je volledige inzet en er was weinig begrip of medeleven met diep gewortelde problemen zoals mijn slepende depressie.

De therapeuten gaven me zoveel werk dat ik er bijna elke dag van langs kreeg omdat ik het niet afkreeg en vervolgens kreeg ik de dag daarop nog meer te doen. Het was een recept voor mislukking en bij iedere berisping werden mijn gevoelens van machteloosheid alleen maar erger.

Helaas vonden de Holts dat de zweep erover de beste therapie voor depressie was. Zware inspanning is beter dan medicijnen, vonden ze. Dus in plaats in de pick-up van en naar het land te rijden, dwongen ze me voor het voertuig uit te hollen, soms wel een paar kilometer. Als ik struikelde en viel, toeterden ze en riepen ze: 'Opstaan, aansteller!' De tranen sprongen me in de ogen, maar ze zagen me nooit huilen.

Ik vocht terug door te weigeren me te laten intimideren en kleine verzetsdaden. Overdag dronk ik een heleboel water om niet uit te drogen, wat ook inhield dat ik midden in de nacht naar de wc moest. De moeilijkheid was dat de deur van de blokhut zo was gemaakt dat alle lichten aangingen wanneer je hem openmaakte, waardoor alle anderen wakker werden, en toiletgang vereiste dat een van de meisjes van niveau drie of vier meeging, omdat meisjes van niveau een niet zonder escorte naar de wc mochten. Ze zeiden dat ik ermee op moest houden, maar ik hield het vol, dus kochten ze luiers voor volwassenen voor me en zeiden dat ik die zou moeten dragen als ik de nacht niet kon doorslapen zonder hen wakker te maken.

Hoe harder de Holts en de therapeuten hun best deden me te breken, des te meer ik me verzette. Ik was geen beginneling als het aankwam op het incasseren van verbaal geweld. Dat had ik het grootste deel van mijn leven over me heen gekregen, ik liet die wrede en boze woorden gewoon mijn ene oor in en het andere weer uit vliegen, en dan huilde ik later als niemand me kon zien. Als het ging om gezagsfiguren, haalde ik gewoon glimlachend mijn schouders op als ze iets vals zeiden, wat hen nog meer irriteerde.

Net als bij de Swindells was niet de hele tijd op de ranch een kwelling. Soms mochten we films kijken, waaronder de hele trilogie *In de ban van de ring* tijdens een filmmarathon op Thanksgiving. We maakten zelfs een uitstapje naar een retraiteoord in North Dakota, waar een soortgelijk kamp was als het onze, maar dan voor jongens. Het was voor het eerst van mijn leven dat ik kon omgaan met 'gewone' tienerjongens die geen lid van een TFP-familie waren. Het was leuk en opwindend.

Maar de mooie momenten waren met een lantaarntje te zoe-

271

ken. Waar ik me het meest op verheugde was het wekelijkse bezoek aan de psychologe van de ranch, een jonge vrouw van in de veertig die door de Holts werd betaald om elke donderdag met ieder meisje te praten. Eindelijk had ik iemand met wie ik regelmatig kon spreken over wat ik doormaakte en hoe mijn traumatische verleden me beïnvloedde.

Toen ik net op de ranch was voorgesteld, was me gevraagd iedereen iets over mezelf te vertellen. Toen ik mijn verhaal vertelde, verschenen er geschokte en meelevende blikken op de gezichten van de andere meisjes. Hoe hard sommige ook waren, van niemand was de hele familie uitgeroeid of de keel afgesneden door hun vader. Veel van hen hadden een slecht gezinsleven achter de rug, waren zelfs mishandeld, maar geen van hen had zich zo geïsoleerd gevoeld dat ze het kloosterleven als de enige uitweg zag.

Ongeveer een week nadien behandelden de meisjes me bijzonder goed. Bij de wekelijkse sessies, wanneer we werden aangemoedigd elkaars tekortkomingen te bespreken – een ander woord voor klikken – lieten ze mij met rust.

De Holts en de therapeuten moeten gezien hebben dat ze mij anders behandelden, want op een dag stonden ze erop dat de andere meisjes moesten ophouden mij de hand boven het hoofd te houden. 'Het verleden is voorbij,' zei meneer Holt. 'Zij is hier niet vanwege haar verleden. Jullie mogen haar niet anders behandelen dan wie ook.'

De Holts noch de therapeuten wilden ook niet luisteren als ik probeerde uit te leggen hoe mijn stemmingswisselingen werden veroorzaakt door mijn opvoeding. Ze geloofden geen woord van wat wij meisjes zeiden, vooral die van niveau een. Niets van wat ik de Holts of de therapeuten vertelde legde enig gewicht in de schaal; wat ik ook zei, zij vonden dat ik loog. Ze pakten mijn woorden, hakten en husselden ze door elkaar en dan zeiden ze:

'Zie je wel? Dat slaat nergens op. Je spreekt jezelf voortdurend tegen.'

Ik keek er niet van op toen ik hoorde dat de Holts goed bevriend raakten met de Swindells en hen dikwijls telefonisch spraken. In de hele tijd die ik op de ranch heb doorgebracht, was de enige communicatie die ik met de buitenwereld mocht hebben een brief van mevrouw Swindell.

De enige die me begreep was de psychologe. Ik had haar alles verteld wat me was overkomen. Ik hield niets achter, het feit dat ik niet dacht dat de ranch iets voor me deed incluis. Maar ze kon weinig tegen mijn omstandigheden beginnen; ze moedigde me alleen aan vol te houden en mezelf te verbeteren.

De vraag was wat ik precies moest verbeteren. Ik was niet naar de ranch gestuurd omdat ik iets verkeerds had gedaan. Ik kwam net uit een klóóster, tenslotte. Ik had mijn hele leven in afzondering van de buitenwereld doorgebracht. Ik had nog nooit een jongen gezoend, nog nooit drugs gebruikt, was nog nooit te laat thuisgekomen, noch dronken of tegendraads geweest. Toch was ik daar en werd ik behandeld alsof ik voor een misdrijf was veroordeeld en naar een gevangenisboerderij was gestuurd.

Ik had het aanbod om naar de ranch te gaan aanvaard omdat ik nergens anders heen kon. Ik had gehoopt op een thuis in de bergen, omringd door uitgestrekte landerijen waar de paarden vrij los liepen. Als het me aanstond, zou ik daar misschien ooit een baan aangeboden krijgen, om andere getraumatiseerde vrouwen te helpen. Op zijn minst had ik er graag een troostende stem gehoord, een plek om mijn wonden te likken, een plek waar de donkere schaduwen van het verleden me niet konden volgen. Maar in plaats daarvan was het weer een doodlopende weg.

Maar het was niet de behandeling die me het laatste duwtje gaf om een wissel in mijn leven om te zetten. Het was de mishandeling van een van de andere meisjes. Rachel was met haar twaalf jaar het jongste meisje van de ranch. Ze had veel boosheid en was een harde, met een snedig antwoord op bijna elke vraag of opdracht, en ze was al aan de drugs. Net als ik was ze voor adoptie afgestaan en veel van haar boosheid was gericht op haar adoptieouders. En net als ik verzette ze zich tegen de pogingen van de ranch om haar te breken.

Hoewel Rachel zich constant problemen op de hals haalde, was haar grootste overtreding eten pikken. Op de gezette etenstijden kreeg ze nooit voldoende en ze leek zichzelf er ook niet van te kunnen weerhouden naar de voorraadkamer of de koelkast te sluipen, hoeveel moeilijkheden ze zich er ook mee op de magere hals haalde.

Ik begreep waarom ze honger had. De maaltijden in het klooster waren overvloedig geweest en omdat de zusters me constant aanmoedigden te eten, was ik er behoorlijk aangekomen. Maar op de ranch hielden ze ons in wezen op een overlevingsdieet. Daardoor, plus door al het werk dat ik deed, verloor ik de pondjes die ik in het klooster was aangekomen. Maar Rachel was een opgroeiend meisje en al dat werk maakte haar uitgehongerd. Ze bleef stiekem eten pikken en betrapt en bestraft worden.

Eerst probeerden mevrouw Holt en de therapeuten met Rachels gedrag af te rekenen door haar privileges te onthouden en dan gaven ze haar nog meer te doen. Toen dat niet werkte, lieten ze haar hard hollen voor de pick-up uit op weg naar de akkers, en uiteindelijk de oprit van drie kilometer af voordat ze haar oppikten met het busje om naar de kerk te gaan.

Ze bleef eten pikken. Dus zetten ze haar op een 'saai dieet': 's morgens koude brinta en voor de rest van de dag gekookte spinazie of kekererwten, zo uit het blik. Toen dat niet werkte, sloten ze haar 's nachts in haar eentje op in haar hut, zodat ze met niemand contact kon hebben. Wanneer ze vervolgens sliep, maakte een therapeut of een van de meisjes van niveau vier haar om de drie of vier uur wakker met een plens koud water in het gezicht. Daarna moest ze uit bed komen en zich opdrukken, of opzitten met de voeten tegen de muur.

Uiteindelijk hadden ze er tabak van. Op een van de wekelijkse 'verklik'-bijeenkomsten, op 'God's Cowgirls Day' vroegen de therapeuten de andere meisjes of ze last hadden van Rachels voedseldiefstallen.

Ja, zeiden de anderen, daar had iedereen last van. Ik was het me ze eens, want ik wist niet dat ons vonnis zou leiden tot iets meer dan een berisping van Rachel. Maar toen kregen we opdracht met z'n allen naar buiten te gaan, naar een heuvel in de buurt, en we moesten terugkomen met een steen die weergaf hoezeer Rachel ons had benadeeld.

In de waan dat dit weer zo'n bizar symbolisch gebaar was, ging ik met de andere meisjes en de therapeuten naar de heuvel om terug te keren met een steen. De mijne was niet zo groot, maar een paar andere meisjes hadden kleine keien meegezeuld die ze amper van de grond kregen.

De therapeuten stapelden de stenen op in de centrale hut waar de bijeenkomst zou plaatsvinden. Daarna hield mevrouw Holt een grote rugzak omhoog. 'De andere meisjes zijn het helemaal zat om jouw last te torsen,' zei ze tegen Rachel. 'Van nu af aan ga jij die dragen.'

Met die woorden vulden zij en de therapeuten de rugzak met zoveel stenen als er in pasten. Ik wierp één blik op die rugzak en wist dat zelfs ik, zo sterk als ik op mijn achttiende was, daarmee moeite zou hebben. Maar ze zeiden dat Rachel die rugzak mee moest dragen, waar ze maar ging, totdat ze veranderd was.

Toen Rachel naar de rugzak keek en in tranen uitbarstte, kwam de psychologe net binnen. Ik had vaak de indruk dat ze een aantal methoden van de ranch afkeurde, maar ze zei er nooit

iets van. Nu deed ze dat evenmin, al was de schrik van haar gezicht te lezen. In plaats daarvan keek ze hoofdschuddend naar de
grond. 'Ik vertrek,' zei ze. 'Veel geluk, meisjes.'

De volgende morgen verscheen Rachel gehoorzaam met de
rugzak op haar schouders. Ze had ook een halsband om met een
riem die om het middel van een van de meisjes van niveau vier
gebonden zat. Daarna holde het oudere meisje voor de pick-up
uit en Rachel had de grootste moeite om haar bij te houden. Op
een zeker ogenblik struikelde het kleine meisje en ze kwam ten
val. Ze slaakte een schreeuw van pijn toen ze haar knie open
schaafde. Maar ondanks de bloedvlekken die op haar broek verschenen, dwongen ze haar weer overeind te komen en door te
hollen.

Later probeerde ik haar te troosten. Ik wist dat Rachel behoefte had aan een warme stem en ik dacht dat ze met wat counseling
misschien een beetje zou toegeven en zou ophouden met stelen
en zich aan een paar regels zou houden. Maar een van de andere
meisjes zag me met Rachel praten zonder dat er een therapeut
bij was en verklikte me. Ik werd gestraft met een uur lang hardlo-
pen en een week lang elke dag honderdvijftig keer 'de waarheid
zal je verlossen' opschrijven.

Wat de meisjes op de ranch werd aangedaan kwam neer op
marteling en mishandeling. En daar had ik voldoende van gezien voor een heel leven. Drie maanden na aankomst op de
ranch besloot ik dat het tijd werd om op te stappen.

De Holts en de therapeuten bleken daar ook over te denken.
Ik werd naar het hoofdkantoor geroepen, waar ze me zeiden dat
mijn houding had verhinderd dat ik voorbij niveau één was gekomen. Dus nu gaven ze me een ultimatum: ik kon beginnen
mee te werken of vertrekken. 'Je bent achttien,' zeiden ze. 'We
kunnen je niet dwingen om te blijven.' Maar ze wezen erop dat
het december was en het werd koud buiten. Als ik wegging, zou

ik mijn ranchuniform in moeten leveren; ik kon alleen de bezittingen meenemen die ik kon dragen. En dat niet alleen, ik zou moeten lopen. Ze zouden me zelfs geen lift naar het eind van de oprit geven, laat staan naar de dichtstbijzijnde plaats.

Volgens mij was het een test, en hadden ze verwacht dat ik door de knieën zou gaan. Ze wisten dat ik kind noch kraai in de wereld had en geen geld had om ergens te komen. Maar ik was de behandeling beu en niet goed geworden van wat er met Rachel werd gedaan. Ik was vastbesloten daar weg te gaan. Maar waarheen? Ik bevond me weer in dezelfde hachelijke situatie als drie maanden daarvoor.

Toen moest ik opeens aan opa denken.

Hij woonde maar een paar uur rijden bij me vandaan in Montana waarheen hij was verhuisd. 'Ik wil dat jullie mijn opa bellen om te vragen of hij me komt halen,' zei ik.

De anderen keken geschokt. 'Nou, als we dat doen en hij komt je morgen niet halen, dan ben je hoe dan ook weg.'

Ik zei dat ik het erop zou wagen. En ik bleef bij mijn beslissing toen ze een contract opstelden waarin stond dat ik, als ik de ranch verliet, zou gaan zonder geld of kleren behalve wat ik had meegebracht, en ik zou geen lift krijgen. Ik tekende en zij gingen bellen.

De volgende dag was spannend. Uur na uur verstreek zonder teken van mijn grootvader. Wat zou er gebeuren als hij niet kwam?

Uiteindelijk keek ik om vijf uur naar het hoofdkwartier van de ranch en zag een vertrouwde auto. Opa was gekomen.

Tegen de tijd dat ik het gebouw bereikte, hadden de Holts mijn eigendommen klaar voor vertrek, waaronder een stapel post die ze voor me hadden ontvangen, maar nooit had geopend maar ook nooit aan mij hadden gegeven. Dankbaar omhelsde ik mijn grootvader, we stapten in en reden weg.

Weldra waren we op weg naar Montana en zat ik non-stop te praten. Opa en zijn tweede vrouw Edna zaten te luisteren terwijl ik erop los kwebbelde alsof ik zojuist de gave van de spraak had gekregen. De Swindells hadden me in afzondering gehouden, het klooster had me stil gehouden, en de meisjesboerderij had geprobeerd me de mond te snoeren. Nu haalde ik de verloren tijd in.

31

Na mijn ontsnapping aan de meisjesboerderij, nam opa me bij zich in huis in Montana. Het was voor het eerst dat ik de vrijheid proefde.

Montana zou niet de laatste halte van mijn reis worden, maar het was een belangrijke fase. Daar kreeg ik mijn eerste baan buitenshuis, het wassen en trimmen van honden. Ik kreeg het vak snel onder de knie, alsof ik al jaren ervaring had. Daar ging ik naar mijn eerste niet-christelijke rockconcert, daar leerde ik de computer gebruiken en ontdekte ik de wonderen van internet. Daar kreeg ik mijn eerste auto en eerste auto-ongeluk. Ik rookte er mijn eerste sigaret en kuste er voor het eerst een jongen en hij werd er mijn eerste minnaar. Het gebeurde allemaal heel snel, maar ik probeerde dan ook vijf jaar puberteit in acht maanden te persen.

In al die jaren van mijn afwezigheid had ik nooit veel met mijn grootvader mogen praten. Nu was ik blij dat ik hem eindelijk leerde kennen, om z'n verhaal uit zijn eigen mond te horen in plaats van de Swindell-versie. Hij vertelde hoe hij had gevochten om de voogdij over mij in plaats van mij aan de staat over te laten of zelfs de voogdij van mijn vader. (Ondanks alles wat hij had gedaan, waren mijn vaders ouderlijke rechten niet automatisch ingetrokken.) Kort nadat hij was opgepakt, had zijn advocaat Marteen Miller in het openbaar verklaard dat hij namens zijn cliënt mijn grootvader geen haarbreed in de weg zou leggen als hij zou pogen de voogdij te krijgen. Maar vervolgens was mijn vader kennelijk van gedachten veranderd, omdat hij wilde dat ik bij zijn familie in Mexico ging wonen. Hij vroeg de voogdij aan en dwong daarmee mijn grootvader een advocaat in de arm te nemen om het zowel tegen de staat als Ramón op te nemen. Mijn rouwende grootvader moest vervolgens naar de rechtbank en mijn vader op anderhalve meter passeren. Opa was een kleine man, hij was als de dood voor mijn vader, zelfs toen die daar in de boeien en omringd door grote parketwachten zat. Tijdens het grootste deel van de hoorzitting keek hij mijn vader niet aan, vertelde hij me nu. Maar op een onbewaakt ogenblik keek hij op en recht in Ramóns ogen. Hij zei dat mijn vader glimlachte noch fronste of knikte, en hij probeerde ook geen woorden te vormen met zijn lippen. Hij staarde opa alleen maar aan, en dat joeg hem nog meer de stuipen op het lijf.

Zelf had ik gemengde gevoelens over mijn grootvader. Ik hield van hem als mijn grootvader; ik was vervuld van dankbaarheid dat hij me had gered van de ranch, en nu voor alles wat hij voor me had gedaan toen ik klein was. In praktisch opzicht begreep ik ook dat mij afstaan voor adoptie de beste keus was. Maar ik geloof dat hij een betere had kunnen maken. Hij had me bij familie kunnen onderbrengen, zoals de familie van oma Louise, of bij mijn ooms. Of hij had althans verder kunnen kijken dan TFP, die ik als een sekte beschouw, en een liefhebbende familie kunnen zoeken om mij groot te brengen. Ik was kwaad op het feit dat hij me aan mijn lot over leek te laten toen hij uit Sonoma County vertrok zodat ik alles zelf moest opknappen. Hij probeerde zijn eigen emotionele staat uit te leggen, maar zijn excuses verklaarden niet waarom hij maar zo zelden op bezoek kwam.

Opa verraste me wel toen hij vroeg of ik wist wat er was gebeurd met de kleine 150.000 dollar die hij aan de Swindells zei te hebben gegeven, mijn portie van het trustfonds dat na de moorden bij elkaar was gedoneerd. Ik wist het niet, er was nooit over gesproken. Dus belde ik mevrouw Swindell om naar dat geld te informeren.

Er viel een korte stilte. Toen zei ze: 'Dat is weg.' Ze zei dat ze alles aan mij had uitgegeven. 'We hebben je te eten gegeven, gekleed en onderdak verleend. Wat ben je toch ondankbaar!'

Het verhaal over het trustfonds deed me weer denken aan een idee dat voor het eerst bij me opkwam toen ik de krantenknipsels over de moorden vond en dat in de jaren daarna dikwijls bij me was opgekomen: ik wilde teruggaan naar Sonoma County. En ik wilde de waarheid weten over wat er met mijn familie was gebeurd.

In 2005 vroeg ik mijn grootvader of hij me naar Sonoma wilde terugbrengen en hij zei ja. We arriveerden in april, kort na mijn negentiende verjaardag. Ik was er sinds mijn derde niet geweest, dus trad opa op als reisgids. Maar toen we in de buurt van het huis van mijn kinderjaren op Baines Avenue kwamen, ging mijn geheugen weer werken en zei ik precies hoe hij moest rijden.

Natuurlijk waren er sinds de laatste keer een heleboel dingen in de stad veranderd. Maar er was ook een atmosfeer en een aanwezigheid die nooit zouden veranderen. Ik zal altijd de familie-aanwezigheid in Sonoma voelen, als een geest die geen rust kan vinden. Ik voel het telkens wanneer ik een plek passeer waar iemand is vermoord.

Onderweg van Sonoma naar de Calvary Catholic Cemetery kwamen we langs de vuilnisstort van Petaluma. Er was niets bijzonders aan de afslag, geen herdenkingsteken of bermkruis om aan te geven dat ik en mijn zusjes daar beestachtig zijn aangevallen door mijn vader. Het is een gewone grindweg die tussen glooiende heuvels door naar een ravijn voert. Maar toen we dichterbij kwamen, had ik het gevoel alsof ik erin werd gezogen en toen we er voorbij waren, kreeg ik het gevoel alsof iets me ervan probeerde te weerhouden te ontsnappen.

Opa wees er wel op, maar wilde niet stoppen. 'Daar willen we niet heen.'

We bezochten wel de begraafplaats. Ik voelde me er zo vreedzaam dat ik wilde blijven. Uiteindelijk moest opa mijn hand pakken en 'Kom mee' zeggen.

Na ongeveer een jaar bij mijn grootvader in Montana besefte ik dat ik mijn reis moest voortzetten. Opa was evenmin in staat om te gaan met een achttienjarige die een cultuurschok doormaakt als met een driejarige hummel wier bloedeigen vader had geprobeerd haar te vermoorden.

De tragedie drukte nog altijd zwaar op zijn schouders. Soms zag hij me in de keuken staan, vergat hij zichzelf en noemde hij me per ongeluk Angela. Vervolgens moest hij huilen als hij zijn vergissing bemerkte. Hij was erg veranderd sinds zijn Sonoma-tijd – hij was bijvoorbeeld geen TFP-lid meer – maar nog wel vrij streng en conservatief. Nadat de eerste glans van de hereniging eraf was, maakten hij en ik dikwijls ruzie over mijn groeiende onafhankelijkheid. Ik besefte dat het weer tijd werd om op te stappen.

Omstreeks die tijd ging ik mijn geboortenaam weer gebruiken. Carmina was de naam die ik van mijn moeder had gekregen, en die naam was me ontnomen door de Swindells, net als mijn verleden en mijn trustfonds. Zelfs mijn opa noemde me Cecilia. Me weer Carmina laten noemen was een manier om mijn verleden op te eisen, plus mijn familie, vooral mijn moeder die van me had gehouden.

Sinds mijn bezoek met opa aan Sonoma had het verleden me constant beziggehouden. Ik wist dat de Swindells me hadden voorgelogen over mijn moeders familie. Nu wilde ik de waarheid weten. Dus nam ik het aanbod van mijn ooms Lewis en Robert aan om bij hen in te trekken in de stacaravan die ze deelden in Sacramento, ongeveer een uur rijden ten noordoosten van Sonoma.

Allebei waren ze boos op mijn grootvader omdat hij me had afgestaan voor adoptie. En nog meer toen ik hun vertelde hoe slecht ik was behandeld. 'We wisten dat er iets mis was toen je nooit op onze brieven of cadeautjes reageerde,' zei Lewis, de spraakzaamste van de twee. 'Na een poosje hielden we op met dingen sturen, want we begrepen dat je ze waarschijnlijk toch niet kreeg.' Het eerste jaar waren ze met zijn tweeën op bezoek geweest, maar toen ze uit TFP waren gestapt, voelden ze zich niet meer welkom bij de Swindells, vooral Lewis niet, die buiten de kerk was getrouwd en vervolgens weer gescheiden. Volgens de Swindells bevond hij zich in een 'neerwaartse spiraal naar de hel'.

Voor twee vrijgezelle ooms en hun negentienjarige nicht die voor het eerst op eigen benen stond, leverde het samenwonen uitdagingen op. Toch waren we familie, iets wat ik ooit voorgoed verloren had gewaand. En ze lieten me ook kennismaken met andere familieleden en gingen zelfs met me mee naar zuidelijk Oregon voor een kennismaking met hun moeders moeder, mijn overgrootmoeder.

'O, lieve hemel,' was de warme begroeting van de oude dame. 'Wat zijn we al die tijd met je bezig geweest.'

De vrijheid in mijn grootvaders kleine boerenplaatsje in Montana was één ding. De vrijheid in de hoofdstad van Californië was heel iets anders. Naar het benzinestation in de buurt gaan om snoep of snacks te kopen, was al een heel avontuur. De wondere wereld van de Wal-Mart was binnen loopafstand en ik had zelfs een fiets om de stad mee te doorkruisen. Voor het eerst van mijn leven was er niemand die me constant voorschreef wat ik moest doen. Mijn ooms lieten me met rust om me aan te kunnen passen, wat betekende dat ik uitsliep, kwam en ging naar het me uitkwam, al mopperde Robert vaak als ik 's nachts te veel lawaai maakte.

In Montana had ik de computer en het internet ontdekt. Nu had ik zo'n beetje de vrije teugel achter mijn ooms bureau, tot Robert op een dag ontdekte dat ik online over hekserij en de Wicca-godsdienst had zitten lezen. Hij ontplofte tot vredestichter Lewis hem tot bedaren wist te brengen en hem eraan herinnerde dat ik na al die jaren van onderdrukking mijn eigen ruimte nodig had. Veel interessanter dan over alternatieve religieuze sekten lezen was het gebruik van internet om jongens te ontmoeten. Voor het merendeel was dat onschuldig plezier. Als ik een goed gevoel kreeg over iemand online, sprak ik met hem af in een cafetaria in de buurt. Dat leidde nu eens tot een tweede afspraak en dan weer niet. Ik wist dat mannen op die manier ontmoeten riskant was, al was ik waarschijnlijk een tikje naïef wat de risico's betrof. Maar ik was niet op mijn achterhoofd gevallen: toen een jongen een afspraak voor 's avonds laat in het park wilde maken, wist ik wel beter.

Niet dat ik geen fouten maakte. Eén man leerde ik in een pizzatent kennen en hij gaf me een bos rozen. De bloemen waren een lief gebaar, maar het duurde niet lang voordat ik een slecht gevoel kreeg. Ik besloot hem niet meer te ontmoeten, maar hij wilde me niet met rust laten. Hij bleef bellen en sms'en en e-mailen dat hij zoveel van me hield en beloofde me gouden bergen. Ik probeerde hem duidelijk te maken dat het gewoon niet klikte, maar dat maakte niet uit. Op het laatst loog ik dat ik een nieuwe vriend had en dat hij me 'verdomme met rust' moest laten.

'Ik vermoord je,' sms'te hij terug.

Ik dreigde de politie te bellen als hij niet stopte, maar hij schreef terug dat zijn moeder bij de politie werkte, dus dat hij geen problemen verwachtte.

Ik was zijn dwingelandij beu en deed aangifte. Daarna hoorde ik niets meer van hem.

Mijn ooms maakten zich zorgen om mij en de risico's die ik nam. Maar Lewis begreep dat ik een hoop in te halen had en toch niet zou luisteren als ze me iets domweg zouden verbieden. Dat had met alles wat ik bij de Swindells en op de meisjesranch had doorgemaakt juist het tegenovergestelde effect. 'Ze zal struikelen,' zei hij tegen zijn broer, 'maar ze is sterk. Ze heeft zich tot nu toe in haar eentje overeind gehouden. Ze overleeft het wel.'

Uiteindelijk ging puur overleven me vervelen. Naarmate ik meer nieuwe vrienden kreeg en over mijn leven praatte, zeiden veel van hen – toen ze van de eerste schrik bekomen waren – dat ik een boek over mijn leven moest schrijven.

Maar eerst moest ik weten wat ik nog niet wist.

Ik ging naar de bibliotheek om oude krantenartikelen op te zoeken, de eerste verslaggeving en de berichtgeving over mijn vaders processen. Hoewel dat veel toevoegde aan wat ik had opgemaakt uit de knipsels in Swindells garage, vertelden ze maar een deel van het verhaal. Ik wilde meer over mijn familie horen en wat er met ze was gebeurd, van buren en vrienden. Maar niemand in Sonoma wist nog dat ik bestond. Het laatste wat ze hadden gehoord was dat ik was geadopteerd door een 'rijke familie' in het middenwesten.

In oktober 2005 besloot ik dat het tijd werd om hun te laten weten dat ik niet voorgoed verloren was. Ik wist dat KRON, het tv-kanaal van San Jose, de zaak destijds grondig had verslagen. Dus belde ik om te vragen of ze belangstelling hadden voor een update. De volgende dag stuurde de tv-baas een filmploeg, waaronder verslaggever Don Knapp, naar Sacramento om mij te interviewen. Een uur lang loodste Knapp mij en ik hem door het hele verhaal.

Het was duidelijk dat hij had verwacht dat ik een of ander knettergek slachtoffer zou zijn, dermate labiel dat ik mijn verhaal er niet logisch uit zou krijgen. Tenslotte had ik zijn baas verteld dat ik me de afschuwelijke dingen die mijn vader met mij en mijn zusjes had gedaan nog tot in de kleinste bijzonderheden kon herinneren. Hoe kon een mens zich dat allemaal herinneren – sinds de leeftijd van drie – zonder op zijn minst een béétje maf te zijn? Maar Knapp was makkelijk in de omgang en met zijn hulp ontwikkelden we algauw een goede verstandhouding. Ik voelde me competent, ik had er zelfs alle vertrouwen in dat ik mijn deel van het verhaal goed uit de verf kon laten komen. Als hij een vraag stelde die me ongemakkelijk maakte, nam hij gas terug.

Maar er was weinig waarover ik niet praatte. Ik haalde alles naar boven wat ik nog wist van de dag van de moorden, van het zien hoe mijn vader mijn zusjes de keel afsneed tot zijn aanval op mij en de worsteling op de vuilnisbelt om het te overleven. Ik wijdde niet uit, maar zei wel dat het leven na mijn vertrek uit Sonoma niet goed was geweest. Ik hield wel vol dat ik klaar was om de draad weer op te pakken en zei dat ik aan een boek over mijn leven werkte. Ik zei dat ik hoopte dat het interview zou helpen me in contact te brengen met mensen die mijn familie hadden gekend.

Het meest verrassende moment kwam tegen het einde, toen Knapp me vroeg wat ik nu ging doen.

Ik zei dat ik hoopte Ramón een bezoek te brengen in de San Quentin State Prison. Ik keek in de camera en zei dat ik hem had vergeven. Ik wilde hem dat in de nabije toekomst persoonlijk zeggen. Wat ik niet zei, was dat mijn vergiffenis afhing van de vraag of hij echt berouw zou tonen, of hij op zijn knieën zou vallen om mij vergeving te vragen voor alle kwaad dat hij mij en de hele familie had aangedaan, zoals ik me als kind had voorgesteld.

Twee dagen na het interview werd *Carmina Salcido keert terug naar Sonoma* uitgezonden als de hoofdschotel van het avondjournaal. Ik dacht wel dat het zou worden uitgezonden, maar ik was verbaasd over de prominentie en de tijd die eraan werd besteed, bijna de helft van het journaal van een halfuur. En de volgende morgen zonden ze het hele interview van vijfendertig minuten uit.

De respons was veel groter dan ik ooit had durven hopen. De bevolking van de Bay Area en vooral in Sonoma County was mij nog niet vergeten, al hadden ze ruim zestien jaar weinig of niets van me vernomen. En ze wilden me welkom terug heten.

De telefooncentrale van het tv-station stond roodgloeiend zodra het verhaal de lucht in ging. Ze werden ook overladen met e-mailboodschappen voor mij; de berichten die veilig genoeg werden geacht werden aan mij doorgestuurd. (Ik gebruikte de naam Goldendove als e-mailadres, als verwijzing naar de vergulde vogel die in de kloosterkapel hing.)

Een van de mensen die het KRON-interview zag, was Chris Smith, de columnist van de *Press Democrat.* Hij was de Salcidomoorden nooit vergeten en net als zoveel anderen had hij zich afgevraagd wat er van mij was geworden. De *Press Democrat* had al eerder in een herdenkingsbijlage van de geschiedenis van misdaden in Sonoma County geschreven dat de ontvoering van en moord op Polly Klaas misschien wel verstrekkender gevolgen heeft gehad, omdat Californië door Richard Allen Davis de 'three-strike law' aannam, die inhoudt dat een recidivist die voor de derde keer wordt veroordeeld automatisch levenslang krijgt zonder het recht op voorwaardelijke invrijheidsstelling. Maar voor de mensen die er woonden tijdens de slachting van mijn vader, onder wie journalisten als Smith en Randi Rossmann, sprongen mijn vaders misdaden eruit als het einde van een idyllisch tijdperk voor Sonoma.

Kort daarop wilde Smith zelf een interview met me. De ochtend van de afspraak vroeg hij Rossmann of ze zin had om mee te gaan. De Salcido- en Klaas-moorden waren de twee grootste verhalen van haar loopbaan geweest en ze had die degelijk verslagen. Maar hij wist ook dat de moorden haar enorm hadden aangegrepen, net als de andere tragedies die ze in meer dan een decennium had verslagen. Uiteindelijk had ze om ander werk dan politieverslaggeving gevraagd na een interview met een moeder en een vader wier dochter net was omgekomen in een auto-ongeluk, tezamen met haar man en twee jonge kinderen. Ze wilde niemand meer hoeven vragen hoe het is om een beminde te verliezen en dan moeten wachten op het antwoord tot hij was uitgehuild. Ze zou het fascinerend hebben gevonden mij te ontmoeten, zei ze tegen Smith, maar ze sloeg het aanbod toch af. Ze wilde dat deel van haar verleden graag met rust laten.

Toen het artikel van Smith de volgende dag verscheen, kwam er weer een golf reacties. Sommigen schreven om te zeggen dat ze bewondering hadden voor mijn 'moed'. Anderen vroegen zich af wat me bezielde om mijn vader te vergeven. Velen schreven dat ze het triest vonden om te horen dat ik een zwaar leven had gehad nadat ik uit Sonoma was weggegaan, maar dat ze blij waren dat ik weer terug was. In de loop der jaren hebben we ons dikwijls afgevraagd of je gelukkig was en of alles wel goed ging, schreef een gezin. Het spijt ons erg dat je leven na je vertrek uit Sonoma zo'n worsteling is geweest. Na wat er als baby met je was gebeurd, had je nooit meer iets ergs mogen overkomen. Een andere vrouw schreef dat haar dochter acht jaar was toen de moorden werden gepleegd. Na wat er met jouw familie is gebeurd, is er iets voor me veranderd, schreef ze. Op die dag werd jij alle dochters van alle moeders.

Er kwamen diverse e-mails van mensen die in het Petaluma Valley Hospital hadden gewerkt toen ik daar werd verpleegd, waaronder ook David Lopez, de grote bewaker die schreef over de rol die hij als mijn beschermer had gespeeld en hoe hij in tranen was toen ik uit het ziekenhuis werd ontslagen.

Toen dokter Linda Beatie de column las, schreef ze hem haar eigen herinneringen. Hij stuurde de brief aan mij door:

Ik was de dienstdoende anesthesist in het Petaluma Valley Hospital toen Carmina van de vuilnisbelt werd binnengebracht. Ze zeggen weleens dat je je een vreselijke gebeurtenis herinnert alsof het gisteren was. Ik vind in elk geval van wel.

Naderhand vertelde ik het verhaal aan iedereen die maar wilde luisteren, hoe ik Carmina onder narcose bracht zodat de chirurg haar halswond kon onderzoeken, dat ik zo bang was dat ze zou sterven gedurende de narcose nadat ze zich twee dagen op de belt aan het leven had vastgeklampt. Ik vertelde dat een van de zusters op de Eerstehulp een polaroidfoto van haar maakte voor het dossier. Ik zal nooit vergeten dat Carmina lachte voor de foto.

Dokter Beatie voegde er ook nog een persoonlijke noot voor mij aan toe:

Blijkens het artikel in de *Press Democrat* is je leven nooit over rozen gegaan. Dank je wel voor deze gelegenheid om je vanuit mijn perspectief te vertellen wat er die bewuste middag is gebeurd. Ik hoop dat je geluk en vrede zult vinden.
Linda Beatie, arts.

Pat Rile werkte in haar kledingwinkel toen haar zoon belde om te zeggen dat de dochter van haar vroegere leerling zo direct op het avondjournaal zou komen. Ze had het in geen jaren over Angela en de moorden gehad; ze was als de dood geweest dat mijn vader achter haar aan zou gaan als hij ooit nog eens vrij zou komen, en haar man vond het niet prettig als ze erover praatte. Maar haar man was kort daarvoor overleden en ze besloot naar de uitzending te kijken.

Toen Pat het interview zag, vertelde ze me later, werd ze getroffen door de gelijkenis met mijn moeder, niet alleen uiterlijk, maar ook in de manier waarop ik lachte en mijn houding voor de camera. Nadat ze me via Chris Smith had opgespoord, vertelde ze dat ze al die jaren twee dingen voor me had bewaard, omdat ze dacht dat ik die ooit wel zou willen hebben. Het ene was een gestippelde bloes tot op het middenrif die mijn moeder op de modeshow had gedragen. De andere was een videoband van de show, waarop te zien is hoe mijn moeder over de catwalk loopt, met andere modellen praat en lacht op de achtergrond.

Het was voor het eerst sinds mijn derde jaar dat ik mijn moeder zag praten en lachen, afgezien van op foto's.

Een paar weken na het tv-interview kreeg ik een e-mail in het Spaans van iemand in Los Mochis in Mexico, mijn oom Jose Leopoldo 'Polo' Salcido Borjorquez. Ik moest hem laten vertalen.

Hallo Carmina Cecilia,

Wij hopen van ganser harte dat je in goede gezondheid verkeert en dat God de Heer ons laat weten dat alles goed met je is. De mensen die in contact staan met de familie Salcido hebben ons verteld over je project en we zijn blij dat je erover wilt praten.

Ik wil dat je weet, met alle respect voor jou en je hele familie, dat niemand, zelfs je eigen vader niet, ons iets vertelt over wat er in jouw familie is gebeurd.

Toen je klein was, heb ik jou ontmoet, en ook je familie en je grootouders en vooral je moeder Angela. Zij was altijd een prachtmens en ik weet zeker dat je trots op haar bent. Zij heeft altijd van je gehouden, je beschermd en haar best gedaan voor een beter leven voor jullie allemaal. Ik wil dat je weet dat ik me ook heel schuldig voel, en dat ik me in zekere zin verplicht voel aan je omdat ik de loop van het leven niet kan veranderen.

Vandaag is een belangrijke dag omdat we dikwijls aan je denken en ik zou je dankbaar zijn en het erg leuk vinden als je ons zou toestaan jou te ontmoeten.

We houden heel veel van je
Polo Salcido

Ik kon de wending in mijn geluk amper geloven. Een jaar daarvoor was ik alleen en angstig het klooster uit gezet en weggestuurd om in een omgeving van vernedering, kleinering en lichamelijke uitputting te leven. Ik beschouwde mezelf als een ongeliefde wees die door niemand gewenst was. Maar nu woonde ik toch maar bij twee zorgzame ooms, ik had weer contact met mijn grootvader en de familie van zijn vrouw. En weer een andere tak van mijn familie, in Mexico, schreef dat ze van me hield en me wilde ontmoeten.

Het was meer dan ik had durven hopen.

In 1999 werd Mike Brown gepromoveerd tot hoofdinspecteur van de Administration Division. Vervolgens ging hij in 2006 na eenendertig jaar bij de politie met pensioen. Destijds verheugde hij zich erop de honderden moorden en duizenden andere geweldsmisdrijven die hij in zijn loopbaan had onderzocht te vergeten, en dat hij zijn belangstelling kon richten op antieke auto's en zijn vrouw Arlyn. (Zij verdiende het. Een paar jaar daarvoor, toen hij hoofdinspecteur werd, dus van de straat en uit de gevarenzone mocht, had ze bekend dat ze eindelijk niet bang meer hoefde te zijn dat hij op een kwade dag niet meer thuis zou komen).

Het artikel van Chris Smith was een geweldige verrassing. Jaren lang had hij zich afgevraagd hoe het met mij ging en elke keer bijna automatisch een gebedje voor me gezegd. De column had een paar vragen beantwoord, maar niet allemaal en het deel over het leven dat ik had geleid zat hem dwars. Toen hij zag dat ik erover dacht een boek te schrijven, overwoog hij contact met me op te nemen. Maar de gedachte bracht onaangename herinneringen naar boven en hij aarzelde een paar weken omdat hij niet wist of het emotioneel wel zo goed was om dat hoofdstuk weer open te slaan. Uiteindelijk e-mailde hij me toch, op 7 november.

Hallo Carmina,

Mijn naam is Mike Brown. Ik was de brigadier die de leiding had over de groep Ernstige Delicten en de Technische Recherche en had de supervisie van het hele onderzoek naar je familie.

Ik ben op alle plaatsen delict geweest en ook naar Mexico afgereisd om Ramón op te halen. Ik ben ook op de Eerstehulp geweest toen jij werd behandeld.

Mijn team en ik hebben heel hard aan die zaak gewerkt, en als we uitgeput waren door het slaapgebrek of domweg overweldigd waren door de aard van wat er gebeurd was, bleven we elkaar aanmoedigen door te zeggen: 'We doen dit voor Carmina,' omdat we niets meer voor de anderen konden doen.

Ik ben onlangs na eenendertig jaar bij de politie met pensioen gegaan van de Sheriff's Department. Ik weet niet of je nog vragen hebt over het onderzoek, maar zo ja, dan wil ik die graag bij een kop koffie proberen te beantwoorden.

Ik hoop dat je iets van vrede hebt gevonden in de jaren dat je opgroeide. Je moet wel heel sterk zijn om op zoek te willen naar de antwoorden op dat uiterst pijnlijke hoofdstuk van je leven. Ik heb me dikwijls afgevraagd hoe het met je ging en heb vaak voor je welzijn gebeden. Ik hoop dat alles goed gaat met je.

Moge God je altijd zegenen
Mike Brown

Een paar dagen later schreef ik terug dat ik zijn aanbod dankbaar aannam. Ik schreef dat ik hoopte dat mijn boek de les zou onderschrijven dat vergeving de beste medicijn voor zowel de dader als het slachtoffer is. Ik bedankte hem ook voor het werk dat hij aan de moordzaak had gedaan en dat hij de leiding aan de andere rechercheurs had gegeven bij het oplossen ervan. 'Ik begrijp dat het ook voor jou verpletterend moet zijn geweest,' voegde ik eraan toe.

Ik vroeg Mike of hij wist hoe ik een blik op het gerechtelijk dossier van mijn vaders zaak kon werpen en hij beloofde dat hij zijn licht zou opsteken en me zou terugbellen. Je hebt een buitengewoon verhaal te vertellen, schreef hij. Je boodschap van vergeving ontstijgt bijna alle begrip. Onze vriendschap begon met die twee e-mails en ontwikkelde zich verder naarmate ik hem meer vertelde over mijn leven sinds 1989 en hij mijn vragen over de moorden en het onderzoek beantwoordde.

Bij mijn afspraak om het dossier in te zien, belde Mike van tevoren op om ervoor te zorgen dat de ergste foto's werden verwijderd voordat ik het mocht inkijken, en vervolgens ging hij met me mee voor morele steun. We mochten het dossier niet kopiëren, maar wel aantekeningen maken. We schreven ieder de helft van het rapport van reclasseringsambtenaar Angela E. Meyers van december 1990 over, met zijn grimmige, maar toepasselijke oordeel over mijn vader en zijn gedrag. Ieder mens verdient enig mededogen, maar Ramón Salcido moet vooralsnog blijk geven van zijn menselijkheid. Hij heeft kinderen vermoord en bleef onbewogen tijdens hun radeloze worsteling om zich te verweren. Zijn seksuele misdragingen met de dode of stervende Maria en Ruth Richards zijn weerzinwekkend.

Toen Mike en ik onze naspeuringen vervolgden, was hij een toonbeeld van hartelijkheid. Arlyn en Mike namen me een paar dagen in huis, trakteerden me op lunches en etentjes, namen me mee uit winkelen om kleren te kopen, brachten me overal naartoe en namen me zelfs mee op een uitstapje naar het strand. Ze boden aan om mijn opleiding en studieboeken te betalen zodat ik me kon inschrijven voor een cursus aan een *community college* voor het equivalent van een middelbareschooldiploma. Mike stak zelfs zijn licht op voor therapie voor mij bij het Sonoma County Victim Assistance Center, bij slachtofferhulp.

Toen ik een bezoek wilde brengen aan een van de zusters die in het Petaluma Valley Hospital hadden gewerkt toen ik daar als kind werd verpleegd, vroeg ik of hij me een lift wilde geven. De vrouw maakte ontbijt voor ons alle drie klaar en daarna luisterde hij zwijgend terwijl zij en ik praatten. Later op de dag bracht hij me naar de begraafplaats en wachtte hij terzijde terwijl ik tijd alleen met mijn familie doorbracht.

Naarmate de tijd verstreek, des te meer onze relatie iets van die tussen vader en dochter kreeg. Met Mike kon ik overal over praten, van de moorden tot de jaren die erop volgden, tot en met het leven dat ik voor mezelf probeerde op te bouwen, vallen en opstaan incluis.

Voor het eerst sinds mijn kleuterjaren had ik iemand gevonden bij wie ik mezelf kon zijn en die veel beter begreep wat ik had doorgemaakt dan iemand anders had gekund. En daarvoor zou ik altijd dankbaar blijven.

32

De schemering daalt melancholisch over de Valley of the Moon en de kleuren van de wijnranken worden minder fel wanneer we van Mike Browns huis in Santa Rosa wegrijden. De rit over Highway 12 naar Sonoma verloopt ernstig. Sean Kingston staat weer op en speelt een van Carmina's lievelingsliedjes: 'We've got little boys and little girls growing up on this sinful earth.'

Mike Brown is goed voor Carmina. Naast alles wat hij voor haar heeft gedaan, waardeert ze het dat hij haar nooit de les leest. 'Hij zegt niet doe dit of doe dat. Hij zegt: Nou, als ik in die positie verkeerde, zou ik het volgende doen. Mijn hele leven hebben mensen me verteld wat ik moest doen en ik heb geleerd hen gewoon niet meer te horen. Maar hoofdinspecteur Mike Brown hoor ik wel... Ik volg zijn raad niet altijd op, althans niet direct. Maar ik luister altijd naar hem, en meestal ben ik het met hem eens, al kost het me soms wat tijd.'

Was haar vader maar iemand als hij geweest in plaats van Ramón Salcido, peinsde ze, wat zou haar leven er dan anders hebben uitgezien. Ze denkt terug aan alle mannen in haar leven die voor haar hadden moeten zorgen. De een probeerde haar te vermoorden. De ander gaf haar weg aan vreemden. Eén nam deel aan haar mishandeling door haar vrijwel in totale afzondering van de wereld te houden en smeet het geld over de balk dat anderen voor haar toekomst hadden gedoneerd.

Ze kende maar één man die ooit iets voor haar had gedaan, de rechercheur die met zijn mannen alles in het werk had gesteld om haar te redden en vervolgens gerechtigheid zocht voor haar en haar familie.

Een poosje nadat ze elkaar voor het eerst hadden gesproken, schreef ze hem dat allemaal in een brief.

'Dat is de mooiste brief die ik ooit heb gekregen,' aldus Mike Brown.

Ik heb geprobeerd zo goed mogelijk om te gaan met wat me is gegeven. En daarbij hoort ook de laatste hindernis die ik heb genomen om met mijn verleden in het reine te komen.

Toen ik zowel in mijn interview voor KRON-tv als met Chris Smith aangaf dat ik mijn vader wilde bezoeken, kreeg ik veel uiteenlopende reacties. Mary Stuart schreef om te zeggen dat zij als jong medewerkster op het parket de taak had mijn vader dagelijks een bezoek te brengen in de gevangenis. Ik begrijp dat je hem wilt ontmoeten om hem in de ogen te kijken, schreef ze nu. Ik vraag me af of ik in jouw schoenen ook zo dapper zou zijn (ik bedoel natuurlijk psychisch en emotioneel). Ze bood aan over haar ervaringen te praten voor ik bij hem op bezoek ging en zelfs om me te vergezellen als ik graag steun wilde.

Een andere e-mail had als onderwerp 'Ik kende je vader eerder dan jij' en bracht me van mijn stuk. 'Ik heb nagedacht over alle dingen die ik je over je vader wil vertellen', stond er. Hoe ik Ramón heb gekend voor hij je moeder leerde kennen. Hij was een erg aardige jongeman...

Maar belangrijker dan alles wat ik over hem kan vertellen is wat hij over zichzelf zou vertellen. Over zijn leven in Mexico en waarom hij hierheen is gekomen. Over hoe hij je moeder heeft leren kennen en hun leven samen. Hij zou je niets voorliegen, maar alleen maar de waarheid vertellen zoals hij zich die herinnert. In de loop der jaren hebben we over talrijke zaken gesprekken gevoerd. Ik mag bidden dat je hem de kans zult geven het allemaal aan jou persoonlijk te vertellen.

Die e-mail drong er ook op aan contact op te nemen met een vrouw die Ramón al kent sinds hij in San Quentin zit. Hij noemde haar een prachtzuster in Christus. Ik kon alleen maar aannemen dat dit mijn vaders 'vriendin' moest zijn. Ik heb al die jaren contact onderhouden [met je vader] omdat hij meer voor me is dan zomaar een kennis, besloot de schrijver. Ik beschouw hem als een broeder in Christus.

Ik vond het ongelooflijk dat iemand me alleen maar wilde schrijven over mijn vaders christelijke deugden of om me aan te sporen zijn nieuwe vriendin te ontmoeten. Mike Brown waarschuwde me om me niet in de luren te laten leggen door zulke brieven. Er lopen een heleboel rare mensen rond die zich op onverklaarbare wijze aangetrokken voelen tot gedetineerden in de dodencel, schreef hij. Volgens mij zijn het sukkels die makkelijk bij de neus genomen worden door liegende gevangenen die alles zullen doen en beweren om de ander ervan te overtuigen dat ze goede mensen zijn om te proberen onder de ultieme straf uit te komen... en die naïeve mensen verschijnen gewoon op het toneel om alles voor zoete koek te slikken.

Mike wist dat ik van plan was mijn vader een bezoek te brengen en herinnerde me eraan dat geen enkele tussenpersoon kon pretenderen dat hij de kloof tussen mij en mijn vader kon herstellen. Alleen jij kunt voor jezelf besluiten of Ramón je de waarheid vertelt, schreef hij.

Ik was ook al tot die slotsom gekomen. In mijn reactie schreef ik dat ik het gevoel had: er is altijd hoop, maar ik ben altijd voorzichtig en op mijn hoede, omdat ik me een kant van hem herinner die weinig anderen kennen... namelijk hoe hij mijn moeder Angela en ons kinderen echt behandelde. Ik schreef Mike de waarheid, dat ik elke dag voor mijn vaders ziel bad en dat ik voor zijn bestwil hoopte dat hij oprecht is in zijn berouw en bekering.

Een paar dagen na de KRON-uitzending kreeg ik nog een onverwachte reactie, een brief van mijn vader. Hij had het interview in zijn cel gezien.

Lieve dochter Carmina Salcido,

Met alle respect wil ik je laten weten dat ik het interview dat je hebt gegeven op het journaal van Channel 4 heb gezien en dat mijn hart zich met grote opluchting en vreugde vulde toen ik hoorde dat je stappen zet om de fysieke, emotionele en spirituele wonden die ik je in april 1989 hebt toegebracht te overwinnen. Sinds de allereerste dag dat ik hoorde wat ik je allemaal heb aangedaan, heb ik niets anders dan berouw gehad van al die vreselijke daden. Ik bid elke dag tot God in de hemel voor je en voor de familieleden van alle slachtoffers, omdat niemand in deze wereld het verdient om door te maken wat ik jullie allemaal heb aangedaan.

Al die jaren is het leven niets anders dan pure hel geweest. Niet omdat ik ter dood ben veroordeeld of door wat ik allemaal zelf te verduren heb gekregen tijdens mijn gevangenschap, maar omdat ik niet wist hoe het jou en de families van alle andere slachtoffers verging bij de pogingen om je eigen pijn, verdriet en wonden te boven te komen. Ik heb nooit iemand anders dan mezelf de schuld gegeven van alles wat ik jou, Carmina en alle familieleden van de slachtoffers heb aangedaan. Voor mij is deze hele toestand van tijd tot tijd een nachtmerrie!

Ik wil je graag veel meer vertellen, maar nu wil ik me alleen richten op wat je van me verlangde op tv toen je zei dat je een excuus van me wilde horen. Nou, dat doe ik bij deze. Carmina, ik heb echt spijt van alle pijn die ik jullie heb aangedaan. Het is erg pijnlijk geweest voor me en mijn hart en gebeden zijn echt bij jullie allemaal!

Carmina ik wil jou en de familie van de slachtoffers niet één keer, twee keer, maar ontelbaar malen mijn excuses maken als dat voor jullie een klein stapje zou zijn om iets van vrede en herstel in je hart te vinden. Als er nog iets is waarmee ik je kan helpen, zoals vragen die ik moet beantwoorden, voel je alsjeblieft vrij om me een briefje te sturen naar bovenstaand adres of op een andere manier die je wilt, oké!

Ik wilde je deze excuusbrief in 1989 al schrijven vanaf de dag dat ik wist dat je in het ziekenhuis lag, maar ik wist niet hoe en geen van jouw advocaten of mijn advocaten wist hoe dat geregeld kon worden. Ik heb alleen jouw korte medische geschiedenis, over jouw leven als mijn kind, en een excuus gestuurd aan je adoptieouders toen je voogdijzaak achter de rug was. Maar ik moet je wel zeggen dat je al die jaren in mijn hart en in mijn gebeden bent geweest en ik rouw met je mee en voel de pijn van die vreselijke tragedie.

Dank je wel dat je mij alles wat ik je heb aangedaan openlijk vergeeft. Dat uit jouw mond horen brengt echt een beetje stabiliteit en vrede in mijn hart. Het betekent alles voor me! Ik wil je ook bedanken omdat je geweldige herinneringen naar boven hebt gebracht aan de tijd dat je mijn dierbare kleine meisje was. Toen ik je gezicht zag, werd ik herinnerd aan je geweldige lach en ons leven samen voor de tragedie. Je grootmoeder Valentina is onlangs tot de Heer geroepen. Voor haar overlijden vroeg ze of ik alsjeblieft contact met je wilde opnemen om te zeggen hoe erg zij alles wat er met jou en de naasten van de slachtoffers is gebeurd heeft gevonden. Ik hoop dat je ook haar en mijn familie in Mexico kunt vergeven.

Zorg goed voor jezelf en God zegen je vandaag en tot in alle eeuwigheid!

In alle oprechtheid, je vader Ramón Salcido.

Ik werd niet goed van die brief. Hoewel mijn vader een paar keer zijn excuses leek te maken, deed hij dat nooit rechtstreeks en hij vulde zijn brief met alsen en smoesjes. Hij wilde zijn verontschuldigingen wel aanbieden áls dat een stapje voor ons zou betekenen om vrede en herstel in ons hart te vinden. Hij had me in 1989 wel willen schrijven maar wist niet hoe. Zijn taal lijkt zich van de moorden te distantiëren, zoals hij zegt toen ik voor het eerst hoorde wat ik je allemaal had aangedaan. Hij had zelfs het lef om te suggereren dat ik zijn familie zou vergeven, die natuurlijk geen enkele verantwoordelijkheid droeg voor de moorden die hij op zijn geweten had.

Het ergste was dat de brief maar terug bleef komen op zijn eigen sores. Al die jaren is het leven niets anders dan pure hel geweest... Het is erg pijnlijk voor me geweest... Voor mij is deze hele toestand van tijd tot tijd een nachtmerrie!

Mijn vader beweerde dat hij mijn pijn voelde, maar ik geloofde er niets van.

Pas later begreep ik dat mijn vader zichzelf nooit echt verantwoordelijk heeft gehouden voor de moorden. In interviews die hij in Spaanstalige nieuwsbrieven en andere publicaties heeft gegeven na zijn gevangenneming, had hij bij herhaling geklaagd dat hij iedereen die hij het meest liefhad 'kwijt' was, alsof ze hem waren ontnomen door een vreselijk ongeluk, zonder ook maar aan te stippen dat hij ze kwijt was omdat hij ze had omgebracht.

Sinds zijn proces had mijn vader getracht het beeld van een slachtoffer en een martelaar op te roepen. Eén keer schreef hij op een christelijke website: Toen de politie me met een vliegtuig uit

Mexico naar de gevangenis in Santa Rosa had teruggebracht, had zich een hele menigte voor de gevangenis verzameld die riep: 'Maak hem dood! Maak hem dood!' Het was een vreselijke tragedie en de wereld reageerde geschokt. Ik had het gevoel alsof ik alleen nog maar dood wilde omdat ik iedereen kwijt was van wie ik ooit had gehouden. Over welke vreselijke tragedie had hij het eigenlijk? De moorden, of de haat die hij over zich heen kreeg van een verontwaardigde menigte?

Vanuit de gevangenis maakte mijn vader bekend dat hij een wedergeboren christen was. Hij werd zelfs voorganger en beweerde buiten de gevangenismuren zo'n driehonderd volgelingen te hebben, onder wie zijn vriendin. Hij schreef elke week een preek die aan zijn congregatie moest worden voorgelezen. En hij financierde zijn 'geestelijk gevangenisambt' met hun donaties en door kunst van zijn hand – voornamelijk religieuze tekeningen – te verkopen op een website die murderAuction.com heet en zich afficheert als een plek waar de true crime-liefhebber... true-crime artefacten kan verkopen, kopen en zien, waaronder kunst van gedetineerden.

Mijn vader heeft diverse strijdige verslagen gegeven van zijn bekering. In de ene versie gebeurde het kort na terugkeer uit Mexico. Een klein meisje legde een bijbel in mijn cel. Die las ik en ik aanvaardde Jezus als mijn verlosser, schreef hij op de website van de christelijke gevangenen. Vervolgens liep zijn hart over van warme golven vergiffenis en waarachtige vreugde. Maar het verhaal van een klein meisje dat rondzwierf in de gevangenis van Sonoma County om bijbels uit te delen – blijkbaar met toegang tot de isoleercellen – was maar één versie. In andere versies reikte het 'kleine meisje' hem ofwel een bijbel of passages uit de Bijbel aan toen hij zich een weg baande door de vijandige menigte voor de gevangenis, een verhaal dat duidelijk is geënt op dat van Jezus die zijn kruis door de straten van

Jeruzalem draagt. In weer andere versies gaf ze hem de bijbel toen hij op weg naar de rechtszaal langs het publiek liep, of toen hij in San Quentin arriveerde.

Zoals Mike Brown zei, waren alle versies bespottelijk. Na zijn arrestatie is mijn vader nooit binnen armlengte van het publiek geweest, kleine meisjes met bijbels incluis. Natuurlijk is een moordzuchtige psychopaat ook een pathologische leugenaar. En gedetineerden die zichzelf als het slachtoffer beschouwen zijn ongeveer even talrijk als gevangenen die achter de tralies 'Jezus vinden', vooral wanneer ze geconfronteerd worden met de eeuwigheid die hen boven het hoofd hangt. Ik neem mijn vaders kleinemeisjesverhaal even weinig serieus als het sporadische artikel dat hij in de loop der jaren tegen abortus heeft geschreven als het nemen van onschuldig leven, of waarin hij mensen die iets is misdaan – waarschijnlijk zoals hijzelf – aanspoorde om 'de woede en haat te vergeten' voordat die hen in moeilijkheden konden brengen.

En toch bleef dit allemaal ook waar: sinds ik een klein meisje bij de Swindells was dat elke avond haar gebeden voor het slapengaan zei, had ik eraan gedacht mijn vader ooit weer in de ogen te kijken. Ik wilde dat hij God zou vragen hem te vergeven voor de moorden en de aanrandingen. Zo wilde ik dat hij zijn ziel zou redden. En ik wilde dat hij op de knieën ging om me om vergiffenis te smeken en misschien, als ik geloofde dat hij echt spijt had zonder excuses te zoeken of anderen de schuld te geven, zou ik hem dan kunnen vergeven.

Begin 2006 had ik een nieuw thuis – althans tijdelijk – op een ranch in een landelijk gebied van de gemeente. Toen de eigenares, een vrouw die mijn moeder had gekend, het KRON-interview had gezien, had ze contact met me opgenomen om me een zakelijk voorstel te doen. Ze zei dat ze een ranch was begonnen voor kinderen die waren mishandeld door pleegouders, en ze was van plan paarden te gebruiken als therapie. Ze zei dat ze me veertien dollar per uur plus kost en inwoning zou betalen, als ik van Sacramento naar Sonoma zou verhuizen om haar te helpen. En ik mocht met de paarden werken.

Het klonk als een droombaan, tot ik daar arriveerde en erachter kwam dat de vrouw die bewuste ranch nog niet eens was begonnen. Ze had in feite ook geen paarden, al verzorgde ze er wel een paar op het land dat ze had gehuurd. Ze had ook niet voldoende geld om me te betalen. In werkelijkheid wilde ze mij gebruiken om donaties voor het project los te krijgen. Alweer had een volwassene me teleurgesteld. Ik had gedacht dat het bereiken van de vrijheid iets had van het bereiken van de top van een berg om vervolgens van het prachtige uitzicht te genieten. Waar ik niet op had gerekend, was dat ik nog veel meer moest klimmen om er te komen.

Maar voorlopig kon ik nergens anders heen. Het enige wat ik kon doen, was afwachten en maar hopen dat die vrouw een manier zou vinden om het ranchproject op de rails te zetten.

En zo kwam de ontmoeting met mijn vader er uiteindelijk van.

Op een dag reden die vrouw en ik over de brug naar San Rafael, toen ze wees en zei: 'O, kijk, ga je vader maar hallo zeggen.' Ze wees naar de San Quentin State Prison, die op een schiereiland in de Baai van San Francisco staat.

Opeens kwam ik op een idee. Ik vroeg of ze van de snelweg wilde afslaan om me naar de gevangenisadministratie te brengen. Daar vulde ik een aanvraag in om mijn vader te kunnen bezoeken, en daarna ging ik naar huis om bericht af te wachten dat hij dat had goedgekeurd.

Die goedkeuring kwam algauw. Op een zonnige dag in februari 2006 reed ik naar de San Quentin State Prison om de man op te zoeken die mijn familie had uitgemoord en mij voor dood had achtergelaten.

San Quentin wordt vaak beschreven als een angstaanjagende plek, als een monsterlijk gebouw met getraliede ramen, de skyline van een fort en een bewakingstoren. Maar ik was niet bang voor het gebouw zelf, ik was bang voor de ontmoeting met mijn vader.

De laatste keer dat ik zijn gezicht had gezien, had het verwrongen en boos gestaan, alsof hij boos op me was omdat ik voor mijn leven vocht. Ik herinnerde me dat moment alsof het een paar minuten geleden was gebeurd.

Overal stonden bewakers toen ik naar de bezoekruimte werd gebracht, die in wezen een grote in kooien verdeelde kamer was. Bezoek komt aan de ene kant van de kooi naar binnen en gaat zitten; gevangenen aan de andere kant. Tussen hen staat alleen een tafel.

Voor ik naar binnen ging, wendde ik me tot de cipier om te zeggen dat ik één verzoek had. 'Ik wil dat hij me met geen vinger aanraakt,' zei ik.

De bewaker knikte en gaf de instructie door. Eén poging om mij aan te raken, zei hij tegen Ramón, en hij verspeelde zijn bezoekrecht tot zijn executie.

Mijn vader knikte en ging zitten. Hij zag er vrijwel hetzelfde uit als toen ik een klein meisje was, een paar pond zwaarder misschien, met peper-en-zoutkleurig in plaats van zwart haar en geen snor. We zaten elkaar even zonder iets te zeggen over de tafel aan te kijken. Toen besloot ik het ijs te breken. 'Nou, laat ik zo beginnen,' zei ik. 'Ik ben hier om te praten over wat er is gebeurd en je te vergeven voor wat je destijds hebt gedaan... Ik kan het niet vergeten, maar ik denk wel dat ik het je kan vergeven.'

Ik zei niet dat vergeving tweerichtingverkeer is. Hij moest erom vragen – aan mij en aan God – om het te krijgen. Maar het moest zijn eigen idee zijn, anders zou het geen enkele waarde hebben.

Als ik had verwacht dat mijn vader zou instorten en om vergiffenis zou vragen, werd ik teleurgesteld. 'Je weet niet hoeveel dit voor me betekent,' zei hij en het klonk even toonloos alsof ik hem een baantje had aangeboden. In de loop van het bezoek leek hij wel joviaal, zolang we het maar niet over 'de tragedie' hadden, een woord dat hij en de Swindells gebruikten voor de slachting van mijn familie.

De volgende tweeënhalf uur werd er gepraat, althans mijn vader praatte over zichzelf. Hij praatte over zijn leven in Mexico en hoe hij naar Californië was gegaan. Op een zeker moment informeerde hij wel hoe ik was opgevoed. Maar toen hij een paar seconden naar mijn verhaal had geluisterd, ging hij gauw weer door over zijn leven en hoe erg zijn gevangenisbestaan was.

Op een ander moment tijdens het bezoek slaakte hij een zucht en zei hij niet voor het eerst hoe gelukkig ons gezin was geweest, hoe verliefd mijn moeder en hij op elkaar waren geweest. Hij deed voorkomen alsof er tot de bewuste dag nooit iets ergs was gebeurd in ons gezin: geen ruzies, geen dronken getier, geen nachten waarin hij helemaal niet thuiskwam.

'Wacht eens even,' zei ik. 'Ik herinner me ruzies tussen jou en mama. Ik herinner me zelfs dat ik een keer probeerde tussenbeide te komen en dat ík van jou een stomp kreeg.' Maar hij ging gewoon op iets anders over; ik had het net zo goed over iemand anders kunnen hebben.

Die middag verliet ik de gevangenis in verwarring. Ik was blij dat ik de stap had gezet en mijn vader voor het eerst in de ogen had gekeken, maar ook boos, treurig en in de war door zijn duidelijke gebrek aan iets wat in de verste verte op berouw leek. Hij zei wel dat hem speet wat er was gebeurd, maar hij klonk als een onverschillige derde die het over een treinongeluk heeft. En hij gaf geen moment toe dat hij iets verkeerds had gedaan. Het kwam door de drugs en alle problemen die zich hadden opgestapeld, die waren de schuld van 'de tragedie'.

Maar wat me echt raakte, was dat hij maar bleef praten over 'de dag waarop ik alles kwijtraakte wat het meest voor me betekende', alsof hij geen rol in de gebeurtenissen had gespeeld. Alsof híj het slachtoffer was en niet ik. Niet mijn moeder en zusjes of een van de anderen. Alleen hij.

Het ging alleen maar over hem. En ik was niet van plan hem daarvoor te vergeven.

Na dat bezoek was ik niet van plan mijn vader ooit weer op te zoeken. Hij had me niet gegeven wat ik nodig had, en ook geen enkele hoop dat hij dat ooit zou kunnen. Maar hij probeerde wel een relatie op te bouwen. In maart 2006 stuurde hij me (via zijn vriendin) een e-mail om te vragen of ik nog eens op bezoek wilde komen.

Toen ik die aan Mike Brown liet zien, bevestigde hij mijn indruk dat zowel mijn vader als zijn vriendin een nieuwe relatie met me wilde opbouwen, met de geringe kans dat dit mijn vaders positie tegenover justitie zou verbeteren. Het is duidelijk dat ze proberen voor elkaar te krijgen dat jij hem gunstig gezind wordt, zodat je van invloed kunt zijn om hem aan de doodstraf te helpen ontsnappen, schreef hij, wat betekent dat ze weinig hoop hebben dat ze langs juridische weg hun zaak kunnen bevorderen. Ik ben blij dat je zo intelligent bent om het complot te doorzien en dat je je niet laat gebruiken. Zoals je zei, het blijft alleen maar over hem gaan.

Meer dan een jaar ging er voorbij voordat ik besloot weer contact met mijn vader op te nemen. En dat gebeurde omdat ik een man leerde kennen die precies was zoals hij.

Nadat ik was weggegaan bij de paardenboerderij, werd ik een poosje in huis genomen door Martha en Fred, een stel van middelbare leeftijd dat ik via Pat Rile had leren kennen. Maar ik kon niet eeuwig bij hen blijven, en weldra was ik weer op pad, op zoek naar een woning voor mezelf. Het leven op eigen benen was moeilijker dan ik had verwacht. Een poosje woonde ik zelfs in een oud busje dat me was gschonken door iemand die iets voor me wilde betekenen.

Toen leerde ik Carlos kennen. Hij was een illegale Mexicaan. Hij was ook drugsdealer. Maar hij was de laatste man op aarde die de Swindells zouden hebben goedgekeurd en misschien werd ik daarom wel verliefd op hem.

Maar Carlos gaf die liefde niet terug. Hij ging laat op stap en bleef de hele nacht weg. Als ik vroeg waar hij naartoe ging, haalde hij zijn schouders op en zei hij dat het met de drugszaken te maken had.

'Mag ik mee?'

'Nee.'

'Waar ben je geweest?'

'Dat mag ik niet zeggen.'

Of hij was thuisgekomen en begonnen beschuldigingen te schreeuwen dat ik achter zijn rug om rondscharrelde, al was ik de hele nacht thuis geweest. Op een keer trok hij tijdens een bijzonder verhitte ruzie een mes. Hij zei dat ik hem bedroog, wat op zich al erg genoeg was. Toen zei hij: 'Je bent net als je moeder. Ramón heeft juist gehandeld.'

Het was de laatste druppel. Ik was het beu mishandeld te worden. Ik was het beu iemand te willen vertrouwen en dat vertrouwen direct beschaamd te weten. Ik liet mijn armen zakken, zodat hij ruim baan had voor mijn hart, zei ga je gang en gebruik dat mes maar. Ik was niet bang om dood te gaan. Tenslotte had ik het al eerder mee kennisgemaakt. Maak me maar dood, dacht ik. Alsof mij dat wat uitmaakt.

Carlos bedaarde. Later belde ik de politie om hem te laten arresteren omdat hij mij met een wapen had bedreigd. Ik was het zat om gekoeioneerd te worden en mijn vader stond op het punt dat ook te merken.

Tijdens mijn korte verhouding met Carlos en op zijn aandrang was ik weer op bezoek gegaan bij mijn vader.

Ik wilde Ramón niet meer om vergeving horen smeken en ook zijn onsterfelijke ziel niet meer redden.

Wat ik belangrijk vond, was dat de hiaten in mijn herinnering werden gevuld en ik was tuk op alle verhalen uit zijn mond over gelukkiger tijden, over mijn korte leventje met mijn moeder en zusjes. Een uitstapje naar het strand. Spelen in het zand en rijden op onze driewielers. Bezoekjes aan mijn grootouders. Cadeautjes openscheuren op onze laatste Kerstavond bij elkaar. Moet je toch zien hoe lief ze zijn. Daar kunnen we toch niet boos op zijn? Ik had maar heel weinig herinneringen aan mijn familie en niemand om mijn geheugen op te frissen.

Dus bleef ik teruggaan naar San Quentin, maar dat viel niet mee. Bij een van mijn bezoekjes verscheen ik met platinablond geverfd haar. Ik dacht dat mijn vader verrast zou zijn, maar hij zei dat hij al wist dat ik het had geverfd, omdat hij dat op mijn MySpace-pagina had gelezen. Ik zei dat ik niet had verwacht dat de gevangenen in de dodencellen toegang hadden tot de computers, maar hij vertelde met een knipoog dat hij bij een schoonmaakploeg werkte waardoor hij stiekem een computer kon gebruiken als er niemand keek. Ik wist niet of dat zo was en Mike Brown bevestigde dat; hij vond het gewoon mijn vaders jongste poging om me te manipuleren en in zijn macht te krijgen. Tenslotte had mijn vader me een keer verteld dat hij alles wist wat ik in Sonoma deed, waar ik werkte en met wie ik uitging. Hij zei dat zijn 'paparazzi' een oogje voor hem in het zeil hielden. Hij zei dat met een flauwe glimlach, maar ik herkende er een dreigement in, dat zijn macht tot buiten de muren van San Quentin reikte.

Toch wist ik niet of ik kon geloven dat hij op het internet surfte, tot een paar vriendinnen me vroegen of ik wist waarom iemand met een e-mailadres van San Quentin hun MySpace-profiel las. De volgende keer dat ik mijn vader sprak, vroeg ik ernaar. Hij bekende dat hij op hun MySpace-pagina had gekeken 'op zoek naar geile foto's van jou'.

Ik moest bijna kotsen. Mijn vader had een oogje op me.

Maar ik liet me door zijn gedrag niet weerhouden hem te blijven opzoeken, ik wilde volhouden tot ik had wat ik van hem nodig had. En hij heeft mijn vragen beantwoord, zoals toen hij het verhaal vertelde hoe hij met mij aan het stuur door de straat reed en wegdook om de buren te laten schrikken. En hoe ik altijd mee wilde rijden op zijn motorfiets, zelfs als mijn zusjes weg holden.

Maar ik vertelde hem ook mijn herinneringen, en niet alleen de vrolijke. Herinneringen aan zijn ruzies met mijn moeder, dat hij tegen haar schreeuwde. Dat hij stomdronken thuiskwam. Over zijn aanvallen van razernij.

Hij luisterde alleen naar wat hij wilde horen. Als wat ik zei hem niet beviel, sloeg hij er geen acht op of ging hij op iets anders over. 'Als dat is wat jij je herinnert, ga ik niet met je bekvechten.'

Uiteindelijk, daags voor Moederdag 2007, had ik alles gehoord wat ik van Ramón Salcido nodig had. Hij had de lege plekken van mijn geheugen wat hem aanging gevuld. We raakten uitgepraat. Zelfs zonder dat Moederdag voor de deur stond, zou het al een emotioneel zware dag worden. Ik had geen onderdak, geen geld, niemand om lief te hebben. Toen ik San Quentin verliet, wachtte er geen familie.

Ik wilde hem nog één ding zeggen. Het was iets wat ik vaak zei voordat ik mezelf in slaap huilde bij de Swindells. Maar deze keer zei ik het niet in stilte. 'Ik wou dat je me wél had vermoord!' schreeuwde ik hem toe. 'Want tot nu toe is mijn leven een hél geweest!

Ik barstte in tranen uit. Tot op dat moment had ik geweigerd in te storten waar hij bij was, maar die keer kon ik het niet helpen. Ik zei dat ik de volgende morgen naar de begraafplaats zou gaan om rozen op mijn moeders graf te leggen. 'Dankzij jou kan ik haar die niet persoonlijk geven.'

En hoe denk je dat mijn vader reageerde? Met een excuus? Vroeg hij uiteindelijk oprecht om vergiffenis? Nee, ik kreeg weer diezelfde uitgekauwde zin die hij vanaf het begin even monotoon had uitgesproken. 'Ik zou alles doen om de klok terug te kunnen draaien en het anders te doen.'

Ik verliet de bezoekersruimte en reed zo hard mogelijk weg van de gevangenis.

Anderen mogen geloven dat mijn vader geen schuld had aan zijn misdaden. Anderen mogen zich laten wijsmaken dat hij veranderd is, een man van God geworden is. Laat ze maar denken dat hij een goede echtgenoot en vader is geweest. Dat die ene bewuste dag domweg 'een tragedie' was.

Hij heeft andere mensen misschien een rad voor ogen gedraaid – zijn vriendin en de anderen die zijn voorgangersambt ondersteunden – maar ik heb hem gekend zoals hij werkelijk was. Een boosaardig mens. Een duistere schaduw die door mijn leven was gevlogen. Een monster.

Dat was de laatste keer dat ik mijn vader heb opgezocht. Er is geen reden om te gaan, ik hoef niets meer van hem te horen. Ik betwijfel of ik hem ooit nog eens zal zien, behalve als ik zijn exe-cutie met een dodelijke injectie moet bijwonen, de methode die de gaskamer in Californië heeft vervangen. Ik heb nog altijd niet besloten of ik daarbij zal zijn. En zo ja, dan weet ik niet of dat zal zijn om hem te steunen of om de mensen te vertegenwoordigen die hij heeft vermoord. Maar zo'n beslissing zal waarschijnlijk nog jaren op zich laten wachten. Toen Ramón in 1990 naar San Quentin werd gestuurd, wachtten er zo'n driehonderd gedeti-neerden in de dodencellen; nu zijn het er ruim zeshonderd, en de staat Californië toont weinig belangstelling het proces te ver-snellen.

Wanneer ik terugkijk op alle teleurstellingen in mijn leven, de ervaringen met mijn vader, met de Swindells, de Holts, Carlos en zelfs mijn grootvader, sta ik er versteld van dat ik nog iemand kan vertrouwen. Maar dan denk ik aan de mensen die me niet hebben laten zitten: mijn moeder en zusjes, het Sonoma County District Attorney's Office, de Sonoma County Sheriff's Depart-ment, de rechercheurs die zo hard hebben gewerkt, de artsen en zusters die mijn leven hebben gered, de nonnen die alles hebben gedaan wat in hun vermogen lag en met name rechercheur Mike Brown die me meer dan eens heeft gered.

In april 2007 aanvaardde ik eindelijk een uitnodiging om een bezoek aan mijn vaders familie in Mexico te brengen. Vanaf het moment van aankomst in Los Mochis werd ik behandeld als een langdurig verloren gewaande schat. Omringd door ooms, tantes en een heel legertje neven en nichten heb ik me nog nooit zo ge-liefd en gewenst gevoeld als gedurende de maand van mijn ver-blijf daar.

Toen ik uit Los Mochis vertrok, was ik vast van plan er terug te keren. Misschien ga ik wanneer ik ouder ben, of misschien al-gauw. Het hangt waarschijnlijk af van de vorm die mijn leven hier in Sonoma aanneemt.

Voorlopig leef ik bij de dag. Maar ik probeer niet alle deuren naar mijn verleden dicht te doen. Ik spreek mevrouw Swindell nog steeds, al hebben we elkaar weinig te zeggen. Als ik denk aan wat het geld van dat trustfonds nu voor me zou betekenen, kan ik alleen maar mijn hoofd schudden. De mensen die me dat geld hadden geschonken, probeerden me iets van hoop te geven, een kans op een toekomst die mijn familie me niet meer kon bieden. Maar ik heb er zelfs geen middelbareschoolopleiding uit gekregen.

Ik heb ook gehoord dat er veel is veranderd op de God's Cowgirls Ranch. Nadat iemand een klacht bij de staat had ingediend, zijn er voor de meisjes echte badkamers gebouwd, en te oordelen naar hun website is er tegenwoordig een gevoeliger benadering, in elk geval in hun marketing.

Ik blijf voorlopig in Sonoma County en ik ga dikwijls naar de begraafplaats waar mijn familie bij elkaar ligt. Elke keer heb ik het gevoel van thuis zijn en dan wil ik daar blijven. Het is alsof mijn moeder en zusjes, mijn oma en mijn tantes daar ergens zijn, niet dood en voorgoed verdwenen. Ik kan me niet dichter bij hen voelen dan wanneer ik daar voor hun graven sta. Ik vraag me wel eens af of ze op me wachten.

Toen ik de ranch in Idaho verliet, en opnieuw toen ik naar Sonoma terugkeerde, had ik het gevoel alsof ik de top van de berg had bereikt. Hartzeer en vechten waren verleden tijd. Maar nu weet ik, als ik ooit die top wil bereiken om van dat vergezicht te genieten, moet ik de ene voet voor de andere zetten en blijven klimmen. Af en toe heb ik het gevoel dat ik al heel lang zo loop. Maar verloren ben ik niet, nu niet meer, en ik zal daar komen.

EPILOOG

In juni 2008 verwierp het Californische hooggerechtshof Ramón Salcido's laatste beroep en werd de doodstraf gehandhaafd. Zijn advocaten probeerden aan te voeren dat zijn transport naar de Verenigde Staten in 1989 een schending was van de Mexicaanse wet die uitlevering van eigen burgers aan landen met de doodstraf verbood. Na de uitspraak van het hof kondigden zijn advocaten aan dat ze in beroep zouden gaan bij het Amerikaanse hooggerechtshof.

Een paar dagen voor de beslissing kreeg Carmina weer een brief van haar vader. Hij wilde haar laten weten dat hij het op prijs had gesteld dat ze hem recentelijk had geschreven, 'al zijn je woorden naar mij toe een beetje hard en vervuld van verdriet en haat'. Vervolgens berispte hij haar omdat ze haar vader niet respecteerde en voegde daar vervolgens een paar bijbelteksten aan toe om haar op haar dwalingen te wijzen. Hij waarschuwde haar dat als ze doorging met hem te haten en geen eerbied te betonen zij elke kans verspeelde op de omhelzing van een vader... liefde van een vader... kus van een vader... en advies van een vader en dat ze alles dan aan zichzelf te wijten zou hebben.

WOORD VAN DANK

CARMINA SALCIDO

Mijn liefde en erkentelijkheid gaan uit naar moeder-overste Teresa (Madrecita) en novicenmeesteres Agnes voor al jullie liefde, begrip, gebeden en leiding. De grootst mogelijke liefde en medeleven gaan uit naar mijn grootvader Bob Richards. Ik begrijp je verlies, je pijn en je eenzaamheid en zal altijd van je houden. Naar mijn oom Lewis die voor me klaarstond in een buitengewoon moeilijke periode van mijn leven toen ik probeerde te leren wat vrijheid inhield, en naar mijn ooms Robert en Gerald van wie ik houd en die ik respecteer.

Mijn hartgrondige dankbaarheid gaat uit naar oud-hoofdinspecteur Mike Brown van de Sonoma County Sheriff's Department, voor zijn toewijding bij het zoeken van en het oppakken van mijn vader. Zijn warme steun en goede raad na mijn terugkeer naar Sonoma, en die van zijn prachtvrouw Arlyn, betekenen meer voor me dan ik in woorden kan zeggen. Veel waardering gaat ook uit naar alle andere rechercheurs en agenten die aan de zaak hebben gewerkt.

Mijn dank gaat ook uit naar Martha en Fred voor hun onzelfzuchtige liefde, zorg en vriendschap, alsook naar Donna en Mike omdat ze me in hun gezin hebben opgenomen. En naar Steve Jackson, mijn medeauteur en metgezel bij het tot stand komen van dit boek. Zonder jouw talent, geduld en altruïsme zou dit boek niet zijn geschreven.

En al die andere mensen die voor me hebben gebeden en me al die jaren nooit zijn vergeten, dank u wel. Ik hoop dat dit boek iedereen inspireert die schijnbaar onoverkomelijke obstakels tegemoet ziet. Nooit opgeven.

Mijn adoratie en dank gaan uit naar mijn gezin, van wiens steun en liefde ik afhankelijk ben, anders zou niets van dit alles mogelijk zijn geweest. Vooral ook naar mijn broer Donald, je was de beste grote broer die iemand zich kan wensen en ik mis je nog dagelijks. Mijn dank gaat ook uit naar Michael Hamilburg, een magnifiek agent en een nog beter mens; naar Calvert Morgan jr. bij Harper en Collins, het bewijs dat achter elk geweldig boek een geweldige redacteur zit; naar oud-hoofdinspecteur Mike Brown, voor zijn buitengewoon waardevolle assistentie, leiding en vriendschap; naar rechercheur Randy Biehler voor zijn inzichten en hulp. Last but not least gaan mijn dank en respect uit naar Carmina Salcido, een heel dappere jonge vrouw wier levensverhaal een les voor ons allen is in wat het betekent om tegen alle voorspellingen in te volharden.